絶対決める!

地方[illegible]級
国家一般職
[大卒程度]

公務員試験総合問題集

新星出版社

◆本書の特色◆

実践的な教養・専門模擬問題

本書は，大学卒業程度でめざす「地方上級公務員」「国家公務員一般職」採用試験に共通する，教養試験・専門試験（多枝選択式）問題を集中的にまとめた問題集です。なお，**国家公務員試験**では基礎能力試験が見直され，令和6年以降，情報の問題が出題されます。

各科目の問題・解答は，１ページ完結（長文問題は見開きまたは数ページ単位）にまとめました。本書を利用される方には，本試験に対応した実践的で利用しやすい構成になっています。

赤シートを上手に使おう

本書は，「解答解説」などの部分を赤シート対応にしており，正誤が伏せられます。解答のヒントとなる重要語句なども伏せられているので，何回でも問題を解くことができます。赤シートで隠された語句を確認し，それを暗記して知識とすることができます。

A・B・Cの重要度で効率的学習

各問題には重要度が付いています。「A」は最重要で出題率が非常に高く，難易度も高い項目です。「B」は次に重要な表示で，ここも出題率が高いと見込まれるところです。「C」は要マーク，確実に覚えておくテーマとして挙げており，A，B，Cのマークで効率的に学習できます。

受験ガイドは最新情報

受験ガイドでは，公務員の概要と試験の最新情報を紹介しています。ただ，地方上級公務員の採用試験情報は，各自治体により異なり１本化できません。そのため，参考例として一部自治体の内容をp.9の表にまとめました。掲載の「受験ガイド」は，国家公務員一般職試験を中心に，合わせて地方上級公務員試験内容をまとめたものです。内容は本書の編集時点までのものであるため，詳しい情報はいずれも各人事院等で問い合わせて確認をしてください。

「試験の傾向」で受験対策強化

ガイドの最後に，過去の試験出題項目を科目ごとに「試験の傾向」としてまとめました。科目により対策もついています。受験勉強で何が必要なテーマ・項目なのかがわかります。本書の模擬問題を解いて，さらに覚えなければならないものをここで活用してください。

地方上級公務員・国家公務員一般職（大卒程度）採用試験の概要

■公務員の種別

大卒程度の国家公務員には，**総合職**と**一般職**の別があり，総合職は各省庁の幹部候補生として政策の企画立案や法案の作成，予算編成などを担い，一方，一般職は中堅幹部候補生として，企画立案を支えるための職務を担うことになります。

また，地方上級公務員には，都道府県という広い範囲で多岐にわたる仕事を担う**都道府県職員**や，地域に密着して地域住民の暮らしを支える**市区町村職員**があります。

本ガイドでは，地方上級公務員試験は「地方上級」，国家公務員一般職試験（大卒程度）は「国家一般職」として表記します。

概要については，「地方上級」の場合は各自治体により採用条件や受験資格が異なるため，「国家一般職」を中心とした記載です。地方上級の詳細については，各自治体ホームページで確認するか，各自治体役所等に直接問い合わせて確認してください。参考としてp.9に6団体の試験情報をまとめました。

地方上級，国家一般職とも，**試験制度内容**については本書編集時点までのものであり，変更されることがあります。国家一般職をめざす人は，下記のホームページで，**必ずご自身で確認してください**。

問い合わせ先は，p.5の人事院各地方事務局（所）となっています。

「国家一般職」採用情報
ホームページ（採用情報NAVI）：https://www.jinji.go.jp/saiyo/siken.html

■公務員の構成数

右の図が現在の国家公務員と地方公務員の構成数です。国家公務員の数のうち，裁判所職員・国会議員・防衛省職員など特別職を除いたものが「一般職」となり，これからさらに検察官・林野職員・独行法人職員を除いた者が，給与法適用職員といわれる一般の国家公務員になります。

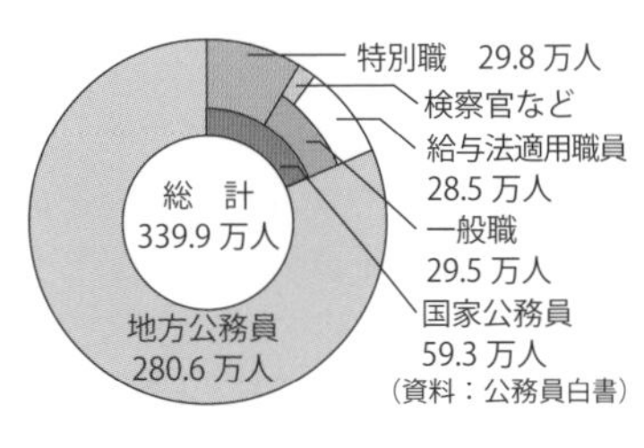

■大卒程度で受けられる公務員試験

自治体の採用試験	地方上級公務員試験（Ⅰ類，Ⅰ種など）
人事院の採用試験 ：国家公務員	総合職試験，一般職試験，専門職試験（皇宮護衛官，法務省専門職員，国税専門官，財務専門官，労働基準監督官，食品衛生監視員，航空管制官）
機関直接の採用試験	裁判所職員（総合職・一般職），衆議院事務局職員総合職・一般職，参議院事務局職員総合職，国立国会図書館職員総合職・一般職，防衛省専門職員，外務省専門職員など

■受験資格年齢

◆国家一般職の場合

①××年４月２日～○○年４月１日生まれの者
②○○年４月２日以降生まれの者で次に掲げる者
1. 大学を卒業した者及び△△年３月までに大学を卒業する見込みの者並びに人事院がこれらの者と同等の資格があると認める者
2. 短期大学又は高等専門学校を卒業した者及び△△年３月までに短期大学又は高等専門学校を卒業する見込みの者並びに人事院がこれらの者と同等の資格があると認める者

◆地方上級の場合

一般的に下記のように記載されていますが，各地方自治体により内容は異なります。

①××年４月２日から○○年４月１日までに生まれた者
②○○年４月２日以降に生まれた者で大学（短期大学を除く）を卒業した者及び試験年度の３月卒業見込みの者
③人事委員会が②と同等の資格があると認める者

■受験資格のない者

◆国家一般職の場合

⑴　日本国籍を有しない者
⑵　国家公務員法第38条の規定により国家公務員となることができない者
1. 禁錮以上の刑に処せられ，その執行を終わるまでの者又はその刑の執行猶予の期間中の者その他その執行を受けることがなくなるまでの者
2. 一般職の国家公務員として懲戒免職の処分を受け，その処分の日から２年を経過しない者
3. 日本国憲法又はその下に成立した政府を暴力で破壊することを主張する政党その他の団体を結成し，又はこれに加入した者

◆地方上級の場合

国家一般職と同様の内容で，地方公務員法 16 条の欠格条項に該当する者。外国籍の者でも受験できる自治体がある。

■受験申込から採用まで（例年）

記載内容は国家一般職の概要を中心に紹介します。地方上級は p.9 の一部自治体の例も参考にしてください。次ページ以降の（　　）内の日程は A が国家一般職，B が平均的な地方上級を表します。

流れを図式化すると，次のようになります。

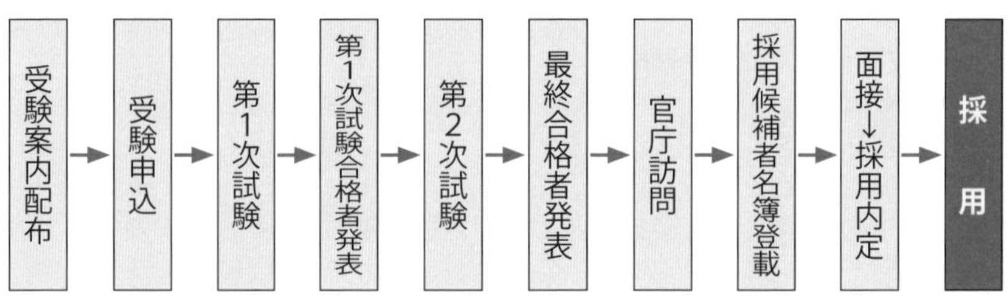

●人事院各地方事務局（所）

第 1 次試験地	申込先	所在地	連絡先
札幌市	人事院 北海道事務局	〒 060-0042 札幌市中央区大通西 12 丁目	TEL 011（241）1248 FAX 011（281）5759
盛岡市　仙台市 秋田市	人事院 東北事務局	〒 980-0014 仙台市青葉区本町 3-2-23	TEL 022（221）2022 FAX 022（267）5315
さいたま市 習志野市　東京都 新潟市　長野市	人事院 関東事務局	〒 330-9712 さいたま市中央区新都心 1-1	TEL 048（740）2006 ～ 8 FAX 048（601）1021
静岡市　名古屋市 金沢市	人事院 中部事務局	〒 460-0001 名古屋市中区三の丸 2-5-1	TEL 052（961）6838 FAX 052（961）0069
京都市　大阪市 神戸市	人事院 近畿事務局	〒 553-8513 大阪市福島区福島 1-1-60	TEL 06（4796）2191 FAX 06（4796）2188
松江市　岡山市 広島市　山口市	人事院 中国事務局	〒 730-0012 広島市中区上八丁堀 6-30	TEL 082（228）1183 FAX 082（211）0548
高松市　松山市	人事院 四国事務局	〒 760-0019 高松市サンポート 3-33	TEL 087（880）7442 FAX 087（880）7443
福岡市　北九州市 熊本市　鹿児島市	人事院 九州事務局	〒 812-0013 福岡市博多区博多駅東 2-11-1	TEL 092（431）7733 FAX 092（475）0565
那覇市	人事院 沖縄事務所	〒 900-0022 那覇市樋川 1-15-15	TEL 098（834）8400 FAX 098（854）0209

(1) 受験受付　(A：2月下旬～3月下旬。B：4月上旬～6月初旬)

□受験申込用紙の配布

・国家公務員→2月初旬と開始が早い。
・特別区（東京23区），東京都→3月上旬～中旬とこちらも早い。
・インターネットからダウンロードするか，郵送で請求する。

□インターネットによる受験申込

・国家一般職→インターネットで申し込む。

国家一般職試験申込専用アドレス
http://www.jinji-shiken.go.jp/juken.html

□郵送又は持参による受験申込

・国家一般職（大卒程度）や大阪府では，郵送・持参による受付をしていない。
・地方上級→持参受付をしていないところ（東京都・和歌山県など）があるので確認が必要。
・視覚障害，身体に障害のある者については希望による措置がある。

□受験票

・インターネット申込者：5月下旬～6月上旬にダウンロードして作成。
・郵送・持参申込者：5月下旬～6月初旬に郵送される。

(2) 第1次試験　(A：6月上旬，B：5月中旬～6月下旬)

□国家一般職の場合

試験種目	内　容	配点比率
基礎能力試験（多肢選択式）	公務員として必要な基礎的な能力についての筆記試験 知能分野24題（文章理解⑩，判断推理⑦，数的推理④，資料解釈③　知識分野6題（自然・人文・社会に関する時事，情報⑥）	$\frac{2}{9}$
専門試験（多肢選択式）	試験区分に応じて必要な専門知識などについての筆記試験（出題分野と出題数は別表内訳）	$\frac{4}{9}$ ※1
一般論文試験	文章による表現力，課題に関する理解力についての筆記試験（論文は「行政」区分対象）	$\frac{1}{9}$
専門試験（記述式）	試験区分に応じて必要な専門知識などについての筆記試験（行政以外の区分。出題数は1題）	$\frac{1}{9}$ ※1

※1　建築区分は2.5/9。

第1次試験合格者は基礎能力試験，専門試験（多肢選択式）の結果で決定。一般論文試験，専門試験（記述式）は第1次試験合格者を対象として評定し最終合格者決定に反映。

●**専門試験（多肢選択式）内訳**　〔建築区分以外３時間，建築区分２時間〕

区　分	解答数	科　　目
行　政	80 題中 40 題	（16 科目各５題から８科目）政治学，行政学，憲法，行政法，民法（総則及び物権），民法（債権，親族及び相続），ミクロ経済学，マクロ経済学，財政学・経済事情，経営学，国際関係，社会学，心理学，教育学，英語（基礎），英語（一般）
デジタル・電気・電子	44 題中 40 題	（必須）工学に関する基礎⑳，情報・通信工学（理論）⑧，電磁気学・電気回路・電気計測・制御・電気機器・電力工学⑧（選択）A，Bから１つを選択：A情報工学（プログラミング）④，B電子工学・電子回路④
機　械	必須全 40 題	工学に関する基礎⑳，材料力学④，機械力学④，流体力学④，熱工学④，機械設計・機械材料・機械工作④
土　木	必須全 40 題	工学に関する基礎⑳，構造力学（土木）・水理学・土質力学・測量⑪，土木材料・土木設計・土木施工③，土木計画④，環境工学（土木）・衛生工学②
建　築	必須全 33 題	工学に関する基礎⑳，構造力学（建築）・建築構造④，建築材料・建築施工②，環境工学（建築）・建築設備③，建築史・建築計画・建築法規・都市計画④
物　理	50 題中 40 題	（必須）物理［物理数学を含む基礎的な物理］㉚（選択）応用物理［現代物理等］⑩，地球物理⑩の 20 題から 10 題選択
化　学	44 題中 40 題	（必須）数学・物理⑨，物理化学・分析化学・無機化学・有機化学・工業化学㉗（選択）生物化学④，化学工学④の８題から４題選択
農　学	必須全 40 題	栽培学汎論⑦，作物学⑦，園芸学⑦，育種遺伝学③，植物病理学③，昆虫学③，土壌肥料学・植物生理学④，畜産一般③，農業経済一般③
農業農村工学	必須全 40 題	数学③，水理学④，応用力学④，土壌物理・土質力学②，測量②，農業水利学・土地改良・農村環境整備⑬，農業造構・材料・施工⑦，農業機械②，農学一般③
林　学	必須全 40 題	林業政策⑦，林業経営学⑦，造林学⑪，林業工学④，林産一般⑥，砂防工学⑤

(3) 第１次合格者発表（A：６月下旬，B：５月下旬～７月下旬）

・合格者には合格通知書が郵送される。

(4) 第２次試験　（A：７月中旬～下旬，B：６月上旬～８月中旬）

・人物試験（人柄，対人的能力などについての個別面接。参考に性格検査）

・地方上級の場合は，個別面接が中心だが，論文試験，専門試験を行うところがある。

公務員受験メモ

※地方上級の行政・事務では，心理学，教育学，英語を専門試験に含むところは少ない。

※東京都のⅠ類Ｂ（新方式）では，教養試験（択一）の一般教養が適性検査（SPI 3）に変更。

※京都府の行政ⅠＡでは，１次の専門試験で総合政策・法律・経済から１科目を選択。

□**第３次試験**

・地方上級：自治体により実施（北海道，横浜市，岩手県，神戸市など）
：７月上旬～８月下旬

(5) 最終合格者発表（A：８月中旬，B：８月上旬～９月上旬）

□**国家一般職合格者発表**

・インターネット申込み時に設定されるパーソナルレコードからダウンロード。

(6) 採用（おおむね翌年４月）

・最終合格者は採用候補者名簿（３年間有効）に登載される。
・名簿記載者の中から，各省庁等で面接等を行って採用者を決定する。

■合格ラインの目安

教養試験（国家一般職は基礎能力試験）の科目配分は，自治体でそれぞれ異なります。120分で計40～50題必須とか，科目数の記載がないのもあります。

明確な合格ラインはいずれも公表されていないため，合格判定基準から考えることになりますが，この場合は試験要項に発表されているのが参考になります。「○○試験は悪かったけど他は６割以上は取れたから１次は大丈夫」と考えていると，不合格というのが大半のケースです。それは「試験種目で基準点に達しない者は合計得点が高くても不合格」というのを採用しているところが多いからです。つまり，「教養試験（基礎能力試験）」で一定の基準に達しない場合は，他の種目の成績に関わらず不合格だからです。

このように，基準点に達しないと２次試験には進めないのが大部分ですから，指定された種目は，最低目標を６割～７割あたりに置いて受験することが大事です。

公務員の給与メモ

国家公務員の給与は法律により定められ，俸給表で決められています。一方，地方公務員の給与は，条例により定められた給料表の額が給料として支給されます。

地方公務員と国家公務員行政職の給与水準を比較・検討する方法に，「ラスパイレス指数」が使われており，学歴，経験年数等の差を比較し，国家公務員の給与を100とした場合の地方公務員の指数を表したものです。総務省の令和５年資料では「地方」は98.8とあります。これを全職種の平均給与月額（手当込）で見ると，国家公務員（平均42.4歳）は404,015円，地方公務員（平均42.1歳）は358,824円となっています。

地方上級公務員の採用試験概要（参考）

概要は，過去に実施の採用試験情報を基に作成したものです。数字の詳細等は実際の募集内容と異なることがあります。

各年度実施の詳細は，必ず自治体の人事委員会でご自身で確認してください。

募集先	宮城県（行政・技術系）	特別区（東京 23 区）Ⅰ類春（事務・技術系）	神奈川県Ⅰ種春（行政・技術系）
受験資格年齢	宮城県人事委員会が規定する年齢	特別区人事委員会が規定する年齢	神奈川県人事委員会が規定する年齢
申請書配布	4 月下旬	3 月上旬	4 月中旬
受付期間	5 月上旬～下旬	3 月上旬～下旬	4 月中旬～ 5 月上旬
第 1 次試験	6 月中旬	4 月下旬	6 月中旬
第 1 次試験内容	教養：50 題 専門：40 題	教養：48 題中 40 題 専門：55 題中 40 題 論文：2 題中 1 題	教養：50 題中 40 題 専門:80 題中 40 題（行政） （技術は区分で別）
1 次合格者発表	6 月下旬	6 月中旬	6 月下旬
第 2 次試験	7 月中旬～ 8 月上旬	7 月上旬～中旬（1 日）	7月上旬～8月中旬(2日)
第 2 次試験内容	論文，人物試験他	口述試験	論文（1 次試験で実施） 個別面接他
最終合格者発表	8 月上旬	7 月下旬	8 月下旬
問い合わせ先	宮城県人事委員会事務局 TEL 022-211-3761	特別区人事委員会事務局任用課採用係 TEL 03-5210-9787	神奈川県人事委員会事務局総務課任用グループ TEL 045-651-3245

募集先	京都府（行政・技術系）	広島県（行政一般：一般事務・技術系）	福岡県Ⅰ類（行政・技術系）
受験資格年齢	京都府人事委員会が規定する年齢	広島県人事委員会が規定する年齢	福岡県人事委員会が規定する年齢
申請書配布	4 月中旬	5 月中旬～	5 月上旬～
受付期間	4 月中旬～ 5 月下旬	5 月中旬～下旬	5 月上旬～中旬
第 1 次試験	6 月中旬～ 7 月上旬	6 月中旬	6 月中旬
第 1 次試験内容	筆記、論文他 教養:40 題，専門:40 題，SPI 3 筆記通過者のみ口述	教養：択一式 30 題 専門：択一式 55 題 論文（行政）専門（技術）	教養：50 題 専門：40 題
1 次合格者発表	6 月下旬～ 7 月上旬	6 月下旬	6 月下旬
第 2 次試験	7 月下旬	7 月上旬～ 8 月上旬	7 月
第 2 次試験内容	個別面接	面接 第 3 次：面接(区分により)	論文・面接他
最終合格者発表	8 月上旬	8 月上旬	8 月上旬
問い合わせ先	京都府人事委員会事務局総務任用課 TEL 075-414-5648	広島県人事委員会事務局公務員課 TEL 082-513-5144	福岡県人事委員会事務局任用課 TEL 092-643-3956

教養・専門科目・論文・面接 傾向と対策

●教養科目の出題ポイント

地方上級，国家一般職の教養試験（知識分野・知能分野）では，地方上級は知能分野は必須，知識分野は選択式のところがかなりある。北海道，東京都Ⅱ類，横浜市などはともに必須である。国家公務員試験は新制度から全試験で教養試験が「**基礎能力試験**」の名称に変わったが，ともに必須科目である。

以下に挙げた各科目の「ポイント」は，**過去に出題**された**テーマ・項目**の中心であり，ここは征服しておかなければならないところである。

□知識分野

◆自然科学系のポイント

〈**数学**〉**出題されないところもある**：直線方程式（交点の座標），２次関数の最大最小，２次関数のグラフの面積，２次方程式の判別式，数列，微分法，三平方の定理の応用など。

〈**物理**〉**力学，電気関係が出題の基本**：動摩擦力，等加速度直線運動，ジュールの法則，遠心力，万有引力の法則，物理量の単位，圧力と水銀の変化，水の性質，光，音の波の性質など。

〈**化学**〉**基礎的な化学式は覚えたい**：メタンと水素の化学反応，鉄の化学変化，塩化ナトリウム水溶液の電気分解，二酸化炭素，カルシウムの化合物，金属のイオン化傾向，物質の分子量など。

〈**生物**〉動物の分類・発生，生態系と変化，からだの機能，生殖と分裂，遺伝子交配，交配と組換え価，DNA，生物曲線と動物など。

〈**地学**〉**出題範囲が絞りやすい**：火山活動，地球の性質，フェーン現象，地震，地層，岩石，気象の及ぼす影響，日本周辺の地形，太陽系など。

◆人文科学系のポイント

〈**思想**〉**出題されないところがある**：ギリシャ，ドイツの哲学者，近代の西欧思想家，日本の江戸末期・近代・現代思想家，諸子百家など。

〈**文学・芸術**〉**この分野も出題されないところがある**：印象派の画家，浮世絵，西洋絵画，日本古典文学，世界の児童文学，第二次世界大戦後の日本の作家など。

〈**日本史**〉おおまかな時代分けは，奈良・平安時代，鎌倉・足利時代，江戸時代，明治時代，第一次世界大戦以後か。人物，政治，争乱，文化，社会の内容をＸ軸，

Y 軸など使った**年表で整理**する：幕末の政治社会，江戸時代の政治。平安時代の出来事，原始・古代の文化，中世の武家社会，明治時代の政治・外交・出来事，1920 ～ 30 年代の外交など。

〈世界史〉必須のポイントは，**中国の歴史**と**第一次世界大戦の流れ**：キリスト教の歴史，ギリシャ・ローマ世界恐慌の各国への影響，近世のヨーロッパ，イギリスの各時代の対外関係，ロシアの歴史，第一次世界大戦時の世界情勢，中国王朝の政治・文化，中国の西方交易，フランス・スペインなど各国の革命や戦争など。

〈地理〉傾向がつかみやすく以下を中心に：日本の輸入と相手国，世界の主要河川，世界の気候と農業，五大陸の気候帯，中国の民族，各国の民族と言語など。

◆社会科学系のポイント

〈政治〉①**日本国憲法**，②**各国の政治制度**，③**我が国の国会が主要な分野**：地方自治と法律，憲法の人身の自由，社会的基本権，法の下の平等，我が国の内閣制度，日本の国会，司法制度，各国の大統領制，アメリカの政治制度，米英の政党など。

〈経済〉新聞などで情報を整理しておく：日本銀行の政策，世界各国の輸出入額，日本の貿易収支，2002 年以降の日本経済，発展途上国の経済，行財政改革，日本の税制，我が国のデフレ，最近の日本の経済情勢，各国の経済，FTA など。

〈社会〉学説よりも，**現実の社会問題からの出題が多い**：我が国の社会保障，外国人を取り巻く状況，消費者問題，生涯学習，高齢化について，社会学者の理論，地球規模の環境問題，健康と病気，デュルケームの「アノミー」，環境社会の 3R，対人関係理論など。

※特別区は，科学系 3 分野以外に「社会事情」の単独分野試験がある。

□知能分野

知能分野の問題は，知識分野より問題数が多いところもある。現に新制度の国家一般職試験では「知識分野」13 題に対して,「知能分野」は 27 題（文章理解 11 題，判断推理 8 題，数的推理 5 題，資料解釈 3 題）となっている。そのウェートからもここで失点を少なくして，ライバルとの点差を広げたいところでもある。ただし，普段学ぶ範囲ではない分野もあるため，本試験での配分時間をうまく使い分けないと，所定の時間内ですべての問題を処理することができない。十分な対策をしておきたいところである。

〈文章理解〉 科目は「**現代文・古文（漢文）**」と「**英語**」の 2 科目である。ともに出題形式は「**内容把握（一致）**」が主流で，「**空欄補充**」「**文章整序**」と続く。長文読解が多いため，しかも「内容一致」問題などはまぎらわしいものばかりに思えるため苦戦をする分野であろう。確実な解き方といったものはないが，問題を分別して考えるとよい。特に「内容一致」問題では，次のことに注意して解答してみよう。①繰り返しの主張（テーマ）は何か，②例文・例示は主張の補完でテーマではない，③結論があるかないか，④設問の文意が使われているか，⑤設問が文意と矛盾しないか，といった点検の仕方である。これがすべてではないが，問題理解に混乱した際，整理して解く方法となろう。

英語の文章理解では，個々の単語の意味がわからなくても読み飛ばし，段落ごとの文意を理解することである。難解な単語や熟語などは意味が挙げられている場合もある。一語一語訳すのではなく，ワン・センテンス，1段落の意味をつかむことが時間を無駄に消費しない方法である。国家一般職の「文章理解」で専門試験の英語では，問題文まで英語表記になっているので，圧倒されないことも大事な点である。

〈判断推理〉知能分野でも出題数が多い。命題・条件からの推理，対応，真偽，順序，位置，軌跡，平面図形，立体図形，対戦表などである。条件から解答を導くものが多いため，出題方法に慣れることが大事である。対応や順序関係，対戦表などは**図式化**して解くことを勧めたい。平面図形，立体図形の展開・切断や軌跡は，普段の学習の中で**実際に切断や展開**の練習をしてみることである。この分野は，傾向というものはないので慣れるしかない。市販の問題集などで数をこなすことである。

〈数的推理〉文系に進んだ者には，中学，高校で学んだ数的な理解を忘れてしまい苦手な分野にもなる。といって，昔の教科書をひもとくのも大変なので，ここでも市販の問題集で慣れることである。忘れかけていた**公式**など思い出すので，段階を踏んで難問に挑戦していくようにしたい。例えば，平面図形の問題などでは中学で学んだ「三平方の定理」がよく使われる。図形の体積や表面積では，πｒを使った公式を覚えておく必要がある。確率なども，「事柄が起こる場合の数／起こりうるすべての場合の数」といった**基本の分数式**を頭に入れておく。問題に多く見られるのは，整数・数値，公約数・公倍数，速さ・時間・距離，方程式，不等式，数列，確率，割合，平面図形の面積，多角形，空間図形，ｎ進法，旅人算，仕事算などである。

〈資料解釈〉 社会統計や人口統計などを利用した**実績表**（年度別・地域別・項目別など），各分野の特色などを利用した**棒グラフ**と**折れ線グラフ・円グラフ**，**分布図**，**時刻表**などが題材である。「確実にいえるのはどれか」「最も妥当なのはどれか」といった問題である。ただ，この資料解釈は設問内容を個別にあたりながら○×式に解答できるので，判断推理や数的推理ほど苦戦はしないはずである。計算も，平均や合計，割合を求めるものが多く，それから類推する問題なのでこれがキッチリできていれば全問正解も可能だろう。新聞などでグラフを使った資料説明の記事を見かけるが，その際に見る目を養うというのも手だろう。

●専門科目の出題傾向と対策（行政関係）

専門科目（多肢選択式）は，地方上級，国家一般職とも科目または問題選択解答が基本である。国家一般職の場合は 16 科目（各 5 題）から 8 科目（計 40 題）を選択して解答する。この中には地方上級試験の多くで科目範囲とされていない「心理学」「教育学」が含まれている。得意な分野を決めて集中して受験勉強をすることが大切である。

◆重要項目◆各科目のこれまで**出題された問題テーマの上位**で確実に覚えておきたいところである。

◆対策○○◆人物あるいは語句など**得点力アップ**につながる事項である。

□政治学

◆重要項目◆政治過程論，各国の議会と立法過程，政治思想家，自由主義・民主主義理論，各国の政治システム，日本の選挙制度，マスコミの機能，第二次世界大戦後の政治情勢，ナショナリズム，ポピュリズム，集合行為論

◆対策人物◆ D. トルーマン，A. ベントレー，H. ラスキ，F. ハンター，C. マクファーソン，T. ローウィ，J. ベンサム，J. ロック，N. マキァヴェリ，R. ダール，J. シュンペーター，オルテガ・イ・ガセト，F. ハイエク，F. ラザーズフェルド，J. クラッパー，R. ミヘルス，J. マディソン，H. ウィレンスキーなど

□行政学

◆重要項目◆行政学理論，行政組織，行政改革，官僚制と官僚行動，日本及び各国の地方自治，行政への市民参加，情報管理，行政責任，NPM 論，福祉国家，日本の地方自治の歴史，インクリメンタリズムの理論，我が国の情報法制など

◆対策人物◆ H. ファイナー，C. フリードリッヒ，M. ウェーバー，A. ダウンズ，L. キューリック，P. ブラウ，E. メイコー，G. アリソン，D. イーストン，F. テイラー，F. グッドナウ，C. バーナード，C. リンドブロム，C. ギルバート，F. フリードマンなど

□憲法

◆重要項目◆集会の自由，職業選択の自由，学問の自由，思想及び良心の自由，表現の自由，財産権の保障，違憲審査権，参政権，国会，国会議員，公務員の人権，外国人の公務就任権，地方自治，条例制定権の範囲と限界，国会の議事と議決，衆議院の解散，違憲・違法の判例，黙秘権保障に関する判例，内閣総理大臣および国務大臣，国会による予算の修正，憲法前文，判決文の空欄補充など

◆対策判例◆猿払事件・最大判昭 49.11.6，塩見訴訟・最判平 1.3.2，三菱樹脂事件・最大判昭 48.12.12，日産自動車事件・最判昭 56.3.24，津地鎮祭事件・最大判昭 52.7.13，北方ジャーナル事件・最大判昭 61.6.11，博多駅テレビフィルム提出命令事件・最大判昭 44.11.26，レペタ事件・最大判平 1.3.8，東大ポ

ポロ事件・最大判昭 38.5.22，薬局距離制限事件・最大判昭 50.4.30，堀木訴訟・最大判昭 57.7.7，朝日訴訟・最大判昭 42.5.24，苫米地事件・最大判昭 35.6.8

□行政法

◆重要項目◆国家賠償，国家賠償法 1 条，国家賠償法 1 条の責任，国家賠償法 2 条，取消訴訟と国家賠償法，行政不服審査法，行政事件訴訟法，行政手続法，取消訴訟と差止訴訟，行政行為の効力，行政指導，即時強制と行政調査，地方公共団体の事務，行政機関の概念，法律による行政，行政庁の不作為，不服申立てと行政事件訴訟の差異，情報公開法に関する論理問題，通達など

◆対策項目◆行政作用，行政訴訟（訴訟要件に関する判例），不服申し立て，国家賠償，地方自治体関連

□民　法

◆重要項目◆代理，共有，留置権，抵当権，制限能力者，動機の錯誤に関する見解，物権的請求権の相手方，占有権，法定地上権，転得者，不動産物権変動，無効・取消，即時取得，債権者代位権，時効の援用など

◆債権の性質，連帯債務，売買契約，瑕疵担保責任，離婚，債務不履行と不法行為，解除，使用貸借・消費貸借・賃貸借，特別受益者の相続分，受領遅滞の性質，相殺，不当利得，遺言，相続財産，相続と登記，民法 478 条など

◆対策項目◆総則：権利能力・失踪宣告など。物権：物権変動，公示制度，約定担保物件など。債権：総論（連帯債務・保証人と連帯保証人など）と各論（契約関連）。親族・相続：離婚・再婚，親子・夫婦間の権利義務，相続と共有，相続放棄と限定承認

□経済学（ミクロ経済学・マクロ経済学）

◆重要項目◆効用最大化行動，クールノー均衡，差別価格モデル，くもの巣過程，自由貿易均衡分析，需要の価格弾力性の計算，最適労働供給量の計算，損益分岐点と操業停止点，独占理論の計算，課税の効果，売上高最大化，平均費用・平均可変費用・限界費用

◆国民経済計算，ギャップの計算，総需要曲線，労働者錯覚モデル，ライフサイクル仮説，開放経済下の財市場均衡分析，信用創造の計算，財政・金融政策の効果，投資理論，IS-LM 分析，45 度線分析，開放マクロ経済モデル，マンデル・フレミング・モデル，国内総生産

◆対策項目◆消費者・生産者理論，市場均衡，ゲーム理論，乗数理論，経済学理論，経済成長理論

□財政学・経済事情

◆重要項目◆我が国の財政制度，我が国の財政事情，我が国の経済事情・労働経済事情，最近の世界経済，戦後日本の経済循環，90年代後半以降の日本・世界経済，米・中・FTA・EU・通貨体制，雇用・生産・消費，金利・貨幣・不良債権処理・FTA，最近の雇用情勢など

◆対策項目◆重要項目以外では，租税関連（内容・効果・余剰分析など），財政制度（予算・地方財政など），国債発行事情，ここ２～３年程度の動きなど

□経営学

◆重要項目◆経営組織，企業戦略，経営者の意思決定，モチベーション，マーケティング，生産管理，企業会計と財務，経営管理学説，組織間関係，PPM，インセンティブ・システム，企業の国際化・M & A，コーポレート・ガバナンス，ベンチャービジネスなど

□国際関係：単独で出題されないところもある

◆重要項目◆国際政治の歴史と概念，国際連合安保理，地域機構，我が国の外交と国際協力，国際政治理論，地球規模課題，日露戦争後の日本外交，ヨーロッパ統合の歴史，国際協力，安全保障の理論・概念，地域紛争史，欧州連合，中東情勢，第二次世界大戦後の日本外交，世界経済体制など

◆対策項目◆年代を絞って，ここ５年以内のヨーロッパ，アジア，アフリカ，アメリカ等地域の動きや経済を押さえる

□社会学

◆重要項目◆社会的不平等，社会変動，メディア，社会集団・組織，パーソナリティ・社会的性格，社会学の理論パラダイム，社会学の調査・研究，家族形態論，シカゴ学派，階級・階層，社会調査法，社会学の特質，調査データの分析法，社会的行為・社会的相互作用，地位と役割など

◆対策項目◆項目の傾向として，集団・組織に関する問題，調査研究に関するものが多くなってきている

□心理学：地方上級では出題されないところが多い

◆重要項目◆知覚の恒常性，学習理論，動機づけ・情動，心理療法，斉一性への圧力と同調行動，エリクソンとユンゲの生涯発達理論，コールバーグの道徳性の発達理論，スキーマ，類型論，アタッチメント測定，感情の生起，愛情

□教育学：地方上級では出題されないところが多い

◆重要項目◆道徳教育，カリキュラム，学校評論，生涯学習，学習理論，児童・生徒の管理，学習指導形態，デュルケーム，学力格差の理論，教育の人事管理，教育の目的

●論文の対策

論文試験は配点比率の高いところがあり，テーマも難問といえるものが多く出題される。

800字〜1200字程度の中で自分の考えがどう相手に伝えられるか，的確に表現されなければならない。書き方の基本はここでは省き，どのような内容が出題されるのかみてみよう。以下の例は過去，主に地方上級1次論文試験で出題された問題である。

書くポイントは起承転結をはっきりさせ，5W1Hを応用すること。

宮城県の例 → 課題文は長いものの要約すれば「社会保障制度の現状分析と課題への取組」である。このとき課題文には「医療・年金・介護等」と，くくりの分野が与えられているので，得意な，あるいは日ごろ関心のある分野（What）を一つ決めて集中的にまとめ，結論（How）に結び付けることである。

例えば介護では，身近に介護を受ける人などいれば実例を挙げやすい文章展開ができるかもしれない。思い当たる人（Who）がいなくても，新聞等のニュースで目に通すことの多いテーマで，Whoを想定しながら，例えば在宅介護について考えてみる。そこには日常生活上の問題，家族負担，金銭負担，介護保険制度の限界などさまざまな問題（Why）が出てくる。これらを絞って起承転結をはっきりさせてまとめよう。どういう状態にあるか，どう対応しているのか，何が問題なのか。どうすればよいと周りは考えているのか，といったことを簡潔にまとめる。そこから結論を出していく。

結論に，「これはダメだろう」といった自分で範囲を狭めてはいけない。論理的に理解される文章は「現状認識」と「理解度」である。同じような言葉であるが，「現状認識」は問題点を理解し分析ができることで，「理解度」は将来の展望を描く知識があるということである。これがあれば，突飛な結論など出るはずもなく，至難な解決と思われても採点者には訴える深みのある論文と理解されると考えられる。

□**論文**：過去の出題例

〈宮城〉医療・年金・介護等の社会保険制度は，私たちの暮らしに安心をもたらすセーフティネットの役割を果たしており，その時々の社会のニーズに応じた適切な制度の在り方を検討していく必要がある。こうした中，現在の社会保障制度を取り巻く情勢とその課題について考察するとともに，私たちが安心して生活できるようにするためにはどのような取組が必要かについて，あなたの考えを述べなさい。

〈新潟〉「県民満足度を向上させるための方策について」

限られた行政資源（財源，人材など）の中で，多様化する県民ニーズにこたえ，県民の満足度を高めていくためには，どのような方策が考えられるか述べなさい。

〈静岡〉「地域社会でのコミュニケーションが希薄になっているといわれて久し

い。そのことにより生じている事象を具体的に上げたうえで，地域社会におけるコミュニケーションについて，あなたの考えを論ぜよ。」

〈兵庫〉平成20年版厚生労働白書によれば，日本は2005年（平成17年）から人口減少に入ったとされている。その原因と影響について説明するとともに，兵庫県として，今後どのように取り組んでいけばよいか，あなたの考えを述べなさい。

〈福岡2次〉我が国の雇用情勢は依然として厳しい状況が続いており，雇用の確保は大きな課題となっています。特に福岡県の完全失業率及び有効求人倍率は他県と比べて悪い状況にあります。このような状況を踏まえて，雇用情勢を好転させるためには，どのような行政（国，本県）施策を行えばよいと思うか，あなたの考えを述べなさい。

●面接の対策

面接には個別面接，集団面接，集団討論などあるが多くは個別面接で，各専門分野以外の一般質問内容は以下のような内容からいくつか問われると考えられる。難問は基本的にないと考えてよく，受験者の答える内容によっては⑥のような質問の方向を問われることにもなるので，不明な分野を突かれて返答に窮することがないよう，話す内容を誇大に広げないのも面接試験での対応方法である。ただし，どんな質問をされても「わかりません」では受験にならない。そのためにも社会問題には常に関心を持つように新聞など毎日読むように心がけることが大事である。

〈質問項目：一般例〉

①**選択理由**：なぜ公務員になりたいのか。なぜ民間ではないのか。なぜ国家公務員ではなく地方公務員なのか（逆も）。なぜ総合職ではなく一般職なのか。併願先はあるか，など。

②**志望動機**：なぜ○○を志望したのか。○○の何を志望するのか。○○のどんな仕事をしたいのか。

③**職種認識**：民間と公務員の違いは何か。公務員像について。社会と公務員の連携について。これからの公務員に期待されることとは。上司と意見が違うときはどうするか。業務改善案を考えたとき，立案手段はどうするか。住民のクレーム対応の例ではどうするか。

④**学生時代**：ゼミでの学習内容。クラブ活動内容。学外活動経験・内容（ボランティア，留学，アルバイト，自主活動など）。

⑤**本人関係**：自分の長所・短所。趣味。座右の銘（好きな言葉）。家族関係・友人関係。最近の社会問題について。新聞・書籍を読んで気になっていること。

⑥**社会情勢**：今の政治情勢。高齢社会の福祉。消費税について。公務員給与。公務員の社会ニュースなど。

もくじ

基礎能力試験

知能分野

（27 問出題，全問必須解答）

知識分野

（13 問出題，全問解答）

※上記の出題数・解答数は国家公務員一般職採用試験に準じたものです。【　】の数字は，出題数です。解答時間は 2 時間 20 分です。

文章理解

No. 1 現代文（内容把握）

重要度

次の文の内容と合致するものとして最も妥当なのはどれか。

ショーペンハウアーでは，この世の矛盾は解決しようがなく，宗教とか芸術によってしか脱却できないというペシミズムに力点がある。しかしニーチェの力点は，人間はその欲望の本性（生への意志）によってさまざまな苦しみを作り出す存在だが，それにもかかわらずこの欲望（生への意志）以外には人間の生の理由はありえない，という点にある。これがニーチェの「ディオニュソス的」という概念の核心部なのである。「生の是認」というニーチェ独特の言い方は，そういうことを意味している。

こうして，ニーチェの「悲劇」の概念は，人間の生は「苦しみ」の連続だが，この「苦しみ」ということをどう了解するかという問題に深くかかわっていることがわかる。

人間は要するに，自分のうちのさまざまな欲望によって苦しむ。これは誰でも知っていることだ。苦しみがあまりに大きいと，わたしたちはしばしばこの欲望こそが矛盾（苦しみ）の根源なのだから，いっそ欲望そのものがなければ矛盾もなくなる，と考える。先にも言ったように，仏教の考え方もこれに近い。「煩悩」こそが一切の苦しみや矛盾の源泉であり，したがって「色即是空」と観じて「煩悩」を消し去れば人間は救われるという考え方である。しかし，ニーチェは『悲劇の誕生』においてこの考え方にはっきりと反対しているのである。

「欲望する存在としての人間は矛盾に満ちている，しかしそれにもかかわらず，この欲望の本性は否定されるべきでない」。このニーチェ独自の直観は，彼の青年期の芸術体験によるところが大きいような気がする。また恋愛体験もそういう直観をしばしばもたらすことがある。驚きに満ちた恋愛や芸術の体験の中には，苦しいけれども，その苦しさがまた人間の生きる理由になる，ということを理屈ぬきで確信させるものがあるからだ。もちろんこの直観がその後のさまざまな経験で挫折し，ペシミズムに陥る場合もいくらもある。しかしおそらくニーチェはこの直観を大事なものとして深く育てる道を歩いたのだ。そのことは彼の以後の思想の歩みをみるとよく了解できるはずだ。

1　ニーチェは，人間の欲望に伴う苦しみこそが人生の本質であるので，そのような苦しみを進んで受け入れることが必要であるとした。

2　ニーチェは，人間は生きていく上で様々な欲望を抱き苦しむが，そのような苦しみこそが同時に生きる理由になるとした。

3　ニーチェは，人間は苦しみから逃れようとして欲望を捨てようとするが，欲望を捨ててもまた，別種の欲望によって苦しむものであるとした。

4　ニーチェは，欲望に伴う苦しさが人間の生きる理由であることを直観するために芸術体験や恋愛体験が必要であるとした。

5　ニーチェは，人間の生は苦しみの連続であるが，苦しみが大きければ大きいほど人間の存在理由もまた増大するとした。

解答欄

解説 1

1×　「**人間の欲望に伴う苦しみ**」は本文中の３行目のセンテンス「**人間はその欲望の本性（生への意志）によってさまざまな苦しみを作り出す存在**」という部分に**対応する**。

「**人生の本質**」にとって「**そのような苦しみを進んで受け入れることが必要**」というこの選択肢の文は「**人生を生きるために苦しみを受け入れろ**」ということになるが，**この文意と対応する文章は本文中にはない**。また「受け入れることが必要」という文意は意志次第で「受け入れないこと」も可能になると解釈できるが，**それに対応する文章もない**。

2○　「**人間は生きていく上でさまざまな欲望を抱き苦しむ**」は本文中の３行目のセンテンス「**人間はその欲望の本性（生への意志）によってさまざまな苦しみを作り出す存在**」という部分に**対応する**。

そして「**そのような苦しみこそが同時に生きる理由になる**」は22行目のセンテンス「**苦しいけれども，その苦しさがまた人間の生きる理由になる**」にぴったり**符合する**。

3×　「**人間は苦しみから逃れようとして欲望を捨てようとする**」ということは，「煩悩」こそが諸悪の根源であるとして人生を「色即是空」と観ずることにおいて「煩悩」を否定する「**仏教の考え方**」**と同じ**である。

しかし16行目のセンテンスに「**ニーチェは『悲劇の誕生』においてこの考え方（＝仏教の考え方）にはっきりと反対している**」とある。また「欲望を捨ててもまた，別種の欲望によって苦しむ」という文も「仏教の考え方」の範疇にある。

4×　「**欲望に伴う苦しさが人間の生きる理由**」は，22行目のセンテンス「**苦しいけれども，その苦しさがまた人間の生きる理由になる**」にぴったり**符合する**。

しかし，この選択肢の文章は，その「**生きる理由**」を「**直観するために芸術体験や恋愛体験が必要である**」としている。つまり「芸術体験や恋愛体験」

の必要性に重きを置いている。

注意するべきは「芸術体験や恋愛体験」の必要性が，あくまで「**欲望に伴う苦しさが人間の生きる理由」であることを直観するための手段**であり，目的ではないということである。

5× 「苦しみが大きければ大きいほど」という文は「苦しみの増大」と解釈できるが，そのことが全体の文意において「人間の存在理由を増大させる」ことになる。これを図式化すると「苦しみの増大＝存在理由の増大」ということになる。しかし問題文における「苦しみ」と「生きる理由」の関係はともに「増大」するものでなく，それらは等価である。また「**存在理由**」という語句が**問題文には使われていない**ことにも着目する。

解答　2

プラス知識

内容・要旨・主張

・本問は内容把握問題であるが，要旨把握問題とどう違うのであろうか。まず言えることは「内容」は「書かれている事柄すべて」であり,「要旨」は「著者の主張」ということになる。しかし一般的には区別は緩く,「内容」≧「要旨」といった関係になる。

・「主張」で大切なのは，主張は繰り返されるということ，しかも表現を変えながら繰り返されるということである。本文のテーマはニーチェの思想の本質は何かということだが，たしかに「ニーチェ」「苦しみ」「人間」「生」「欲望」といった単語が繰り返されている。ちなみに言えば「欲望」という単語が欠如している選択肢 5 は最初に除去されるのである。

ニーチェ　ドイツの無神論的実存主義者。19 世紀末,「神は死んだ」と語り，人間の実存を根底的に問いなおした。晩年発狂し，亡くなるまで母と妹の看護を受けた。著書に『悲劇の誕生』『ツァラトゥストラはこう言った』『善悪の彼岸』などがある。

文章理解

No. 2 現代文(文章整序)

重要度

次の [ ] の文の後に，A～Eを並べ替えて続けると意味の通った文章になるが，その順序として最も妥当なのはどれか。

> 日本語は大体において冗語性が低いのであるが，文学においてことにその傾向は顕著である。冗語性がすくなくなると，論理的にわかり切っていると考えられる部分から脱落して行く。

A：冗語性の低い言葉ではどうしてもいわゆる論理が風化する傾向がある。論理をかりに線状のものと考えると，風化がすすむにつれて点のようなものになると想像される。禅問答のようなものである。

B：まず主語が消える。また，はっきりしていれば目的語なども省略される。

C：また，ヨーロッパの人なら「古池」に冠詞がつかないと落着かない。「蛙」は単数か複数かも問題になる。ところが日本人にとって，蛙が一匹か複数かという疑問をいだくこと自体が救いがたい野暮の骨頂になる。受け手に対する高度の信頼がないと，こういう冗語性の低い言葉によって，きわめて短い詩を定立させることは困難であろう。

D：日本人は動詞が現在形か過去形であるかという時制についてはっきりした自覚をもたずに日々生活することが可能である。「古池や蛙飛びこむ水の音」の「飛びこむ」は現在形なのか，進行形なのか，現在完了形なのか，ヨーロッパの言語に馴れた人は疑問にするけれども，多くの日本人はそういうことを考えることがない。

E：禅にはそれなりの論理があることは，このごろではヨーロッパやアメリカの知識人の間でも常識になりつつあるが，禅の論理は長い間の島国言語の歴史が通人の社会で論理を風化させて残った点的論理である。

1 B→D→C→A→E
2 B→E→A→C→D
3 D→A→E→C→B
4 D→B→C→E→A
5 E→A→B→D→C

解答欄 [ ]

解説 2

出典は外山滋比古『日本語の論理』。**日本語の冗語性**について述べた文章である。

まず明らかにしておかねばならないのが「**冗語**」は「**無駄な言葉・余計な言葉**」といった意味であることだ。四角で囲まれた提示文では,「日本語は大体において冗語性が低いので」,「論理的にわかり切っていると考えられる部分から脱落して行く」とあるが,これをよりわかりやすく言えば「**日本語の表現は無駄な言葉が少ないので,論理的にわかり切っている部分から省略される**」といった意味になる。

これを元に以下のつながりを考えていくわけだが,こうした整序問題の場合,その段落の最後のセンテンスと,次につながる段落の最初のセンテンスには「**呼応**」もしくは「**対比**」の関係,**いわば一種の「シリトリの関係」**がみられることが多いことは知っておくとよい。ただし,文章は人間の心理や生理を反映するもので,数式と違い絶対的な法則にしばられないので,段落と段落の関係に上記の「呼応・対比」の関係が必ずしもみられるわけではないことも覚えておこう。

また,組合せがいまひとつわかりにくい場合は,オーソドックスに文脈でみていくしかないということも心しておくべきである。

では,検討していこう。

提示文の最後に「**脱落して行く**」とあるが,これはBの冒頭にある「**主語が消える**」**の**「**消える**」,「**目的語なども省略される**」**の**「**省略**」と呼応している。

つまり「**脱落＝消える＝省略**」を押さえるのである。

わかりにくいのは次である。これは「呼応」も「対比」もないからである。

では,どう考えるかと言えば,主語や目的語などが脱落(消える・省略される)して行くという「日本語の特徴」を記したBの文章と文脈上でのつながりを確かめるしかないということである。

その観点で他の段落を調べると,**CとDが「日本語の特徴」を記した文章**となっていることがわかる。つまり**Cには日本語には「冠詞」がつかないという特徴,Dには日本語には「時制」の自覚がないという特徴**が書かれているのである。

このことから著者は最初に「日本語の特徴」である「**主語や目的語の省略**」「**冠詞がない**」「**時制の無自覚**」の３つを並列的に列挙したのではないかという推測が成り立つ。

あとはCとDの順番だが,Cの冒頭に「**また**」があるので**D→Cの順と判断できる。**

次に,Cの末尾のセンテンスに再び「冗語性の低い言葉」という語句があり,これとそっくり同じ語句がAの冒頭にあるので,C→Aとなる。つまりAは「日本語の特徴」を列挙するのではなく，それまでなされた主張を深める役割をしているのである。

ちなみに最後の組合せA→Eを点検すると，Aの末尾に「**禅問答**」という語句があり，Eの冒頭に「**禅**」があるので，ここも呼応することがわかる。以上により正解は**1**となる。

解答　1

プラス知識

・出題者の心理　理系，文系を問わず問題の出題者の心理の一つとして，受験者に選択肢を「最後まで目を通させたい・最後まで迷わせたい」という気持ちが潜んでいる。
・選択肢の対比が3対2なら3，2対2対1なら2の中に答え　選択肢をみると1と2がAで始まり，3と4がDで始まっている。5だけはEで始まっているが，かりに正解がEだとすると以下の「A→B→D→C」は無意味になる。また上記したような「出題者の心理」である「最後まで目を通させたい・最後まで迷わせたい」という願望が貫徹されないことになる。このような理由により正解がEである確率はゼロとは言わないが，かなり例外的な場合に限られる。しかし，決して「ゼロ」でもないことも忘れてはならない。

日本語の特徴
①表意文字（漢字）＋表音文字（平仮名）の混合構造は世界言語の中でも非常に珍しいといわれる。
②同音異義語が多い。
③私・僕・我・俺のように人称の表現がさまざまである。

文章理解

No. 3 古文（内容把握）

重要度

次の古文の内容に合致するものはどれか。

花はさかりに，月はくまなきをのみ見るものかは。雨にむかひて月を恋ひ，たれこめて春の行方知らぬも，なほあはれに情ふかし。咲きぬべきほどの梢，散りしをれたる庭などこそ見所多けれ。歌の詞書にも，「花見にまかれりけるに，はやく散り過ぎにければ」とも，「障る事ありてまからで」なども書けるは，「花を見て」と言へるにおとれる事かは。花の散り，月の傾くを慕ふ習ひは，さる事なれど，ことにかたくななる人ぞ，「この枝，かの枝散りにけり。今は見所なし」などは言ふめる。

1　花はさかりに咲いているものを見るものだが，同じように，月は影のない澄んだ月だけを見るほうが趣があってよい。

2　降る雨を前にして，見えない月を恋い慕い，家に引きこもって，春が移ろいゆくのを知らずにいるのも，またしみじみと情趣が深く感じられる。

3　これから咲こうとする梢や，花が散ってしおれた庭は，見所が多いと言えるだろうか。

4　「花見に来たが，早々に散ってしまっていたので」とか「都合が悪くて花見に行かないで」と書かれているのは，「花を見て」と書いてあるのに比べれば，なんと劣っていることか。

5　花が散り，月が沈むのを惜しむのは，人の世の習いだが，とても心の強い人は「この枝も，あの枝も散ってしまった。もう見るべきものはない」などと，潔く諦めるものだ。

解答欄

解説　3

『徒然草』第137段の一節である。

1 ×　「見るものかは」は「**見るものだろうか**」で，言外に「**いや，けっしてそうではない**」という強い反語の意を含んでいる。「花といえば盛りのときに，月といえば欠けるところのない望月だけを**眺めるのがよいのだろうか。いや，そうではないだろう。**」という意味になる。

2 ○　「たれこめて」は，「**すだれなどを垂れて，家の中に閉じこもる**」の意。『古今和歌集』に，気を患い，風にあたるまいとして，すだれなどを下して閉じこもっている間に，折り取った桜が散り始めたのを見て詠んだ歌として，「垂れこめて春の行くへもしらぬ間に待ちし桜もうつろひにけり」がある。

3 ×　「見所多けれ」は「**見るべきところが多くある**」の意で，反語の意味を含まない。「けれ」は「こそ」を受ける已然形で，強調の意。

4 × 「おとれる事かは」は，選択肢 1 の「見るものかは」と同様，反語の意を含み，「**劣ることだろうか，いや，けっしてそうではない**」の意味になる。散ったあとに，見ることのできなかった花を思って詠むことや，花見に行けない事情のなかで，見ることのできない花を詠むことは，見た花を詠むことに**劣らない**という意味。

5 × 「かたくななる人」とは「**風情を解さない堅物**」の意。「とりわけ無風流な人ほど，『この枝もあの枝も散ってしまった。もう見るべきものはない』などと言うのでしょう。」というほどの意味になる。

解答　2

〔全訳〕

花といえば盛りのときに，月といえば欠けるところのない望月だけを眺めるのがよいのだろうか。いや，けっしてそうではない。雨の日に見えない月を恋しく思い，家に籠もって春の移ろいを知らないでいるのもまた，やはりしみじみとして情趣が深いものだ。いまにも咲きだしそうな梢や，散って萎れた庭などにこそ，見るべきものは多くあるのだ。歌の詞書にも，「花見に行ったけれども，早々に散ってしまっていたので」とか，「差し障りがあって花見にいかないで」などと書いてあるのは，「花を見て」と言っているものにけっして劣るものではない。花が散り，月が沈むのを惜しむのは，世の習いとしてもっともなことだが，ことさら無風流な人こそは，「この枝もあの枝も散ってしまった。もう見るべきものはない」などと言うのだろう（そうでなければ，そんなことは言わない）。

文章理解

No. 4 論理展開を読む

重要度

次の文は，我が国における外国人の犯罪に関する記述であるが，その内容と合致するものとして最も妥当なのはどれか。

According to statistics published by the National Police Agency in early September, although the number of crimes by foreigners are up by about 20 percent, they still are estimated at just 1.39 percent of all crimes committed. Since non-Japanese make up about 1.5 percent of Japan's population, that means that the crime rate for foreigners is roughly the same, or even slightly lower, than the crime rate for Japanese.

Keep in mind that there has been a roughly 4 percent increase in registered foreigners in Japan during 2002. Also keep in mind that of the crimes committed by foreigners, almost one-third of them are visa-related (overstays, or doing things not allowed on a particular visa), and therefore nonviolent victimless crimes that cannot be committed by Japanese.

Perhaps more interesting, while the media give one the impression of a large increase in illegal visa overstays here, according to statistics from the Immigration Bureau, that number has dropped every year since 1993.

While there are certainly some very "bad apples" in the bunch of foreigners residing in Japan, the current atmosphere suggests unfairly that foreigners are somehow more unlawful than Japanese as a whole, and that's wrong. It's important for people to look at the statistics objectively and make their own conclusions; the mass media have a way of making just about anything look like bad news.

Foreign crime in Japan will no doubt continue to climb. That's because the number of foreigners in Japan is going to continue to climb. Japan's aging population is barely growing, and in the next 10 to 20 years, the country is going to run out of people who are able to care for its senior citizens. Controlled immigration of care-givers and other skilled labor from countries like the Philippines, India and other countries will become essential.

We need to lay the ground work now to insure that mistaken impressions about the morals of non-Japanese don't make Japan's inevitable internationalization any harder than it has to be.

1 警察庁の統計によると，我が国における外国人の犯罪率は 20%ほど増加しているが，日本人の犯罪率よりもかなり高くなってきている。

2 外国人の犯罪件数の３分の１は不法滞在関連の犯罪であり，残りの３分の２は暴力的かつ凶悪な犯罪である。

3 我が国に住む外国人の中には「悪人」もいることは確かであるが，我が国に住む外国人が総じて日本人以上に違法なことをしているとするのは間違っている。

4 統計を客観的にみれば，我が国の外国人の犯罪件数が増加しているというのは，マスコミが作った虚像にすぎないことがはっきり分かる。

5 我が国は高齢化に向けて外国から移民を受け入れる必要があるが，その前に外国人の犯罪を減少させる方策について真剣に考えておかなければならない。

解答欄

解 説 4

1× 選択肢の文は**最後まで読む**。**前半は正しいが，後半は誤り**。１段落で 20%とは述べているが，２文目で「日本人の犯罪率とだいたい同じか，むしろわずかに低い」と述べている。

2× 本文に**記述がないのは，誤り**と考える。外国人の犯罪が不法滞在など日本人にはできないものであることは述べられているが，後半の内容を示す**記述はない**。

3○ 指示語 **this,that,these,those,such** は，指示内容を見つける。４段落の**記述に合っている**。and that's は and の前で述べていることを指している。つまり「外国人は全体的に日本人より違法行為を犯しているという風潮がある」しかし，これは unfairly, wrong である。

4× 本文は書いてあるとおりに読む。**妄想，想像は禁物**。４段落の最後，making ～ bad news で,「何でも悪く見せようとしている」とは述べているが，**虚像にすぎないとまでは言っていない**。

5× 本文の**単語**だけから誤解しない。５段落で述べているのは，「10 年 20 年先には高齢者を介護する人が足りなくなるので，一定の外国人労働力は欠かせない」ということで，**それ以上のことは言っていない**。

解答 3

〔全訳〕

9月初め，警察庁は，外国人による犯罪は20%ほど増加しているものの，全犯罪の1.39%にすぎない，と発表した。だが，外国人が日本の総人口に占める割合が約1.5%なのだから，外国人関連の犯罪率は日本人の引き起こす犯罪とほぼ同じか，むしろわずかながら低いのである。

さらに，2002年中に外国人登録した人が約4%増加したこと，外国人による犯罪のうち約3分の1はビザ関連の犯罪（例えば，不法滞在とか不法就労など）であるため，日本人には犯せるはずがない，暴力を伴わない，犠牲者がいない犯罪であることを考慮しなくてはならない。

たぶん，もっと興味深いのは，違法なビザで長期滞在する者が大幅に増えているとメディアが印象づけている反面，入国管理局の調べでは，この数字は1993年以来毎年下がっているということである。

日本に滞在している外国人の中には，たしかに，いわゆる悪人はいる。しかし，最近，どういうわけか，外国人が全体的に日本人よりも法を犯している，と思わせようとする風潮があり，だがそれは事実に反する。重要なのは，この数字を私情をまじえずに見ることであり，余計なことに左右されないで結論を出すことである。マスコミはどんなことでも悪いニュースに見せようとする傾向がある。

この先，外国人による犯罪は確実に増えてゆく。それは外国人の数が増えるからである。高齢者は着実に増えていく。10年後，20年後には，介護人口が不足する。そうなったとき，フィリピンやインド，その他の国々から，ヘルパーやその他の技術者を必要に応じて受け入れなくてはならなくなる。

外国人のモラルに関して誤った印象を与えることで，必ず到来する国際化を，必要以上に難しいものにしないために，今こそ下地を作ることが求められている。

〔語句〕

according to ～：～によれば，estimate：～を見積もる　～を概算する（estimate that 節では⇒ guess,think,believe），keep in mind ～：～のことを頭に入れておく　～のことを肝に銘ずる　～を覚えておく，(＝ remember)，registered foreigners：外国人登録をしている人，illegal visa overstays：不法滞在，Immigration Bureau：入国管理局，bad apples：悪い奴　悪人（慣用表現），a（the）bunch of：人や動物の群れ　人の場合は軽蔑的（＝ a group of)，reside：～に居住する　～に住む，(＝ live)，atmosphere：雰囲気　ムード　大気，as a whole：全体的に　全体として，objectively：客観的に，conclusion：結論，just about：ほとんど　ほぼ（＝ almost)，have a way of doing：～する傾向がある，no doubt：おそらく　ほぼ確実に，barely：明らかに（通常は hardly と同義で「ほとんどない」)，run out of：～がなくなる（人が）～を使い果たす，care-givers：介護者，insure：確実にする　保証する，inevitable：避けられない　必然的な（＝ inescapable,unavoidable,sure to happen）

プラス知識

シグナルワード

調査，アンケートなどの結果に基づく説明文（論説文）の書き方は，調査結果，分析，結論という３本柱で構成されている。それぞれがどこに述べられているかを見つけだすために，シグナルワード（手がかり語）に注目する。

according to studies（research, statistics）とか the studies（researches, statistics）show（indicate, suggest, reveal）that 節は調べた結果を述べ始める印である。

though（although），while, but, however, yet, in spite of, despite　などは譲歩表現。これらは，一般論をいったん認めておいてから，筆者が自分の意見を主張する。

also, moreover, in addition　などはさらに論を発展させる場合，so, therefore は結論を述べる場合に用いられる。

シグナルワード（手がかり語）に注目すれば内容の展開が見えてくる。

結果，因果の接続語を使って結論を導き出す。

文章理解

No. 5 グローバリゼーションと規格化

次の文の内容と合致するものとして最も妥当なのはどれか。

When people talk about the forces that make globalization happen, the first things that come to mind are often information technology, transportation and trade. But there's another important factor that connects all of them: standards.

International standards have become, at the same time, the price of admission to the global economy and the glue holding it together. They cover engineering, manufacturing, management, communications, packaging and just about any economic activity you can name. Adherence to the standards is a condition of entry to the World Trade Organization. And as the global economy grows, so do they.

You don't have to look far to see the usefulness of standards: what would happen if air traffic controllers didn't speak English? And you probably don't even notice the basic ones like time (seconds, minutes, hours, days) and location (latitude and longitude). Yet in industry, making sure that suppliers' products meet customers' expectations requires a much more specific and complex set of standards, a job for groups like the International Organization for Standardization*.

"In 2005, ISO was producing more than 100 standards a month, a 40 percent increase compared with 2002," Alan Bryden, secretary general of the organization, said in an e-mailed response to questions. "Today, ISO's portfolio stands at over 16,140 standards, and they provide benefits for just about every sector of business and technology."

Bryden said the organization was extending its standards to several emerging fields, with new standards already established for food safety, information security and supply-chain security. The group is moving on to nanotechnology, geosynthetics and biometrics.

Developing those standards requires a long process of drafts and voting, in which standards bodies collect suggestions from businesses and governments around the world.

*International Organization for Standardization (ISO)：国際標準化機構

1　グローバル化の進展には，貿易が最も重要な役割を果たしている。
2　世界貿易機関は，ISOと協力して100以上もの世界基準を作り上げた。
3　基準を設けることの重要性は，経済を世界的に見ないとわからない。
4　消費者が期待する製品を作るために，もっと細かい複雑な基準を設けることが求められている。ISOは一連の一般的かつ単純な国際標準を設定した。
5　各国政府がISOに慎重な検討を求めた結果，国際標準の設定手続きが長期化している。

解答欄

解説　5

現在もあらゆるところで進行しているグローバリゼーションについての文である。キーワードのstandardsがイメージとしてつかめれば，この単語をあえて標準・水準・基準としなくても，ある程度は読めると思う。結局，グローバル化はさまざまな分野で，世界基準に合わせることであるという視点で読むとわかりやすい。

1×　手がかり語（接続語）の中で最も重要な**But（逆接）**の後で，another important factorは，**standards**と述べている。tradeは例としてあがっている，最初に思い浮かぶものの中のひとつ。

2×　ISOの業務は第4段落冒頭にあり，WTOは第2段落の最終文にある。**キーワードが登場する段落を発見する**。世界基準を作るのはISO，WTOは，その基準を守ることで参加できる機関のことである。

3×　第3段落の冒頭でYou don't have to look far　（**遠くを見るまでもない**）と述べているが，**その目的はto seeから**述べられている。さらに**コロンの後はその具体例**である。つまり，身近なところを見ればわかる，ということである。

4○　第3段落**Yet（それにもかかわらず，しかしながら）**の後の**記述と一致**する。But,Yet,Howeverなど**逆接のうしろに主張がある**。

5×　最終段落ではcollect suggestions from business and governments around the world（世界中の産業界，政府から意見を集める）と述べられていて，「各国政府が検討を求めた」**とは書いていない**。

英文中，**主語と動詞に注目する**と，勝手な読み取りによる誤読はかなり避けられる。

解答　4

〔全訳〕

グローバリゼーションを生み出したきっかけは何かということに話が及ぶと，IT（情報通信技術），輸送，貿易が真っ先に頭に浮かぶ。だが，この3つに共通する別の重要な要因がある。それは，世界に通用する水準である。

この水準に達していることが，世界経済に参入を認められる代償であると同時に，その水準は世界の経済を結びつける共通項にもなっている。これは，工学，製造，経営，通信，包装など経済活動と名の付くものならほとんどどんなものにも適応される。そして，この水準を守り維持することが，WTOに加入する条件である。従って，世界の経済が発展するにつれて，このレベルの適応範囲も広がっていく。

こうした世界に通用する水準が役に立つことを理解するためには，身近なところに目を向ければよい。例えば，航空管制官が英語を使わなかったら，どんな事態が発生するだろう。世界共通の標準がなかったら，おそらく，時（秒・分・時間・日）や位置（経緯度）を認識できない，つまり何時なのか，どこにいるのかわからなくなるだろう。ところが，産業界では，生産者の作り出した製品が必ず消費者の期待に応えられるようにするために，さらにいっそう詳細で複雑な基準が設けられていて，この基準を定めるISOのような機関の仕事が必要になってくる。

ISOの事務総長アラン・ブライデン氏は，eメールで寄せられた質問に答えて，

プラス知識

英文の流れを把むための注意点

1 代名詞 it,one,this,these,that,those,such a～　の指し示す部分を見つける。
2 言い換えられた語句，表現を見つける。
3 シグナルワード（手がかり語）の前後の関係を読み取る。

英文の典型的な流れ3つ

1 抽象→具体
2 対比，対照，逆接
3 因果関係

「2005年にISOは月に100以上の規格を決めたが，これは2002年と比べて40%増である。そして今日，ISOのリストには16,140以上の世界共通規格があって，ビジネスや技術のほとんどすべての分野に恩恵を与えている。」と述べた。

ブライデン総長は，ISOは新たに登場した複数の分野にその規格標準を広げていっている，そして食品の安全，情報管理，サプライチェーンのために，すでに新しい規準が設けられていると語った。また，ISOはその規格制定作業をナノテクノロジーやジオシンセティックス，バイオメトリクスにも向けようとしている。

こうした基準を作り上げるには，草案を作り投票する長い過程が必要となる。その過程で，標準規格制定団体は，世界中の産業界，政府から意見を集めるのである。

〔語句〕

admission to ～：～への参加
glue：接着剤
adherence to ～：～に忠実であること　～を守ること
entry to（into）～：～への参加　～への加入
the World Trade Organization　WTO：世界貿易機関
latitude：緯度
longitude：経度
portfolio：書類ばさみ
draft：草案　草稿
emerge：現れる

判断推理

No. 6 順序関係

A, B, Cの3人が駅で待ち合わせた。これについて次のア～エのことが分かっているとき，確実にいえるのはどれか。

ア　Aは最初に到着し，Bはその4分後に到着した。

イ　Cが到着したとき, Aの時計では9時2分, Cの時計では8時59分であった。

ウ　Bが到着したとき, Bの時計では8時56分, 駅の時計では9時3分であった。

エ　Cの時計は，Bの時計より3分進んでいた。

1　駅の時計で9時前に到着した者はいなかった。

2　AとBの時計は同じ時刻を指していた。

3　Aが到着したとき，駅の時計は9時ちょうどであった。

4　Cが到着したとき，Bの時計は9時ちょうどであった。

5　BとCは同じ時刻に駅に到着した。

解答欄

解説 6

イの条件から，Aの時計はCの時計より**3分**進んでいる…①。また，ウの条件から, Bの時計は駅の時計より**7分**遅れている…②。これに, アとエの条件を加えると, 表のようにA，B，Cの各時計における到着時間が確定する。表において太字がイとウの条件，斜字がアとエの条件，それ以外が①と②の条件を表している。

	Aの時計	Bの時計	Cの時計	駅の時計
Aが到着	8時58分	*8時52分*	*8時55分*	8時59分
Bが到着	9時　2分	**8時56分**	*8時59分*	**9時　3分**
Cが到着	**9時　2分**	*8時56分*	**8時59分**	9時　3分

この結果，**1**は，Aが駅の時計で8時59分に到着しているから**誤り**。**2**は，誰の到着時刻を見ても，AとBの時計の時刻は同じでないから**誤り**。**3**は，Aが駅の時計で8時59分に到着しているから**誤り**。**4**は，CがBの時計で8時56分に到着しているから**誤り**。**5**は，誰の時計の時刻を見ても，BとCの到着時刻は同じであるから**正解**である。

解答　5

判断推理

No. 7 軌　跡

B 重要度

図Ⅰ，図Ⅱのように中心角 90°，半径 r の扇形 A と，中心角 120°，半径 r の扇形 B が，直線 l 上をすべらずに左から右へ 1 回転したとき，それぞれの扇形の中心 P が描く軌跡の全長の差として正しいのはどれか。

1 $\frac{1}{12}\pi r$

2 $\frac{1}{6}\pi r$

3 $\frac{1}{4}\pi r$

4 $\frac{1}{3}\pi r$

5 $\frac{1}{2}\pi r$

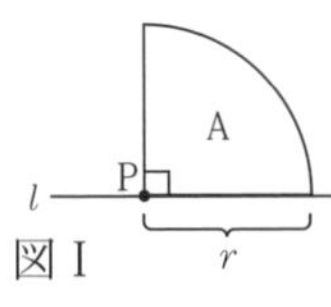

図Ⅰ

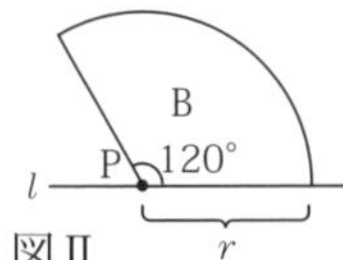

図Ⅱ

解答欄

解 説 7

条件を満たすように扇形を回転させると，まず，最初に直線 l に接している扇形の半径が，直線 l に垂直になるまで，点 P の軌跡は半径 r の弧を描く。その後，扇形の弧の部分が直線 l に接して回転している間，点 P の軌跡は，円が直線上を回転するときの中心の軌跡と同じで，直線 l と平行な直線を描く。そして，扇形のもう一方の半径が直線 l と垂直になるまで回転すると，その後は再び半径 r の弧を描く。つまり，扇形の中心 P が描く軌跡は，左右両側が半径 r，中心角 90°の扇形の弧，その間がもとの扇形の弧の長さと等しい線分となる。したがって，両者の全長の差は，扇形 A と扇形 B の弧の長さの差ということになる。

ここで，扇形 A の弧の長さは $2\pi r \times \frac{90°}{360°} = \frac{1}{2}\pi r$，

扇形 B の弧の長さは $2\pi r \times \frac{120°}{360°} = \frac{2}{3}\pi r$ であるから，

その差は $\frac{2}{3}\pi r - \frac{1}{2}\pi r = \frac{1}{6}\pi r$ となる。

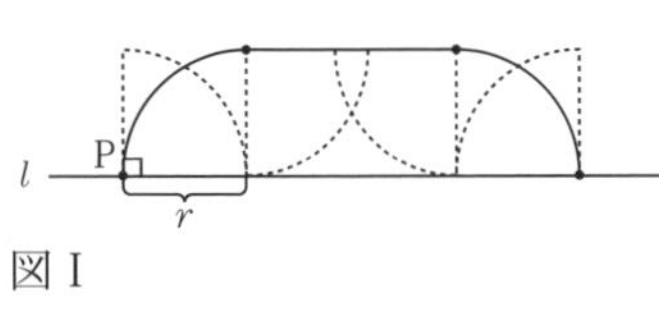

図Ⅰ

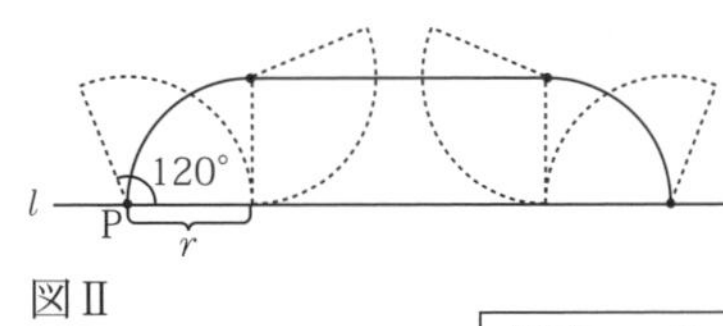

図Ⅱ

解答　2

No. 8 命　題

あるゴルフトーナメントの出場経験者に対しアンケート調査を行ったところ，次のア，イのことが分かった。

ア　優勝経験者は，試合当日の朝に十分な食事をとっていた。

イ　親がゴルフ選手である者は，小学生の時からゴルフをしていた。

このとき，「優勝経験者は，小学生の時からゴルフをしていた」ということが確実にいえるためには，次のうちどの条件があればよいか。

1　親がゴルフ選手でない者は，試合当日の朝に十分な食事をとっていなかった。

2　小学生の時からゴルフをしていた者は，試合当日の朝に十分な食事をとっていた。

3　試合当日の朝に十分な食事をとっていなかった者は，小学生の時からゴルフをしていなかった。

4　試合当日の朝に十分な食事をとっていなかった者の親には，ゴルフ選手がいなかった。

5　親がゴルフ選手である者は，優勝していた。

解答欄

解説 8

アは，「優勝経験者→試合当日の朝に十分な食事」，イは，「親がゴルフ選手→小学生の時からゴルフ」であるから，アとイをつないで「優勝経験者→小学生の時からゴルフ」とするために必要な条件は，「**試合当日の朝に十分な食事→親がゴルフ選手**」か，その対偶の「**親がゴルフ選手でない→試合当日の朝に十分な食事をとっていない**」である。よって，選択肢の中で対偶の方と合致する**1**が正解となる。

解答　1

プラス知識

逆・裏・対偶

命題「P である→ Q である」に対し，「Q である→ P である」を**逆**，「P でない→ Q でない」を**裏**，「Q でない→ P でない」を**対偶**といい，対偶関係にある命題（もとの命題と対偶・逆と裏）は**必ず真偽が一致**する。

命題の真偽を調べるには，**もとの命題と対偶の命題**について考えればよい。

判断推理

No. 9 対応関係

B 重要度

4人の学生に，アメリカ，イタリア，オーストラリア，韓国の4カ国へ旅行をしたことがあるかをたずねた。次のア～エのことがわかっているとき確実にいえるのはどれか。

ただし，4人の学生が旅行したことがあると答えた国の組合せはすべて異なっているものとする。

ア　オーストラリアへ旅行したことのある人は，アメリカへ旅行したことがある。

イ　イタリア及びオーストラリアの両方へ旅行したことがあり，韓国へ旅行したことがない人がいる。

ウ　韓国へ旅行したことがある人が2人いる。

エ　合計2カ国へ旅行したことがある人と，合計3カ国へ旅行したことがある人は，ともに2人ずついる。

1　アメリカへ旅行したことがある人は少なくとも3人いる。
2　オーストラリアへ旅行したことがある人は少なくとも2人いる。
3　4人ともイタリアへ旅行したことがある。
4　アメリカ，イタリア，韓国の3カ国へ旅行したことがある人がいる。
5　アメリカ，オーストラリア，韓国の3カ国へ旅行したことがある人がいる。

解答欄

解説 9

条件エより4人の学生が旅行したことのある国の組合せは $_4C_2 + {}_4C_3 = 6 + 4 = 10$ 通りである。ただし，条件アより，組合せは7通りとなり表のようになる。

	アメリカ	イタリア	オーストラリア	韓国
A	○	○	×	×
B	○	×	○	×
C	○	×	×	○
D	×	○	×	○
E	○	○	○	×
F	○	○	×	○
G	○	×	○	○

さらに，条件エからA～Dで2通り，E～Gで2通りを選ぶ必要があり，この時点でどの選び方をしても「**アメリカへ旅行したことがある人は少なくとも3人いる**」ことになり正解は**1**となる。他の条件も加味すると可能性のある組はAとBのうち1通り，CとDのうち1通り，Eは必ず選ぶ，FとGのうち1通りで計2×2×1×2＝8通りが考えられる。

解答　1

判断推理

No. 10 発　言

体育館にいたA，B，C，図書館にいたD～Gの計7人が次のような発言をしたが，このうちの2人の発言は正しく，残りの5人の発言は誤っていた。正しい発言をした2人の組合せとして最も妥当なのはどれか。ただし，7人のうちテニスができる者は2人だけである。

A 「私はテニスができない。」
B 「テニスができる2人はいずれも図書館にいた。」
C 「A，Bの発言のうちいずれかは正しい。」
D 「Eはテニスができる。」
E 「Dの発言は誤りである。」
F 「D，Eの発言はいずれも誤りである。」
G 「図書館にいた4人はテニスができない。」

1 A，C
2 A，G
3 B，F
4 C，E
5 E，G

解答欄

解説 10

Fの発言が正しければ，D，Eの発言はいずれも誤りとなるが，その場合，Eの発言と矛盾する。よって，**F**の発言は誤りである。次に，Cの発言が正しければ，A，B，Cの中の2人の発言が正しいことになり，**F**の誤った発言と矛盾する。よって，**C**の発言も誤りである。

ここで，**C**の発言が誤りならば，A，B，CとFの発言が誤りと分かるので，選択肢より，正しい発言をした2人の組合せは**5**の**E**,**G**となる。**E**の発言が正しいので，**D**の発言は誤りである。

解答　5

プラス知識

うその見分け方

それぞれの発言から，矛盾するものに着目する。

判断推理

No. 11 リーグ戦

B 重要度

A～Fの6チームが野球の総当たり戦（リーグ戦）をした。このリーグ戦では，最終順位は勝ち数で決定する。また，例えば，同じ勝ち数で1位となるチームが3チームある場合，その次のチームは4位のようにする。

この結果についてア～カのことが分かっているとき，確実にいえるのはどれか。

ア　引き分けはなかった。
イ　AはBに負けた。
ウ　Cは3勝2敗であった。
エ　Dは1勝4敗であった。
オ　Eは4勝1敗であった。
カ　Fは全敗であった。

1　AはBと同順位かBより下位であった。
2　AはEに勝った。
3　Bは4勝以上した。
4　Cは3位であった。
5　Eは1位であった。

解答欄

解説 11

6チームのリーグ戦なので，試合数は $_6C_2 = \dfrac{6 \times 5}{2 \times 1} = 15$ 試合となり，引き分けがないので勝ち数・負け数の合計は15勝15敗となる。Cチーム，Dチーム，Eチーム，Fチームの勝ち数・負け数の合計は**8**勝**12**敗であるので，Aチーム，Bチームの勝ち数・負け数の合計は**7**勝**3**敗となる。

ここで，AチームはBチームに負けて，少なくとも1敗しているので，Aチームは多くても**4**勝であり，Aチーム，Bチームの成績は（A，B）＝（**4**勝**1**敗，**3**勝**2**敗），（**3**勝**2**敗，**4**勝**1**敗），（**2**勝**3**敗，**5**勝**0**敗）の場合がありうる。

いずれの場合でも**C**チームより**E**チームと**A**チームが上位，または，**E**チームと**B**チームが上位となるので，**Cチームは必ず3位**となる。

解答　4

判断推理

No. 12 位　置

ある市にはA～Fの6か所の施設がある。今，A～Fの位置関係について，次のア～エのことが分かっているとき，確実にいえるのはどれか。

ア　Aは，Bの南東，Cの東に位置している。
イ　Dは，Cの北，Eの西に位置している。
ウ　Eは，Aの北，Fの南東に位置している。
エ　Fは，Bの北，Dの北東に位置している。

1　Aは，Dの南東に位置している。
2　Bは，Cの北東に位置している。
3　Cは，Eの南西に位置している。
4　Dは，Bの西に位置している。
5　Fは，Aの北西に位置している。

解答欄

解 説 12

分かっていることを図示してみる。

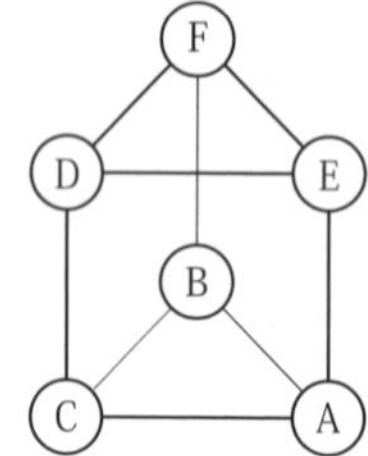

次に，距離を変えてみる。

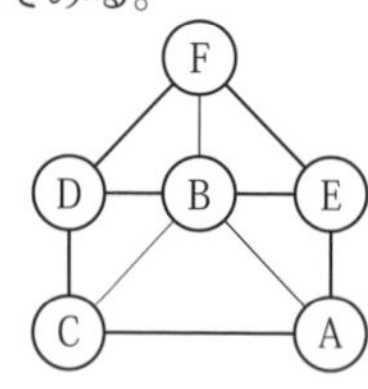

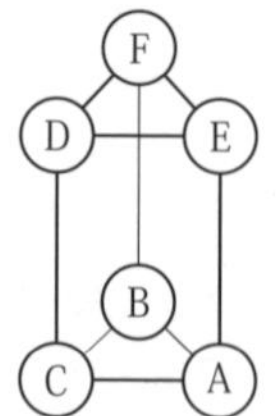

いずれの場合にも当てはまるのは，選択肢2の「**Bは，Cの北東に位置している。**」である。

解答　2

判断推理

No. 13 立体図形

重要度 B

図のような立方体ABCD-EFGHにおいて辺ABの中点をP，辺AEの中点をQとする。二点P，Qを通る平面で立方体を切断したときにできる切り口の形としてできないものはどれか。

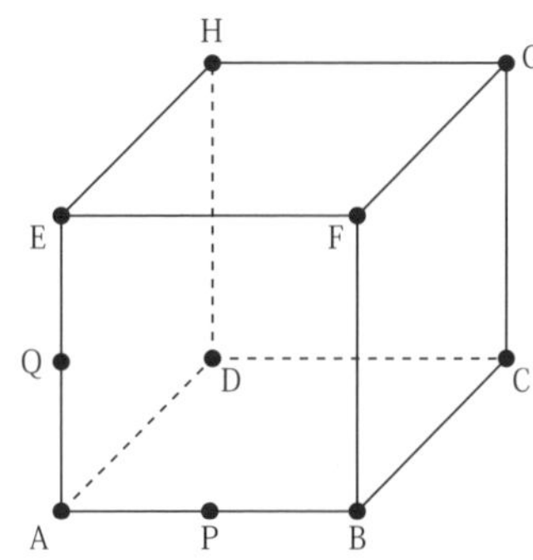

1　正三角形
2　正方形
3　等脚台形
4　五角形
5　正六角形

解答欄

解説 13

2点P，Qに加えて，

1　辺ADの中点を通ると**正三角形**ができる。
3　2点C，Hを通ると**等脚台形**ができる。
4　点G，辺BC上の点，辺EH上の点を通ると**五角形**ができる。
5　辺BCの中点，辺CGの中点，辺GHの中点，辺EHの中点を通ると**正六角形**ができる。

よって，条件を満たす切り方で，できないのは「**2　正方形**」となる。

解答　2

数的推理

No. 14 方程式の応用

A～Fの学生6人がある月に登校した日数についてア～カのことが分かっているとき，A，B，Cの3人が登校した日数の合計はどれか。

ア　AとDとFが登校した日数の合計は68日である。
イ　BとDとEが登校した日数の合計は68日である。
ウ　CとEとFが登校した日数の合計は74日である。
エ　DとEが登校した日数の合計は44日である。
オ　EとFが登校した日数の合計は48日である。
カ　FとDが登校した日数の合計は46日である。

1　63日
2　68日
3　70日
4　72日
5　76日

解答欄

解説 14

A～Fが登校した日数をa～fで表すことにすると，ア～カの条件はそれぞれ$a+d+f=68$，$b+d+e=68$，$c+e+f=74$，$d+e=44$，$e+f=48$，$f+d=46$となり，ア～ウの3つの式の辺々を加えると
$a+b+c+2d+2e+2f=210$…①となる。

また，エ～カの3つの式の辺々を加えると$2d+2e+2f=138$…②となる。

①－②より$a+b+c=72$，つまり，A，B，Cの3人が登校した日数の合計は**72日**となる。

解答　4

プラス知識

ポイント

一般に，連立方程式は未知数と同じ数だけ独立した式があれば解けることになっている。この問題では，未知数はa～fの6つ，式もア～カの6つであり，6つの式は独立している（どの式も残りの式から導くことはできない）。実際に解いてみると，a～fはそれぞれ22，24，26，21，23，25となる。

数的推理

No. 15 利息計算

B 重要度

A，B，Cの3人が100万円ずつ持っており，各人が次のような預金方法で4年間預け入れたとき，それぞれが満期時に受け取る元利合計金額の大小関係を表したものとして正しいのはどれか。

ただし，利息額は満期時に1円未満を切り捨てるものとする。

	年利率	利息額の計算方法
A	2.5%	1年ごとの単利
B	2.5%	2年ごとの複利
C	2.0%	1年ごとの複利

1 A＜B＜C
2 B＜C＜A
3 C＜A＜B
4 A＜C＜B
5 B＜A＜C

解答欄

解説 15

4年後の元利合計金額は，
Aが1,000,000×（**1＋0.025×4**）＝**1,100,000**円，
Bが1,000,000×$(\mathbf{1+0.025\times 2})^2$＝**1,102,500**円，
Cが1,000,000×$(\mathbf{1+0.02})^4$＝**1,082,432**円である。

よって，大小関係は**C（1,082,432円）＜A（1,100,000円）＜B（1,102,500円）**，すなわち，**3**の**C＜A＜B**となる。

解答　3

プラス知識

元利合計

元金をa円，年利率をrとすると，n年後の元利合計は
単利法⇔ $a\times(1+rn)$ 円
複利法⇔ $a\times(1+r)^n$ 円

数的推理

No. 16 n 進法

月火水木金土日の順の漢字のみを用いて数を表す七進法を考える。すなわち，月は七進法で0，火は1，日は6を表すものとする。したがって，例えば，木金は3×7＋4×1なので25となる。

いま，火火＋土から始めて，次に火火＋土＋土，火火＋土＋土＋土といったように，火火に順次土を加えていったときに，生じうる数はどれか。

1　水水

2　木木

3　金金

4　土土

5　日日

解答欄

解説 16

七進法の火火を十進法に変換すると**1×7＋1×1＝8**になり，七進法の土は十進法の**5**であることから，火火に順次土を加えていくと**8**に**5**の倍数を加えていくことになる。**5**の倍数の一の位は**0**か**5**であるから，生じうる数は十進法で一の位が**3**か**8**の二桁以上の数すべてである。そこで，選択肢を十進法に変換すると，

1　水水＝**2×7＋2×1＝16**

2　木木＝**3×7＋3×1＝24**

3　金金＝**4×7＋4×1＝32**

4　土土＝**5×7＋5×1＝40**

5　日日＝**6×7＋6×1＝48**

となり，一の位が**3**か**8**であるのは**48の「5の日日」**である。

解答　5

数的推理

No. 17 確　率

B 重要度

サイコロを３回投げて，１回目に出た目を a，２回目に出た目を b，３回目に出た目を c とするとき，$a = b + c$ である確率はいくらか。

1 $\frac{5}{216}$

2 $\frac{5}{108}$

3 $\frac{5}{72}$

4 $\frac{5}{36}$

5 $\frac{5}{18}$

解答欄

解説 17

サイコロを３回投げた場合，目の出方は $6^3 = 216$ 通りである。
$a = 6$ の場合，$(b,c) =$（1，5）（2，4）（3，3）（4，2）（5，1）の５通りである。
$a = 5$ の場合，$(b,c) =$（1，4）（2，3）（3，2）（4，1）の４通りである。
$a = 4$ の場合，$(b,c) =$（1，3）（2，2）（3，1）の３通りである。
$a = 3$ の場合，$(b,c) =$（1，2）（2，1）の２通りである。
$a = 2$ の場合，$(b,c) =$（1，1）の１通りである。
したがって，$a = b + c$ を満たす目の出方は，$5 + 4 + 3 + 2 + 1 = 15$ 通りである。

よって，求める確率は $\frac{15}{216} = \frac{5}{72}$ となり３が正解である。

解答　3

数的推理

No. 18 旅人算

A と B は同一地点から 20km 先の目的地に向けて出発することにした。A は B より 20 分早く自転車で出発したが，移動の途中でバイクに乗った B に追い越され，結局，A は B より目的地に 5 分遅れて到着することとなった。

B のバイクの速さが A の自転車の速さの 2 倍であったとすると A の速さは時速何 km か。ただし，2 人とも同じ経路を終始一定の速さで走り続けたものとする。

1 時速 12km
2 時速 16km
3 時速 20km
4 時速 24km
5 時速 28km

解答欄

解説 18

A の自転車の速さを時速 $x$km とすると，B のバイクの速さはその 2 倍であるから時速 $2x$km となる。20km の道のりを進むのにかかった時間は，A が $\frac{20}{x}$（時間），B が $\frac{20}{2x}=\frac{10}{x}$（時間）であり，その差が $20-(-5)=25$（分），すなわち，$\frac{25}{60}=\frac{5}{12}$（時間）なので，時間についての方程式 $\frac{20}{x}-\frac{10}{x}=\frac{5}{12}$ が成り立つ。これを解くと $x=24$ となる。

解答 4

プラス知識

別解

A が 20km の道のりを進むのにかかった時間を x（時間）とおくと，A の速さは時速 $\frac{20}{x}$ km。B が 20km の道のりを進むのにかかった時間は $x-\frac{5}{12}$(時間）となるので，B の速さは時速 $\frac{20}{x-\frac{5}{12}}$ km。よって，B の速さが A の速さの 2 倍であったから $2\times\frac{20}{x}=\frac{20}{x-\frac{5}{12}}$，これを解くと $x=\frac{5}{6}$（時間）より，時速 $\frac{20}{\frac{5}{6}}=24$km となる。

数的推理

No. 19 仕事算

B 重要度

A は自宅が古くなったので，B 及び C の 2 人を雇ってリフォームを行った。B 及び C に支払う 1 日当たりの賃金はそれぞれ 2 万円と 1 万円で，2 人に支払った賃金の合計は 175 万円になった。また，この仕事を B が 1 人ですべて行うと 100 日かかり，C が 1 人ですべて行うと 150 日かかるという。この場合，B の作業日数は C のそれの何倍であったか。

1 $\frac{2}{3}$

2 $\frac{3}{4}$

3 1

4 $\frac{4}{3}$

5 $\frac{3}{2}$

解答欄

解説 19

B が x 日，C が y 日作業するとしておくと，賃金の関係から $2x + y = 175$…①が成り立つ。また，このリフォームの総作業量を **300** とすると，B は 1 日当たり **3** ずつ，C は 1 日当たり **2** ずつ作業を行う。

よって，作業量の関係から $3x + 2y = 300$…②が成り立つ。

①と②を連立させて解くと，$x = 50$, $y = 75$ となり，B の作業日数は C のそれの $\frac{50}{75} = \frac{2}{3}$ 倍となる。

解答 1

プラス知識

ポイント

このリフォームの総作業量を 300 としたのは 100 日と 150 日の最小公倍数をとったからであって，仮に総作業量を 50 としても B は 1 日当たり $\frac{1}{2}$ ずつ，C は $\frac{1}{3}$ ずつ作業を行うことになり，作業量の関係から $\frac{1}{2}x + \frac{1}{3}y = 50$ となるが，これは②と全く同じ式である。

No. 20 濃　度

ある塩（えん）の水溶液A，Bは，濃度が互いに異なり，それぞれが1,200gずつある。両方を別々の瓶に入れて保管していたところ，水溶液Aが入った瓶の蓋が緩んでいたため，水溶液Aの水分の一部が蒸発した結果，100gの塩が沈殿した。

この沈殿物を取り除くと，水溶液の重量は800gとなったが，これに水溶液Bのうちの400gを加えたところ，この水溶液の濃度は水溶液Aの当初の濃度と同じになった。

次に，水溶液Aから取り出した沈殿物100gに，水溶液Bのうちの500gを加えて溶かしたところ，この水溶液の濃度も水溶液Aの当初の濃度と同じになった。

水溶液Aの当初の濃度はいくらか。

なお，沈殿物を取り除く際には，水分は取り除かれないものとする。

1　22.5%
2　27.5%
3　32.5%
4　37.5%
5　42.5%

解答欄

解 説 20

水溶液Bの濃度は，水溶液Aに加えた400g中に，取り除かれた沈殿物と同量の100gの塩が含まれていたことから求まる。

$100 \div 400 \times 100 = \mathbf{25}\%$

次に，沈殿物100gに加えた水溶液B500g中の塩の量は，

$500 \times \frac{\mathbf{25}}{100} = \mathbf{125}\text{g}$

よって，沈殿物100gに水溶液B500gを加えたときの濃度は，

$(100 + \mathbf{125}) \div (100 + 500) \times 100 = \mathbf{37.5\%}$

これが，水溶液Aの当初の濃度と同じなので，水溶液Aの当初の濃度は，**37.5%**である。

解答　4

数的推理

No. 21 組合せ

重要度 B

ハチミツが入った5個の缶から，異なる2個の缶を取り出してできた10通りの組合せについて，それぞれの重さを量った。その重さが軽い順に，203g，209g，216g，221g，225g，228g，232g，234g，238g，250gであったとき，缶の重さの一つとして有り得るのはどれか

1 111g
2 116g
3 121g
4 126g
5 131g

解答欄

解説 21

5個の缶を，軽い順に，a，b，c，d，eとすると，一番軽い組合せは$a+b$，次に軽いのは$a+c$であるから，$a+b=203$g，$a+c=209$gと分かる。

$b+c$は，$b+d$，$b+e$，$c+d$，$c+e$，$d+e$よりも軽いことが明らかだから，$b+c$は，216g，221g，225gのいずれかとなる。

$b+c=216$のとき，$a+b=203$g，$a+c=209$gより，

$2(a+b+c)=628$

$a+b+c=314$となり，a，b，c，それぞれの値を求めると，$a=\mathbf{98}$，$b=\mathbf{105}$，$c=\mathbf{111}$となる。

同様に，$b+c=221$のとき，$b+c=225$のときのa，b，cの値を求めると，整数にはならないため，$b+c=216$が確定する。

各選択肢を見ると，選択肢**1**の**111**gが$c=\mathbf{111}$と一致するため，正解は**1**となる。

なおこのとき，$c+e=238$gより，$e=\mathbf{127}$g，$d+e=250$gより，$dv=\mathbf{123}$gが求まる。

解答　1

資料解釈

No. 22 大学入学者数の推移

図は，ある国の大学入学者数について，全入学者及び理・工・農学関係学科入学者の対前年度増減率の推移を示したものである。この図からいえることとして最も妥当なのはどれか。

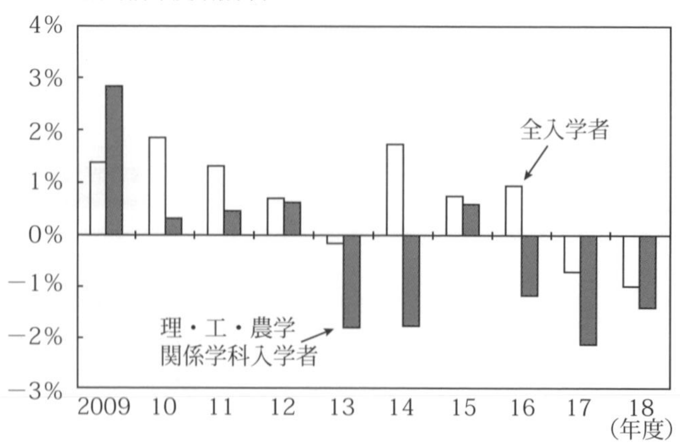

1　理・工・農学関係学科入学者の全入学者に占める比率は，2009 年度をピークに，それ以降一貫して低下している。

2　理・工・農学関係学科入学者数は，2009 年度をピークにして，年々減少傾向にある。

3　2014 年度以降，全入学者に占める理・工・農学関係学科入学者の割合は，30%を超えている。

4　理・工・農学関係学科入学者とそれ以外の学科の入学者の入学者数の差が最も大きくなったのは，2014 年度である。

5　理・工・農学関係学科以外の学科の入学者の数が最も多かったのは，2016 年度である。

解答欄

解説 22

1○　理・工・農学関係学科入学者数の対前年度増減率が，全入学者数の増減率を**上**回っているのは **2009 年度**だけであり，それ以降は，全入学者数の増減率を**下**回っている。このことから，理・工・農学関係学科入学者の全入学者に占める比率は，2009 年度以降一貫して**低下**していることが読み取れる。

2×　理・工・農学関係学科入学者数の対前年度増減率は，2009 ～ 2012 年，2015 年はプラスになっている。したがって，理・工・農学関係学科入学者数が「2009 年度をピークにして，年々減少傾向にある」とする記述は**誤り**である。

3×　このグラフは，大学の全入学者数と理・工・農学関係学科入学者数の対前年度増減率を示したものにすぎない。全入学者に占める理・工・農学関係学科入学者の割合まで読み取ることはできない。

4×　肢 **3** と同様の理由により，全入学者数と理・工・農学関係学科入学者数を算出することができないので，理・工・農学関係学科入学者数とそれ以外の学科の差（全入学者数－理・工・農学関係学科入学者数）も算出することができない。

5×　肢 **4** と同様の理由で，理・工・農学関係学科以外の入学者数は，算出することができない。

解答　1

プラス知識

資料解釈の問題

1　資料解釈の問題は，大別すると数表と図表に分類される。
2　数表であれ図表であれ，あるデータを実数，割合，構成比，指数などで表したものである。
3　どのような問題であっても，データから確かにいえることだけを読み取り，知っているからといって，けっして自分の知識や先入観を入れてはならない。

資料解釈

No. 23 製造業に見る従業員変化率

図は，2000 年を基準とした 2009 年，14 年，18 年のある国の製造業の業種別・国内外従業員変化率（2000 年対比）を示したものであるが，これから確実にいえるのはどれか。

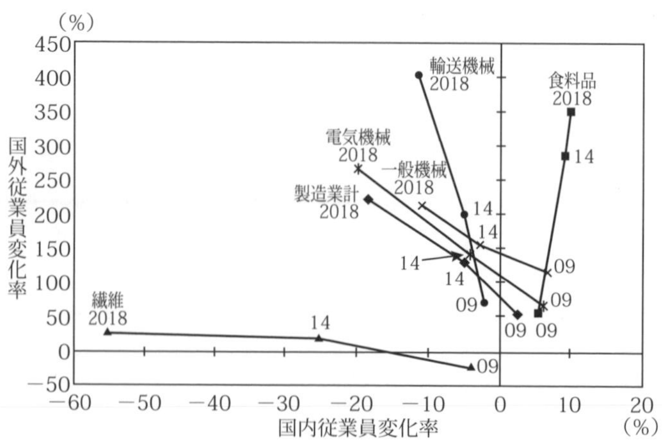

1　2018 年の繊維の国外従業員数は，同年の電気機械のそれよりも多い。

2　2014 年から 2018 年にかけての国外従業員の増加数が最も多い業種は輸送機械である。

3　2000 年から 2009 年，14 年，18 年と，国内従業員数が減少を続けているのは，2 業種である。

4　2018 年の国内従業員数が国外のそれより多いのは，3 業種である。

5　2018 年の製造業計をみると，2000 年に比べて国内従業員数は約 2 割減少したが，国外従業員数は約 2.5 倍に増加した。

解答欄

解説 23

1 × 2000年の従業員数が分からないので，変化率だけでは2018年の繊維の国外従業員数が同年の電気機械のそれよりも多いかは判断できない。

2 × 確かに，輸送機械の国外従業員の伸び率が大きいが，肢**1**と同様に2000年の従業員数が分からないので，増加数の判断はできない。

3 ○ **国内従業員**変化率に関して，2000年と比較して食料品は常に増加している。製造業計，電気機械，一般機械は，2009年においては2000年と比較して増加している。2000年を基準にして減少し続けているのは，**輸送機械**と**繊維**の**2**業種である。この**2**業種については，**国内従業員数**が**減少**していると**確実にいえる**。

4 × 肢**1**と肢**2**同様，2000年の従業員数が分からないので，国内と国外の従業員数を比較することはできない。

5 × 2018年の製造業計に関して，2000年の従業員数が100％とすると，国内従業員変化率が－**20**％だと100％－**20**％＝**80**％となって，約**2**割減少したとするのは正しい。しかし，国外従業員数に関しては，2000年の従業員数が100％とすると，国外従業員変化率が＋**250**％だと100％＋**250**％＝**350**％となって，約**3.5**倍に増加したことになる。

解答　3

プラス知識

図表の問題

1　資料解釈の図表の種類
　タテ棒グラフ，ヨコ棒（帯）グラフ，円グラフ，折れ線グラフ，累積度数グラフ，三角グラフが主なものである。

2　グラフの中で，ヨコ棒（帯）グラフ，円グラフ，累積度数グラフは，構成比を表す場合に使用される。

3　特に注意したいのは，タテ棒グラフである。構成比の他に実数，割合などを表すことができるため，いずれを示しているのか，しっかり確認してから読み取っていきたい。

資料解釈

No. 24 日本の人口の推移

表Ⅰは，我が国の総人口の推移を，表Ⅱは7都道府県における年齢階層別人口割合等の推移を示したものである。これらの表から確実にいえることとして最も妥当なのはどれか。

表Ⅰ

全国総人口（千人）		指数(2005年を100とする)
2005	127,768	100
2010	128,057	100.23
2015	127,095	99.47
2020	126,146	98.73

表Ⅱ

	全国総人口に占める人口割合（人口総数÷全国総人口）（%）				年少人口割合（15歳未満人口÷人口総数）（%）			
	2005	2010	2015	2020	2005	2010	2015	2020
北海道	4.40	4.30	4.23	4.14	12.8	11.9	11.3	10.7
宮城県	1.85	1.80	1.84	1.82	13.8	13.1	12.4	11.7
東京都	9.84	10.3	10.6	11.1	11.3	11.3	11.3	11.2
愛知県	5.68	5.80	5.89	5.98	14.7	14.4	13.7	13.0
大阪府	6.90	6.90	6.95	7.01	13.7	13.2	12.4	11.7
広島県	2.25	2.20	2.24	2.22	14.0	13.5	13.2	12.6
福岡県	3.95	4.00	4.01	4.07	13.9	13.5	13.3	13.0

	生産年齢人口割合（15～64歳人口÷人口総数）（%）				老年人口割合（65歳以上人口÷人口総数）（%）			
	2005	2010	2015	2020	2005	2010	2015	2020
北海道	65.7	63.4	59.6	57.2	21.4	24.7	29.1	32.1
宮城県	66.0	64.5	62.1	60.2	19.9	22.3	25.5	28.1
東京都	69.1	68.3	66.1	66.1	18.3	20.4	22.7	22.7
愛知県	67.6	65.3	62.5	61.7	17.2	20.3	23.8	25.3
大阪府	67.1	64.4	61.4	60.7	18.5	22.4	26.2	27.6
広島県	64.6	62.5	59.3	58.0	20.9	24.0	27.4	29.4
福岡県	65.9	64.2	60.9	59.1	19.8	22.3	25.8	27.9

（総務省統計局資料参照）

1　2005年において，年少人口が最も多かったのは大阪府である。

2　2020年において，人口密度が最も高いのは東京都である。

3　2010年から2020年において，人口総数が増加した都道府県はない。

4　2010年から2020年において，大阪府の生産年齢人口は減少している。

5　2010年から2020年において，老年人口の増加率は福岡県の方が広島県より低い。

解答欄

解説 24

1 × 全国総人口に占める人口割合が最も大きい**東京都**と比較して検討する。2005年時点の大阪府の年少人口は，127768 × 0.0690 × 0.137 ≒ **1207.8**（千人）である。これに対し，同年度の**東京都**の年少人口は，127768 × 0.0984 × 0.113 ≒ **1420.7**（千人）である。**東京都**の方が多い。

2 × 人口密度＝人口÷**面積**であるが，表中には**面積**の表示がないので判断できない。

3 × 2010年から2020年にかけて全国総人口は減り続けているが，全国総人口に占める人口割合が増えている**東京都**について，2010年時点の人口総数と2020年時点の人口総数を比べてみる。2010年時点の**東京都**の人口総数は，128057 × 0.103 ≒ **13189.9**（千人）である。これに対し，2020年時点の**東京都**の人口総数は，126146 × 0.111 ≒ **14002.2**（千人）であり，**東京都**の人口総数は増加している。

4 ○ 大阪府の生産年齢人口割合は減り続けているが，2010年から2020年にかけて，全国総人口に占める人口割合は増えているので，2010年時点の生産年齢人口と2020年時点の生産年齢人口を比べてみる。2010年時点の生産年齢人口は，128057 × 0.0690 × 0.644 ≒ **5690.3**（千人）である。2020年時点の生産年齢人口は，126146 × 0.0701 × 0.607 ≒ **5367.6**（千人）であり，生産年齢人口は減少している。

5 × 2010年時点の福岡県の老年人口は，128057 × 0.0400 × 0.223 ≒ 1142.3（千人）であり，2020年時点の老年人口は，126146 × 0.0407 × 0.279 ≒ 1432.4（千人）である。したがって増加率は，(1432.4 − 1142.3) ÷ 1142.3 ≒ **25.4**%である。これに対し，2010年時点の広島県の老年人口は，128057 × 0.0220 × 0.240 ≒ 676.1（千人）であり，2020年時点の老年人口は，126146 × 0.0222 × 0.294 ≒ 823.3（千人）である。したがって増加率は，(823.3 − 676.1) ÷ 676.1 ≒ **21.8**%であり，**広島県**の方が低い。

解答 4

数　学

No. 25 直線の方程式

xy 座標平面上で，直線 $y = 3x$ と平行で P（− 1，− 10）を通る直線 l に，原点から垂線を下ろしたとき，垂線が l と交わる点の x 座標として正しいのはどれか。

1 $\frac{7}{6}$

2 $\frac{13}{6}$

3 $\frac{7}{\sqrt{10}}$

4 $\frac{21}{10}$

5 $\frac{39}{10}$

解答欄

解説 25

直線 l の方程式は傾き 3 で P（− 1，− 10）を通るから，$y = 3(x + 1) - 10 = 3x - 7$ となる。また直線 l の垂線の傾きは $-\frac{1}{3}$ で原点を通るから，垂線の方程式は $y = -\frac{1}{3}x$ となる。この 2 直線の交点は連立させて，$3x - 7 = -\frac{1}{3}x$ を解くと，$x = \frac{21}{10}$ となる。

解答　4

プラス知識

直線の方程式

点（x_0，y_0）を通り，傾きが m である直線の方程式は $y = m(x - x_0) + y_0$

2 直線の位置関係

2 直線 $y = mx + n$ と $y = m'x + n'$ が

平行⇔ $m = m'$（更に $n = n'$ が成り立つとき一致という）

垂直⇔ $m \times m' = -1$

数 学

No. 26 ベクトル

B 重要度

2 つのベクトル $\vec{a}$, $\vec{b}$ は, $|\vec{a}| = 2$, $|\vec{b}| = 3$, $\vec{a}$ と $\vec{b}$ のなす角は 60° である。実数 t の値を変化させるとき, $\vec{c} = \vec{a} + t\vec{b}$ の大きさの最小値はいくらか。

1. 0

2. $\sqrt{3}$

3. 3

4. $\dfrac{3\sqrt{3}}{2}$

5. $\dfrac{27}{4}$

解答欄

解 説 26

$\vec{a}$ と $\vec{b}$ のなす角 60° より, $\vec{a}\cdot\vec{b} = |\vec{a}||\vec{b}|\cos 60^\circ = 2 \times 3 \times \dfrac{1}{2} = 3$ となる。

よって, $|\vec{c}|^2 = |\vec{a} + t\vec{b}|^2 = |\vec{a}|^2 + 2t\vec{a}\cdot\vec{b} + t^2|\vec{b}|^2$ に代入し, t の 2 次関数として平方完成すると $|\vec{c}|^2 = 9t^2 + 6t + 4 = 9\left(t + \dfrac{1}{3}\right)^2 + 3$ となる。

よって, $t = -\dfrac{1}{3}$ のとき $|\vec{c}|^2$ は最小となりその値は **3** であるから, $|\vec{c}|$ の最小値は $\sqrt{3}$ となる。

解答　2

プラス知識

ベクトルの内積

$\vec{0}$ でない 2 つのベクトル $\vec{a}$, $\vec{b}$ のなす角を θ とすると

$\vec{a}\cdot\vec{b} = |\vec{a}||\vec{b}|\cos\theta$

ただし, $\vec{a} = \vec{0}$ または $\vec{b} = \vec{0}$ のときは $\vec{a}\cdot\vec{b} = 0$ とする。

「大きさ（長さ）」,「なす角」の問題では内積を用いるのが定石である。

数学

No. 27 漸化式

次の漸化式によって定められる数列 $\{a_n\}$ について，a_{100} はいくらか。

$$a_1 = 1,\ a_{n+1} = \frac{2a_n}{a_n + 2}\ (n = 1,\ 2,\ 3,\ \cdots)$$

1 $\frac{2}{99}$

2 $\frac{1}{50}$

3 $\frac{2}{101}$

4 $\frac{1}{51}$

5 $\frac{2}{103}$

解答欄

解説 27

明らかに $a_n > 0$ なので，逆数をとると $\frac{1}{a_{n+1}} = \frac{a_n + 2}{2a_n} = \frac{1}{2} + \frac{1}{a_n}$ となり，数列 $\left\{\frac{1}{a_n}\right\}$ は初項 $\frac{1}{a_1} = \frac{1}{1} = 1$ で公差 $\frac{1}{2}$ の等差数列となる。よって一般項は $\frac{1}{a_n} = 1 + (n - 1) \times \frac{1}{2} = \frac{n+1}{2}$ より，$a_n = \frac{2}{n+1}$ である。

よって $a_{100} = \frac{2}{100 + 1} = \frac{2}{101}$ となる。

解答　3

プラス知識

漸化式の基本

$a_{n+1} = a_n + d$ ⇔数列 $\{a_n\}$ は公差 d の等差数列⇔ $a_n = a_1 + (n - 1)d$

$a_{n+1} = ra_n$ ⇔数列 $\{a_n\}$ は公比 r の等比数列⇔ $a_n = a_1 \times r^{n-1}$

数　学

No. 28 放物線と図形

重要度 B

放物線 $y = ax^2$（a は正の定数）上に点 A，B がある。△OAB が，面積 2 で ∠AOB = 90°の直角二等辺三角形であるとき，a の値は次のどれか。

ただし，A，B の x 座標はそれぞれ，正，負とする。

1　1

2　$\frac{1}{\sqrt{2}}$

3　$\frac{1}{2}$

4　$\frac{\sqrt{2}}{4}$

5　$\frac{1}{4}$

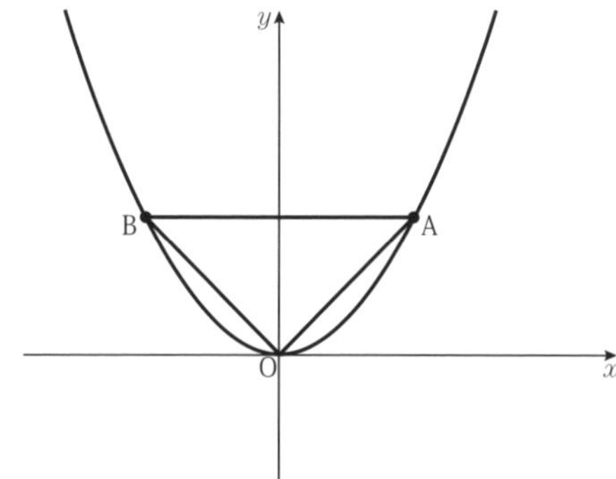

解答欄

解 説 28

AB の中点を M とすると直角二等辺三角形の性質から OM = AM = BM，AB ⊥ OM が成り立つ。

よって A（t，t）とおけて，△OAB = $\frac{1}{2}$ AB・OM = $\frac{1}{2} \times 2t \times t = t^2$ となり，面積が 2 であることから $t = \sqrt{2}$ であり，A（$\sqrt{2}$, $\sqrt{2}$）となる。これを $y = ax^2$ に代入すると，$\sqrt{2} = a(\sqrt{2})^2$ から $a = \frac{1}{\sqrt{2}}$ となる。

解答　2

プラス知識

A（t, t）から△OAB = t^2 を求める別解として，2 点間の距離（三平方の定理）からOA = $\sqrt{t^2 + t^2} = \sqrt{2t^2} = \sqrt{2}t$ となり，∠AOB = 90°の直角二等辺三角形であることより△OAB = $\frac{1}{2}$ OA・OB = $\frac{1}{2} \times \sqrt{2}t \times \sqrt{2}t = t^2$ という方法もある。

文章（現・古）　文章（英語）　判断推理　数的推理　資料解釈　数学　物理　化学　生物　地学　思想　文学芸術　日本史　世界史　地理　政治　経済　社会　情報

数　学

No. 29 式の値

$\sqrt{5}$の小数部分をxとするとき，$x^3-\dfrac{1}{x^3}$の値はいくらか。

1　-76

2　-52

3　-4

4　$2\sqrt{5}$

5　$34\sqrt{5}$

解答欄

解説 29

$2<\sqrt{5}<3$だから，$x=\sqrt{5}-2$であり，$\dfrac{1}{x}=\dfrac{1}{\sqrt{5}-2}=\sqrt{5}+2$となることから，$x-\dfrac{1}{x}=(\sqrt{5}-2)-(\sqrt{5}+2)=-4$となる。

よって$x^3-\dfrac{1}{x^3}=\left(x-\dfrac{1}{x}\right)^3+3\left(x-\dfrac{1}{x}\right)$に代入して，

$x^3-\dfrac{1}{x^3}=(-4)^3+3(-4)=-76$となる。

解答　1

プラス知識

整数部分・小数部分

実数xに対し，xを超えない最大の整数をxの整数部分と呼び，$[x]$と表す（ガウス記号xと読む）。このとき，$x-[x]$をxの小数部分と呼ぶ。
例えば，$\sqrt{5}$の近似値は2.236…であるから整数部分$[\sqrt{5}]=2$であり，小数部分は$\sqrt{5}-[\sqrt{5}]=\sqrt{5}-2$となる。負の数の場合$[-\sqrt{5}]=-3$となるから注意が必要である。

数 学

No. 30 整関数の微積分

B 重要度

$f(x) = ax^3 + bx^2 - 12x + 5$ が，$x = -1$ で極大値をとり，$x = 2$ で極小値をとる場合，$f(-1) - f(2)$ の値はいくらか。

1 -27

2 -15

3 12

4 15

5 27

解答欄

解 説 30

$f'(x) = 0$ の解が $x = -1$，2 なので，

　$f'(x) = 3ax^2 + 2bx - 12 = 3a(x+1)(x-2)$ と表せる。このとき，両辺の定数項を比較すると $-12 = -6a$ であるから $a = 2$ となる。

よって，求める値は $f(-1) - f(2) = -[f(x)]_{-1}^{2} = -\int_{-1}^{2} f'(x)\,dx$
$= -\int_{-1}^{2} 6(x+1)(x-2)\,dx$ と変形できるから，公式 $\int_{\alpha}^{\beta}(x-\alpha)(x-\beta)\,dx$
$= -\frac{1}{6}(\beta-\alpha)^3$ を用いて $f(-1) - f(2) = -6\left(-\frac{1}{6}\right)\{2-(-1)\}^3 =$ **27** となる。

解答　5

プラス知識

関数の増減・極値

$f'(x) > 0$ $\Leftrightarrow f(x)$ は増加
$f'(x) < 0$ $\Leftrightarrow f(x)$ は減少
$f'(x) = 0 \Rightarrow f(x)$ は極値をとる

解答のようにスマートな方法でなくても，$f(x)$ が $x = -1$，2 で極値をとるから，$f'(-1) = 0$，$f'(2) = 0$ を連立させて a，b を求め，$f(-1) - f(2)$ を計算すれば答えは求まる。

数学

No. 31 絶対値とグラフ

グラフ $y = |x-1| - |x-2|$ と $y = x + a$ が 3 点で交わるような a のすべての範囲を示したのはどれか。

1 $a < -2$

2 $-2 < a < -1$

3 $-1 < a < 0$

4 $0 < a < 1$

5 $1 < a$

解答欄

解説 31

絶対値を外すと，$y = \begin{cases} -1 & (x < 1) \\ 2x - 3 & (1 \leqq x < 2) \\ 1 & (2 \leqq x) \end{cases}$ となり図のような折れ線となる。

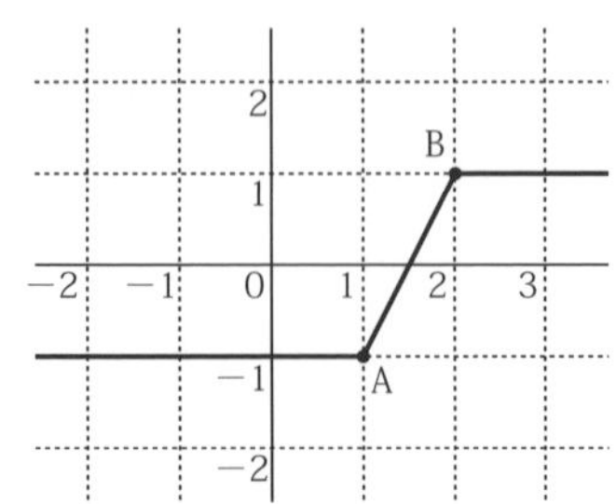

これと $y = x + a$ が 3 点で交わるには，A（1，− 1），B（2，1）とすると，2 点 A，B の間を $y = x + a$ が通ればよい。点 A を通るときの $a = -2$，点 B を通るときの $a = -1$ であるから，$-2 < a < -1$ となる。

解答　2

数学

No. 32 指数対数

B 重要度

ある物体が，基準点を速度 v_0 で通過し，直線上を加速しながら移動している。基準点から xm の地点における速度が $v(x) = v_0 \times 10^x$ で表されるとき，速度が v_0 の 50 倍になる x に最も近い値は次のうちどれか。

ただし，$\log_{10}2 = 0.3$ とする。

1 0.9

2 1.7

3 2.5

4 5.0

5 7.5

解答欄

解説 32

題意より，$v_0 \times 10^x = 50v_0$ が成り立ち，両辺を v_0 で割って常用対数をとると

$x = \log_{10}50 = \log_{10}\dfrac{100}{2} = \log_{10}100 - \log_{10}2$ となる。これに $\log_{10}2 = 0.3$ を代入すると，$x = 2 - 0.3 = 1.7$ となる。

解答 2

プラス知識

一般に，$\log_{10}2$ と $\log_{10}3$ の値が与えられれば

$\log_{10}4 = 2\log_{10}2$，$\log_{10}5 = 1 - \log_{10}2$，$\log_{10}6 = \log_{10}2 + \log_{10}3$，

$\log_{10}8 = 3\log_{10}2$，$\log_{10}9 = 2\log_{10}3$

のように $\log_{10}7$ を除く一桁の自然数の常用対数の値はすべて表すことが出来る。しかし $\log_{10}7$ も正確に表すことは出来ないが，$48 < 49 < 50$ の辺々常用対数をとることによって $2\log_{10}2 + \frac{1}{2}\log_{10}3 < \log_{10}7 < 1\frac{1}{2} - \log_{10}2$ とすれば，かなり近似可能である。

文章(現・古) 文章(英語) 判断推理 数的推理 資料解釈 数学 物理 化学 生物 地学 思想 文学芸術 日本史 世界史 地理 政治 経済 社会 情報

物　理

No. 33 物理量の単位

次の物理量の単位に関する説明の下線部の記述のうち，最も妥当なのはどれか。

1　単振動する物体の振動数の単位は dB であり，その物体が 1 回単振動するのに要する時間に反比例する。

2　容器に入った気体の圧力は，気体が容器の内面を垂直に押す単位面積当たりの力として，単位は N/m^2 のほか，Pa や atm などでも表されるが，1Pa はおよそ 1.0×10^5atm に相当する。

3　磁場に垂直な 1A の直線電流が長さ 1m 当たり 1N の力を受けるとき，その磁場の磁束密度の大きさを 1Wb といい，1Wb = 1N/（A・m）である。

4　平行板コンデンサーの電気容量は，極板間における 1V の電位差によって 1J の電力量が蓄えられるときの電気容量を 1F として表す。

5　仕事率は単位時間（1 秒）あたりにする仕事の量を表わす。1J の仕事を 1 秒間行ったときの仕事率は 1W である。

解答欄

解 説 33

1×　物体が 1 回単振動するのに要する時間を周期という。振動数は単位時間あたりの振動の回数であり，周期に反比例する。振動数の単位は **Hz（ヘルツ）**である。dB（デシベル）は**音のエネルギーの大きさ**の単位である。

2×　圧力は単位面積あたりの力の大きさを意味する。1 気圧（1atm）は，1.013×10^5Pa に相当し，水銀柱の高さで示すと 760mm の高さに相当する。これを 760mmHg と表す。

3×　Wb（ウェーバー）は**磁極の強さ**の単位である。磁束密度は $1m^2$ あたりの磁極の強さを意味し，その単位は **T（テスラ）**である。**1T** は 1N/(A・m) である。

4×　コンデンサーの電気容量の単位は F(ファラッド) であり，1F とは 1C(クーロン）の電気量で，電位差が 1V 変化するコンデンサーの電気容量を示す。

5○　1J（ジュール）の仕事を 1 秒間したときの仕事率が **1W（ワット）**である。

解答　5

物 理

No. 34 力 学

B 重要度

力学に関する記述として最も妥当なのはどれか。

1 動いている物体に摩擦力が働くとやがて物体は静止するが，この摩擦力を静止摩擦力とよぶ。静止摩擦力は接触面の面積や物体の速さに比例するので，同じ物体でも接触面の面積が大きくなるほど，また，物体の速さが速くなるほど摩擦力は大きくなる。

2 つる巻きばねにおもりをつるすと，ばねはもとの長さに戻ろうとして，伸びと反対向きの力をおもりに及ぼす。この力を弾性力といい，その大きさはバネの伸びに比例する。これをフックの法則という。

3 反発（はねかえり）係数とは，衝突後の物体の到達する高さを衝突前の落下を開始する高さで割った値である。この値は 0 以上 1 以下の値をとり，はねかえり係数が 1 の時完全弾性衝突という。

4 物体が空気中を落下すると空気抵抗を受けるが，抵抗の大きさは物体の速度に依存せず，物体の大きさによって一定である。雲や霧は，十分に高い位置から落下した雨滴が空気抵抗によって速度を失い空気中を漂うために発生する。

5 物体に一定の力を加え続けたとき，力の向きに物体が移動した距離と力の大きさとの積を仕事という。ある点を基準に同じ大きさの力で逆方向に同じ距離だけ物体を移動させた場合，両者は大きさは同じで符号の異なる仕事の量となる。

解答欄

解 説 34

1× 動いている物体に働く摩擦力は**動摩擦力**という。静止している物体に働く摩擦力を静止摩擦力といい，静止している物体が，動き出す瞬間にかかる最大の静止摩擦力を**最大静止摩擦力**という。どちらも，物体にかかる垂直抗力の大きさに比例する。また，摩擦力は物体の速度には**関係しない**。

2○ バネの弾性力の大きさはバネの伸びに比例し，バネの持つ力学的エネルギーの大きさはバネの伸びの**2 乗に比例**する。

3× はねかえり係数は，衝突後の**速度**を衝突前の**速度**で割った値である。

4× 空気抵抗の大きさは物体の形や大きさ，速さ，温度などの**影響を受ける**。形が球で速さが小さい時，空気抵抗の大きさは球の半径と速さの積に比例する。霧や雨の粒はこの関係を満たす。

5× 仕事はベクトルではなくスカラーなので，**向きをもたない**。逆方向に同じ距離移動させても**仕事の量は同じ**である。

解答 2

物　理

No. 35 物体の移動距離

摩擦のある水平な床の上に図のように静止している質量 1kg の物体を，9.8N の力で右向きに水平に引いたところ，物体は等加速度直線運動をした。動き出してから 4 秒間に物体が移動する距離で最も近い値はどれか。なお，重力加速度は 9.8m/s^2 である。床と物体の間の動摩擦係数は 0.50 である。

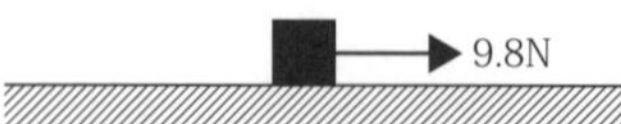

1　10m

2　20m

3　30m

4　40m

5　50m

解答欄

解 説 35

物体に働く動摩擦力は物体の**垂直抗力**に比例し，力の向きは物体の動く向きと反対方向に働く。1kg の物体に働く動摩擦力は，垂直抗力が 9.8N なので，F **= 9.8 × 0.5 = 4.9（N）**である。

物体に働く力は 9.8 − 4.9 = 4.9（N）より，運動方程式が成り立つので物体に働く加速度を α とすると，**4.9 = 1** × α

これより α = **4.9（m/s^2）**となる。この加速度で物体は 4 秒間に S（m）移動するとすれば

$$S = \frac{1}{2} \times 4.9 \times 4^2$$

$$S = 39.2\ (\text{m})$$

よって **40m** が最も近い値となる。

解答　4

物 理

No. 36 物理現象

B 重要度

物理現象に関する次の記述ア，イ，ウ，エの正誤の組合せとして最も妥当なのはどれか。

ア　地球を周回する宇宙船の中で，宇宙飛行士や物体が宙に浮くのは，宇宙船が地球から遠く離れているために，地球の重力がほとんど働かないからである。

イ　惑星と太陽の間には万有引力と呼ばれる力が働いており，その大きさは惑星の質量と太陽の質量の積に比例し，その間の距離の 2 乗に反比例する。

ウ　月の自転周期が，月が地球を回る公転周期と一致しているため，地球からは月の裏側の大部分を見ることができない。

エ　潮の満ち引きは，月の引力により海水が引っ張られることによって起こるため，地球上のある地点が満潮のとき，その裏側は干潮である。

	ア	イ	ウ	エ
1	正	正	誤	正
2	正	誤	誤	正
3	誤	正	正	誤
4	誤	正	誤	誤
5	誤	誤	正	誤

解答欄

解説 36

ア×　宇宙船の中でも地球との間の**万有引力は働いている**。地球の自転の影響を無視すると，地球が物体に及ぼす**重力は万有引力に等しい**。宇宙船の中で物体が宙に浮くのは，重力と宇宙船の回転による**遠心力が釣り合うから**である。

イ○　万有引力の大きさを F，惑星の質量を m，太陽の質量を M とすると，$F = GMm/r^2$ という関係が成り立つ。ここで r は惑星と太陽の間の距離をあらわし，G は物体によらない定数で万有引力定数という。

ウ○　月の自転周期と公転周期は等しく，27.3 日である。このため月は**いつも同じ面を地球に向けながら**地球を周る。

エ×　月が真上にくるとき，月と向かい合っている側では引力が最大になり，この引力に引かれて満潮となる。地球の裏側では，地球の遠心力の影響が月の引力の影響より大きくなり，**こちらも満潮**になる。両地点の間では両側に潮が引かれるため**干潮**になる。

解答　3

物理

No. 37 水銀面の現象

長い方の一端が閉じて，短い方の一端が開いているJ字管を水銀槽の中に沈め，内部を水銀で満たし，空気を排除した。このJ字管を徐々に起こした後，水銀槽から取り出したところ，中の水銀の様子は図のようになり，開管部の水銀面Bはあふれる寸前の状態であった。この時水銀面AとBの差は76cmであった。高気圧が来て，室内の気圧が増大したときに，J字管の水銀面に生じる現象として最も妥当なのはどれか。なお，J字管中の水銀の温度は変わらないものとする。

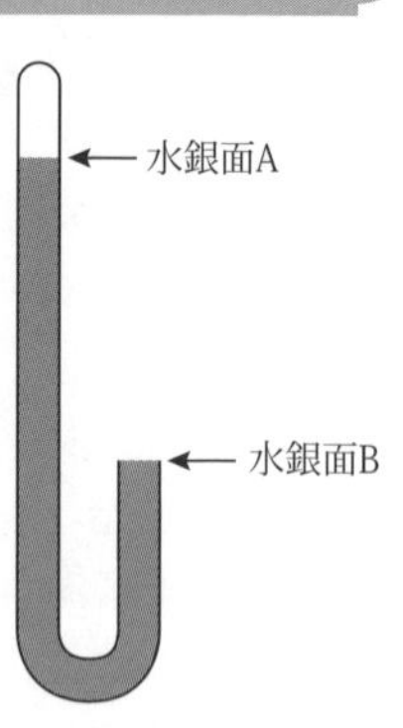

1　水銀面Aは上がり，水銀面Bは下がる。AとBの差は76cm以上になる。

2　水銀面A，Bの高さに変化はない。

3　水銀面Aが下がり，開管部からは水銀があふれる。

4　水銀面A，Bとも下がり，A，Bの差は76cmのままである。

5　水銀面Aは上がり，開管部からは水銀があふれる。

解答欄

解説 37

図の状態で，水銀面Bにかかる大気圧と水銀面ABの液面の差によって生じる水銀の圧力が釣り合っている。

大気圧がこの状態より大きくなると，水銀面Bを押す力が大きくなりBは低下する。一方水銀面Aは上昇し，**液面差は広がる（76cm以上になる）**。液面差が大きくなることで，増加した大気圧と水銀の圧力が釣り合う。

水銀面Aの上側の空間は，水銀の蒸気がほとんどなく真空に近い。これをトリチェリーの真空という。

解答　1

プラス知識

圧力の単位

$1m^2$の面積に1Nの力が加わるときの圧力を1Pa（パスカル）という。100Paは1hPa（ヘクトパスカル）に相当する。hPaは，天気予報などでおなじみの圧力単位である。

大気圧の標準値は1013hPaで，これが1気圧（atm）に相当する。

物 理

No. 38 論理回路

B 重要度

図Ⅰは，A，B，Cに“0”又は“1”を入力し，その入力に応じて“0”又は“1”がXに出力される論理回路である。ここで使われているOR回路とNOT回路のA，Bへの入力に対するXへの出力の対応表が図Ⅱに示されている。

論理回路は，スイッチ，電球，抵抗，電池を用いた電気回路によってもつくることができるが，図Ⅰの論理回路と同じ働きをする電気回路として正しいのはどれか。

ただし，スイッチを入力として，スイッチを閉じた時を“1”，スイッチを開けた時を“0”とする。また，電球を出力として，点灯している時を“1”，消灯している時を“0”とする。

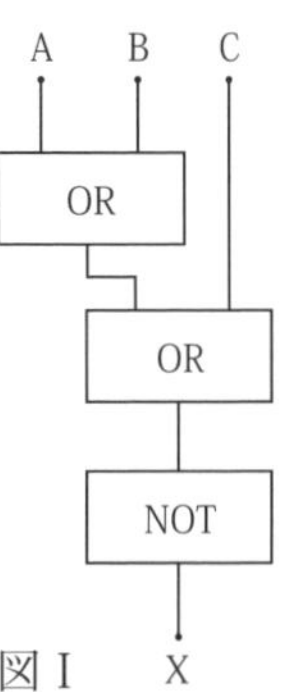

図Ⅰ

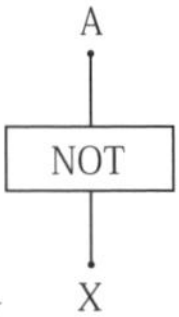

入力	出力
A	X
0	1
1	0

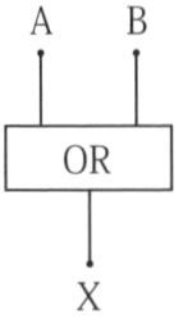

入力		出力
A	B	X
0	0	0
1	0	1
0	1	1
1	1	1

図Ⅱ

1　**2** 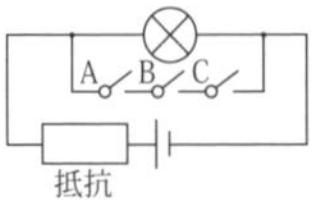　**3** 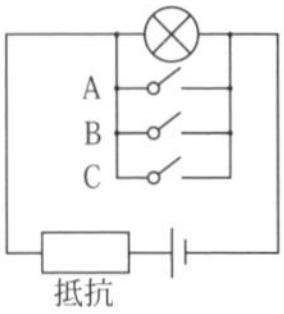　**4** 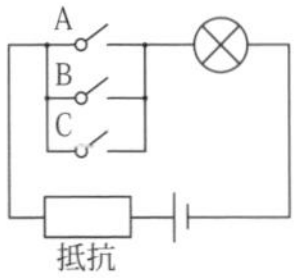　**5**

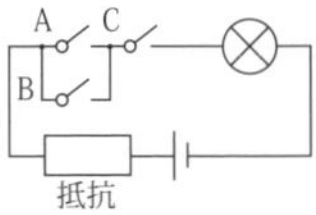

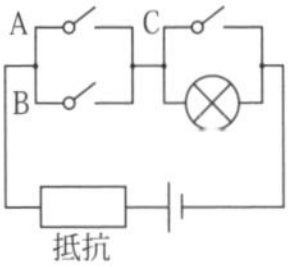

解答欄

解 説 38

図Ⅱより，OR回路は，A，B両方が“0”の時だけ出力も“0”になり，A，Bが並列に接続された状態に相当する。よって図ⅠのA，B，Cは，並列につながれた**3**または**4**のいずれかに該当する。図Ⅰでは，A，B，Cが“0”ならばNOT回路を経由したXが“1”になる。4の回路では，A，B，Cが“0”のとき，Xの結果は“0”になる。一方，**3**の回路では，A，B，Cが“0”でも，Xは“1”となる。

解答　3

物理

No. 39 音　源

振動数 f_0 の音源が移動する観測者の後方から観測者より速い一定の速度で同一方向へ進み，観測者に追いついた瞬間から速度を落として観測者との距離が広がった。その後，音源は再び速度を上げ観測者と一定の距離を保って移動した。

後方から接近する音源，追いついてから減速した音源，再び速度を上げ一定の距離で移動する音源の三者について，観測者に聞こえる音の振動数をそれぞれ f_1，f_2，f_3 とすると，これら及び f_0 との大小関係を表したものとして最も妥当なのはどれか。

ただし，観測者の速度は一定であったものとする。

1　$f_0 = f_1 = f_2 = f_3$
2　$f_2 < f_0 = f_3 < f_1$
3　$f_1 < f_0 = f_3 < f_2$
4　$f_1 < f_3 < f_0 = f_2$
5　$f_2 < f_1 = f_3 < f_0$

解答欄

解説 39

音源が観測者に近づいてくるとき，その音は高く聞こえ振動数は大きくなる。逆に音源が観測者から遠ざかるとき，その音は低く聞こえ振動数は小さくなる。両者の距離が一定に保たれるときは，**振動数は f_0 に等しくなる。**

よって **$f_1 > f_0$，$f_2 < f_0$，$f_3 = f_0$** となるので **$f_2 < f_0 = f_3 < f_1$** が正しい。

これをドップラー効果という。救急車のサイレンの音は近づいてくるときは高く聞こえ，遠ざかるときには低く聞こえることは日常的に経験しているとおりである。

また，音の高さは振動数の違いによって変化する。振動数が多いと音は高くなり，振動数が少ないと低くなる。

解答　2

プラス知識

波に関する種々の公式

振動数を f〔Hz〕周期を T〔s〕とすると，$T = 1/f$ となる。波長を λ〔m〕，波の速さを v〔m/s〕とすると，$v = f\lambda$ が成り立つ。

波長とは波の山から隣の山（もしくは谷から谷）までの長さを示し，振動数は1秒間に通過する山の数を，周期は1つの山が通過し，次の山が通過するまでの時間を示す。

物理

No. 40 水の性質

B 重要度

水の性質に関する記述として最も妥当なのはどれか。

1　光や音が水中を伝わる速さを空気中での速さと比較すると，光も音も水中の方が空気中より速い。

2　同じ大きさの金属球を水中につるすとき，比重が大きい鉄の球の方が，比重の小さいアルミニウムの球より，水から受ける浮力は大きい。

3　氷を水にするには融解熱，水を水蒸気にするには蒸発熱が必要であり，1g当たりで比較すると，融解熱の方が蒸発熱より大きい。

4　光線が水中から空気中に出るときには屈折するため，水面を斜め上方から観察するとき，水槽の底にある小石は，実際より深いところにあるように見える。

5　水力発電は，高所にある水の位置エネルギーを利用するものであり，質量が一定ならばその位置エネルギーの大きさは，高さに比例している。

解答欄

解説 40

1×　**光**は空気中より水中のほうが**遅く**なる。**音**は逆に水中のほうが**速く**なる。

2×　水中の浮力の大きさは，物体が押しのける水の重力に相当する。そのため比重が異なる金属どうしでも，**同じ体積**であれば**浮力は同じ**になる。

3×　質量が同じであれば，**氷を水にする時より，水を水蒸気にする**時のほうが**多くの熱エネルギーを必要**とする。これは気体分子の持つエネルギーが，液体の時より**はるかに大きい**からである。そのため**融解熱**よりも**蒸発熱**のほうが大きな値になる。

4×　光が水中から空気中に出るとき，**屈折率**は**大きく**なる。観察者は光の進路がまっすぐであると感じるため，水中の小石は実際より**浅い所**にあるように見える。

5○　物体の重力による位置エネルギーは，物体の質量を m (kg)，高さを h (m)，重力加速度を g (m/s^2) とすると，mgh で示される。

解答　5

文章(現・古)　文章(英語)　判断推理　数的推理　資料解釈　数学　物理　化学　生物　地学　思想　文学芸術　日本史　世界史　地理　政治　経済　社会　情報

化　学

No. 41 熱化学方程式

水素，酸素，炭素などの化学反応や結合エネルギーに関する熱化学方程式が次のとおりであるとき，これらからいえることとして最も妥当なのはどれか。

ただし，25℃，1.0×10^5Pa とする。

① H_2（気）$+ \frac{1}{2}O_2$（気）$= H_2O$（液）$+ 286$kJ

② C（固）$+ O_2$（気）$= CO_2$（気）$+ 394$kJ

③ C（固）$+ 2H_2$（気）$= CH_4$（気）$+ 74$kJ

④ H_2（気）$= 2H - 436$kJ

⑤ O_2（気）$= 2O - 498$kJ

1　一酸化炭素 1 mol に酸素を触れさせると，吸熱反応が起こって二酸化炭素が得られ，その反応熱は約 197kJ である。

2　ある質量の炭素（黒鉛）を完全燃焼すると，1,576kJ の熱が生じた。燃焼した炭素の質量は 4.8g である。ただし，原子量は C:12　H:1.0　O:16 とする。

3　H-O 結合のエネルギーは約 486kJ/mol である。

4　メタンの燃焼熱は約 892kJ である。

5　オゾンは 2 つの酸素原子が三重結合しているため，二重結合からなる酸素分子の約 1.5 倍の結合エネルギーを持つ。

解答欄

解説 41

1×　一酸化炭素の**燃焼熱**は，これらの**熱化学方程式だけでは求められない。**また燃焼は発熱反応である。

2×　②より，1mol の炭素（黒鉛）が完全燃焼すると，394kJ の熱が生じる。4.8g の炭素は 0.40mol なので，それが燃焼すると $394 \times 0.40 = 157.6$kJ の発熱となる。

3×　O-H 結合の結合エネルギーを求めるには，水の**蒸発熱**が与えられなければならない。

4○　①× 2 ＋②－③より，$2 \times 286 + 394 - 74 =$ **892kJ** となり，メタンの燃焼熱は **892kJ/mol** である。

5×　同じ元素間での三重結合の結合エネルギーは，二重結合の結合エネルギーより大きな値になるが，エネルギーの大きさは共有結合の**本数に比例するわけではない。**また，**オゾンは酸素原子間で三重結合を形成していない。**

解答　4

化 学

No. 42 気体の性質

重要度 B

図のような装置で15%の塩化ナトリウム水溶液を電気分解したところ，陰極と陽極の両方で気体が発生した。陰極側で発生した気体の性質に関する記述として最も妥当なのはどれか。

1　常温で黄緑色の気体であり，化学的に非常に活発で多くの金属と反応する。紙パルプなどの有機材料の漂白や上水道の殺菌に用いられる。

2　空気中に存在するほか，水や岩石，生物体など多くの物質に化合物の形で含まれ，地殻では最も量の多い元素である。工業的には，液体空気の分留によって製造される。

3　無色，無味，無臭の気体である。1個の分子が2個の原子からなる二原子分子で，沸点，融点とも単体ではヘリウムに次いで低い。

4　1個の分子が3個の原子からなる三原子分子で，薄い青色で臭気があり有毒である。光化学オキシダントの1つであり，光化学スモッグを引き起こして人間や植物に害を及ぼす。

5　酸性雨の原因物質の1つで，水に溶けて酸性を示す。また還元性を持ち，絹や羊毛の漂白に用いられる。

解答欄

解説 42

1×　**塩素**の性質についての説明文である。**塩素は陽極側**で発生する。

2×　**酸素**についての説明である。**酸素**は地殻中に質量割合でもっとも多く含まれる元素である。2番目に多く含まれるのが**ケイ素**，3番目はアルミニウムである。また，**酸素分子**は，空気中で体積割合にして**約20%**を占める。

3○　陰極で発生する気体は**水素**であり，説明文は**水素**に関するものである。

4×　**オゾン**に関する説明である。**オゾン**は特異臭をもつ淡青色の気体である。酸化力があり，殺菌，漂白などに用いられる。上空の**オゾン層**は，太陽からの有害な紫外線を除去する働きをしている。

5×　**二酸化硫黄**に関する説明である。酸性雨の原因物質は窒素酸化物や硫黄酸化物であり，そのうち**還元性**を持ち，漂白剤に用いられるのが**二酸化硫黄**である。**亜硫酸ガス**とも呼ばれる。

解答　3

化学

No. 43 金属のイオン化傾向

金属のイオン化傾向に関する記述として最も妥当なのはどれか。

1　アルミニウムは沸騰水と反応し，水素を発生しながら溶けてアルミニウムイオンになるが，マグネシウムは沸騰水とは反応せず，変化しない。したがって，アルミニウムはマグネシウムよりもイオン化傾向が大きい。

2　濃硝酸に銀を入れると，二酸化窒素を発生しながら溶けて銀イオンになるが，濃硝酸にアルミニウムを入れても反応せず，変化しない。これはアルミニウムの表面に酸化被膜が生じアルミニウムが反応しなくなるためである。

3　白金は王水と反応し，水素を発生しながら溶けて白金イオンとなるが，金は王水には溶けない。したがって，白金は金よりもイオン化傾向が大きい。

4　カリウム，ナトリウム，カルシウムは常温の水と反応し，水素を発生しながら溶ける。これらのうち最もイオン化傾向の大きいものは，カルシウムである。

5　希硫酸に鉛を入れても鉛は変化しない。このことから鉛は水素よりイオン化傾向が小さいことがわかる。

解答欄

解説 43

1×　アルミニウムは高温水蒸気と反応し水素を発生する。マグネシウムは**高温の水とも反応**する。**イオン化傾向**はマグネシウムのほうが大きい。

2○　アルミニウムの表面に酸化被膜が生じて，アルミニウムが反応しなくなった状態を**不動態**という。同様の変化は鉄やニッケルでも生じる。

3×　**金も王水に溶ける**。王水は濃硝酸と濃塩酸を1：3の割合で混合したものである。

4×　3つの金属のうち，イオン化傾向の大きさは，**カリウム**，**カルシウム**，**ナトリウム**の順に**小さくなる**。

5×　鉛は希硫酸で難溶性の硫酸鉛（Ⅱ）を生じ溶けない。同様の反応が塩酸でも生じ塩化鉛（Ⅱ）ができる。**しかし，鉛は水素よりイオン化傾向が大きい。**

解答　2

化学

No. 44 自然界の元素

次の自然界を構成する元素の存在比（質量%）を示した図中の（Ⅰ），（Ⅱ）には，それぞれ同一の元素が入るが，（Ⅱ）の元素に該当する記述のみをすべて挙げているのはどれか。

太陽系	Ⅰ75.4	He23.2	その他			
地　球	Ⅱ46.6	Si27.7	Al8.1	Ca 3.6	Fe 5.0	その他
海　水	Ⅱ85.7	Ⅰ10.8	その他			
人　体	Ⅱ62.6	C19.5	Ⅰ9.3	N 5.2	その他	

ア　実験室では，過酸化水素に酸化マンガン（Ⅳ）を加えて発生させる。同素体が存在し，そのうち三原子分子のものは，殺菌，漂白などに用いられている。

イ　この元素の単体は，すべての元素の単体の中で最も沸点が低く，通常の圧力下では絶対零度でも液体のままであることから，極低温をつくる冷却剤として利用されている。

ウ　この元素を燃料とする燃料電池は，大気汚染物質の放出量が少ないなどの特徴を有しており，有望なエネルギー源として開発が進められている。

エ　価電子を4つ持ち，この元素を中心とする化合物を有機化合物と呼ぶ同素体が存在し，その中には球状の分子がある。

オ　この元素と金属元素の化合物は酸と反応する。水と反応すると強塩基性の化合物に変化するものもある。また非金属元素の化合物は，塩基と反応し，水に溶けると酸性を示す。

1　ア，イ　　**2**　イ，ウ　　**3**　ウ，エ　　**4**　ア，オ　　**5**　エ，オ

解答欄

解説 44

ア○　酸素およびオゾンについての説明であり，Ⅱに該当する。Ⅰは水素である。

イ×　**ヘリウム**に関する説明である。**ヘリウム**の沸点は－269℃である。

ウ×　**水素**に関する説明である。燃料電池は，**水素**の燃焼のエネルギーを電気エネルギーに変えて取り出す装置である。反応後に生じる物質は水である。

エ×　炭素を中心とする化合物を，有機化合物と呼ぶ。同素体には，**ダイヤモンド**，**黒鉛**，球形の**フラーレン**などがある。

オ○　金属元素の酸化物は**塩基性酸化物**と呼ばれ，酸と反応し，**水に溶ける**と水酸化物を生じる。非金属元素の酸化物は**酸性酸化物**と呼ばれ，**塩基**と反応し，水に溶けると**オキソ酸**を生じる。

解答　4

化学

No. 45 二酸化炭素

身近な物質である二酸化炭素に関する記述として最も妥当なのはどれか。

1　化学反応により発生させた二酸化炭素は，空気よりも重く，水によく溶けるため，下方置換法で集めることができる。

2　南極大陸上空の成層圏のオゾン層は，毎年９～10月にオゾンの濃度が非常に低く，穴があいたような状態になり，オゾンホールと呼ばれているが，この現象の最大の原因物質は二酸化炭素である。

3　二酸化炭素は三原子分子であり，分子は折れ線型の構造をしているため極性を持つ。二酸化炭素の固体はドライアイスと呼ばれる。

4　有機物には炭素が含まれるため燃やすと二酸化炭素が発生するが，天然ガスは，石油や石炭に比べて，同じ燃焼エネルギーを得る際に発生する二酸化炭素の量が少ない。

5　鉄に含まれる炭素は，硬さと引っ張り強度を増す働きがあり，炉の中に二酸化炭素を吹き込むことによって炭素含有量の多いステンレス鋼を製造する。

解答欄

解説 45

1×　二酸化炭素は水に**いくらか溶けるが，多くは溶けない**。水に溶けると水溶液は酸性を示す。

2×　**前半の**記述は正しい。オゾンホールが生じる最大の原因物質は**フロンガス**である。二酸化炭素は温室効果ガスの１つで地球温暖化の原因物質と考えられている。

3×　二酸化炭素は**炭素原子**と**酸素原子**が直線状に並んだ形をしており，分子全体では**極性が打ち消されて，無極性分子**となっている。

4○　天然ガスの主成分は**メタンガス**であり，**メタン**は石炭や石油に比べて炭素の含有量が**少ない**ため二酸化炭素の発生量**も少ない**。

5×　炭素を多く（約４％）含む鉄を**銑鉄**といい，鋳物などに用いられる。硬いが割れやすい。**銑鉄**を転炉で熱し，**酸素**を吹き込んで**炭素**分を除去すると，**炭素含有率が低い鋼**ができる。**鋼**は粘りがあり曲げや引っ張りにも強い。

解答　4

化学

No. 46 カルシウムの化合物

B 重要度

次のA，B，Cは，いずれもカルシウムの化合物の特徴を述べたものであるが，該当する化学式の組合せとして最も妥当なのはどれか。

A　石灰石を強熱すると生じる物質で生石灰ともよばれる。水と反応して消石灰に変わる。その際発熱を伴い，この熱を利用して携帯用のコップのお酒の燗などに利用されている。

B　工業的にはアンモニアソーダ法（ソルベー法）の副産物として大量に生産できる。水によく溶け，空気中で潮解し，乾燥剤や道路の凍結防止剤に利用される。

C　天然には結晶セッコウとして産するが，熱すると白色で粉末状の焼きセッコウとなる。焼きセッコウは，水と混合すると発熱しながら硬化するので，この性質を利用して建築材料・医療用ギプス・美術の塑像製作などに使われる。

	A	B	C
1	$CaCO_3$	$CaSO_4$	$CaCl_2$
2	CaO	$CaCl_2$	$CaSO_4$
3	$CaCl_2$	$CaCO_3$	$CaSO_4$
4	CaO	$CaCO_3$	$CaSO_4$
5	$CaSO_4$	$CaCl_2$	$CaCO_3$

解答欄

解説 46

A　石灰石の強熱により，**酸化カルシウム**と二酸化炭素が発生する。酸化カルシウムは**生石灰**とも呼ばれる。生石灰は水と容易に反応し，**水酸化カルシウム**になる。これを**消石灰**という。水酸化カルシウムの飽和水溶液を**石灰水**という。

B　アンモニアソーダ法は，塩化ナトリウム飽和水溶液にアンモニア，二酸化炭素を加え，**炭酸水素ナトリウム**を沈殿させ，これを熱して**炭酸ナトリウム**をつくる方法である。その際，副産物として**塩化カルシウム**が生じる。塩化カルシウムは**乾燥剤**に使われる。

C　セッコウは**硫酸カルシウム二水和物**であり，これを焼くと水和水が減少した半水和物で粉末状の**焼きセッコウ**ができる。焼きセッコウに水を加えて放置すると，再びセッコウに戻る。

解答　2

No. 47 有機化合物

炭素・水素・酸素からなる分子量60の有機化合物Xがある。このXの構造式を調べるために次のような実験を行ったが，文中のア，イ，ウ，エに入るものの組合せとして正しいのはどれか。

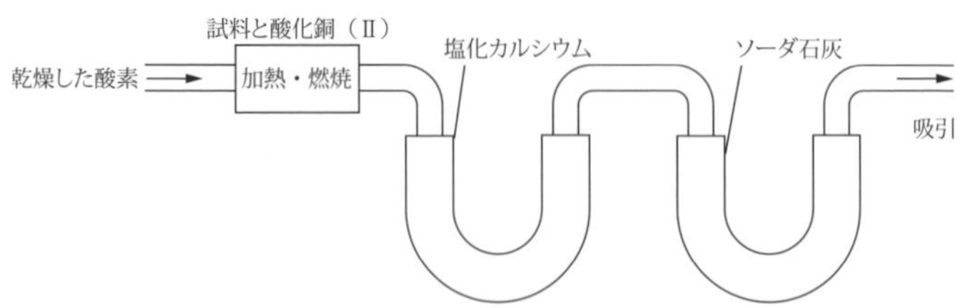

図のようにXを酸化銅（II）とともに乾燥した酸素の中で完全燃焼させ，このときに生じた二酸化炭素は［ア］に，水蒸気は［イ］にそれぞれ吸収させた。吸収された二酸化炭素と水蒸気の質量を量ることでXの組成式がCH_2Oであることが分かった。また，分子量60であることから，分子式が［ウ］と判明した。さらにXは常温で酸性の液体であることが別の実験で分かったので，物質は［エ］であることが分かった。

	ア	イ	ウ	エ
1	塩化カルシウム	ソーダ石灰	CH_2O	ギ酸
2	塩化カルシウム	ソーダ石灰	CH_2O	ホルムアルデヒド
3	塩化カルシウム	ソーダ石灰	$C_2H_4O_2$	アセトアルデヒド
4	ソーダ石灰	塩化カルシウム	$C_2H_4O_2$	酢酸
5	ソーダ石灰	塩化カルシウム	$C_3H_6O_3$	ピルビン酸

解答欄

解説 47

試料を燃焼させ発生した二酸化炭素を**ソーダ石灰**で，水を**塩化カルシウム**で吸収し，それぞれの質量増加量から試料中の炭素，水素，酸素の質量が求まる。それらを各元素の原子量で割ったものが**組成比**で，組成比を用いて表わした化学式を，**組成式**という。組成式は原子の数の比を示すもので，分子中に含まれる実際の原子の数を示す式を**分子式**という。

組成式中の原子量の合計のことを式量といい，分子量を式量で割ると分子式が求まる。本問ではその値が2となりXの分子式は，$\mathbf{C_2H_4O_2}$となる。

さらにXが酸性の液体であることから，選択肢で該当するものは**酢酸**である。**酢酸**はCH_3COOHで示される。

解答　4

化学

No. 48 有機化合物

重要度

次の有機化合物Ⅰ，Ⅱと，それらの構造式ア～オを正しく組み合わせているのはどれか。

Ⅰ　この物質は，サリチル酸，ピクリン酸など，多くの有機化合物の原料となる。また，塩化鉄（Ⅲ）水溶液で青紫色を呈する。この物質とホルムアルデヒドを縮合重合させると，立体網目構造をもつ熱硬化性樹脂が得られる。

Ⅱ　かつては硫酸水銀（Ⅱ）を触媒にしてアセチレンに水を付加して作られていたが，今では塩化パラジウム（Ⅱ）を触媒としてエチレンを空気で酸化して作られている。

	Ⅰ	Ⅱ
1	ア	エ
2	ア	オ
3	イ	ウ
4	イ	エ
5	ウ	オ

ア

O−H

イ

ウ

H　　　H
C＝C　　H
H　　　C
H　H

エ

H
H−C−C　H
H　　O

オ

H　H
H−C−C−O−H
H　H

解答欄

解説 48

Ⅰ　**フェノール**に関する説明文である。フェノールに水酸化ナトリウム水溶液を反応させた後，高温高圧下で二酸化炭素を反応させ，硫酸で酸性にしてやると，**サリチル酸**が生じる。また，フェノールを濃硝酸と濃硫酸でニトロ化すると，**ピクリン酸**が生じる。ピクリン酸は爆発性がある。フェノールをホルムアルデヒドで縮合重合させると，**熱硬化性**のフェノール樹脂ができる。熱硬化性とは，熱を加えると硬くなる性質のことである。

Ⅱ　**アセトアルデヒド**に関する説明である。アセチレンに硫酸水銀（Ⅱ）を触媒にして，水を反応させると**ビニルアルコール**が生じるが，この物質は不安定であり，すぐにアセトアルデヒドに変わる。しかしこの製法は水銀を使うため，廃液の処理が困難であり，現在日本では使われていない。アセトアルデヒドの実験室的な製法では，エタノールを酸化剤で穏やかに酸化することで得られる。アルデヒドには**還元性**があり，**銀鏡反応**や**フェーリング反応**を起こす。

解答　1

生物

No. 49 生殖と分裂

生物の生殖と発生に関する記述として最も妥当なのはどれか。

1　生殖の方法は，無性生殖と有性生殖に大別される。無性生殖の例には，アメーバの分裂，藻類の同形配偶子による接合，有性生殖の例には，ウニの受精，シダ類の胞子生殖などがある。

2　細胞の分裂方法には，体細胞分裂と減数分裂がある。このうち減数分裂は，卵と精子が受精し，染色体数が倍加して通常の細胞の4倍の染色体をもつようになった受精卵が，染色体数を半減させるために行う分裂である。

3　動物の受精卵で行われる初期の細胞分裂を卵割といい，ほぼ同じ大きさの割球ができる卵割を等割という。卵割の仕方は卵の卵黄の量と分布が関係していると考えられておりカエルの卵は卵黄が比較的少ない等黄卵で，卵割は等割で始まる。

4　動物の受精卵の細胞分裂が進むと，外胚葉，中胚葉，内胚葉の3つの胚葉を形成する。脊つい動物の場合，外胚葉からは骨格系と神経系が，中胚葉からは消化器系が，内胚葉からは循環器系がそれぞれ分化する。

5　被子植物の受精では2種類の受精が起こり，これを重複受精という。1つは極核との受精で3倍体の胚乳になり，もう1つは卵細胞との受精で2倍体の胚になる。

解答欄

解説 49

1×　シダ類には，配偶子をつくる**前葉体**と胞子をつくる**胞子体**がある。前葉体では精子と卵が受精する**有性世代**であるが，胞子体では**無性世代**である。

2×　減数分裂は生殖細胞をつくるときに生じる分裂で，2n本の染色体をもつ生殖母細胞が2回の分裂を行ってn本の染色体を持つ娘細胞になる。第一分裂では相同染色体の対合と分裂が生じ，第二分裂では染色分体が分離する。

3×　**前半の記述は正しいが**，カエルの卵は卵黄が偏る**端黄卵**であり，卵割は**不均割**である。卵割は卵黄が多いと**部分割**となる。

4×　外胚葉からは，**表皮**，**神経管**が，中胚葉からは，**脊索**（後に消失），**体節**（骨格，筋肉），**側板**（循環系，生殖系）が，内胚葉からは**消化系**，**呼吸系**が分化する。

5○　花粉は花粉管の中で2個の精細胞に分裂し，胚のうでそのうち1個が卵細胞と，他は2つの極核と受精する。これを**重複受精**という。受精後，**卵細胞は胚**に，極核を含む**中央細胞は胚乳**になる。

解答　5

生　物

No. 50 動物の発生のしくみ

B 重要度

動物の発生のしくみに関する記述として最も妥当なのはどれか。

1　受精卵から胚発生の過程で，いつ分化の決定が起こるかということは，動物の種類によってかなり違いがある。ウニやイモリは，胚の発生運命の決定が比較的遅く，割球を分離しても，それぞれが完全な固体に発生する。このような卵のことを，調節卵という。

2　受精卵の核は全遺伝子を持っているが，その後細胞が分化していくに従って，必要のない遺伝子は取り除かれていく。そのため，核を取り除いた受精卵に，成体となったカエルの上皮細胞から取り出した核を移植をすると，上皮のみが形成される。

3　他の胚域に働きかけて，そこに一定の組織や器官を形成させる働きのあるものを形成体（オーガナイザー）という。この働きが発現するのは，イモリでは原腸胚後期からであり，原腸胚初期に形成体部分を移植すると，形成体としての働きを失う。

4　発生の進行に伴い，胚の細胞は一定の秩序に従って分化し，いろいろな器官が形成される。脊椎動物では，外胚葉からは表皮が形成され，中胚葉からは神経管や脊索，体節が分化し，内胚葉からは消化管，腎節，側板が生ずる。

5　胚の各部が将来どのような器官になるかを図に表したものを予定運命図（原基分布図）という。ドイツのシュペーマンは，青や赤などの色素で胚の各部分を染色し，各部分からどのような器官が形成されてくるかを調べた。

解答欄

解 説 50

1○　**調節卵**とは，卵割の初期の卵の一部が失われても残りの割球から**完全な固体が発生**する卵であり，何らかの調節機能を持つと考えられる。これに対し，卵割の初期に胚各部の分化が決まってしまう卵を，**モザイク卵**という。

2×　**細胞は分化が進んでもすべての遺伝子情報を遺伝子の中に保存している。**

3×　イモリでは**初期原腸胚**の原口背唇部を移植すると**誘導**が生じる。

4×　神経管は**外胚葉**から分化し，腎節，側板は**中胚葉**から分化する。

5×　**局部生体染色法**により，予定運命図を明らかにしたのは，ドイツの生物学者**フォークト**である。**シュペーマン**はイモリの予定神経域と予定表皮域の交換移植実験を行い，予定運命の決定時期を明らかにした。

解答　1

生物

No. 51 遺伝子の交配

ショウジョウバエの体色に関する遺伝子をA（正常体色）とa（黒体色），翅に関する遺伝子をB（正常翅）とb（痕跡翅）とすると，AとB，aとbはそれぞれ同一染色体上にあり，連鎖している。正常体色・正常翅（AABB）の雌と，黒体色・痕跡翅(aabb)の雄との交配でできたF_1はすべて正常体色・正常翅(AaBb)であった。このF_1の雌と黒体色・痕跡翅の雄の個体を交配すると，表現型の比が〔AB〕:〔Ab〕:〔aB〕:〔ab〕＝5.3：1：1：5.3となった。ここで〔AB〕は正常体色・正常翅を意味する。このときの組換え価はおよそいくらか。

1　7.9%

2　15.8%

3　18.8%

4　31.6%

5　47.4%

解答欄

解説 51

減数分裂の第一分裂の際に，相同染色体の一部が交換されることを**乗換え**といい，乗換えにより遺伝子の**組換え**が起こる。**組換え価**は，生じた配偶子のうち組換えの起こった配偶子の割合を示す。F1の配偶子の遺伝子型の比が，AB:Ab:aB:ab＝N:1:1:Nであるなら，劣勢ホモを用いた**検定交雑**の結果生じる表現型の分離比も，[AB]:[Ab]：[aB]：[ab]＝N：1：1：Nとなる。この時組換え価は，

$$\frac{1+1}{N+1+1+N} \times 100$$ で求めることができる。

この問題では，表現型の分離比が5.3：1：1：5.3なので，組換え価は，

$$\frac{1+1}{5.3+1+1+5.3} \times 100 = 15.87\%$$ となる。

組換え価が0のときを完全連鎖といい，0～50%のときを不完全連鎖という。

解答　2

生物

No. 52 DNA

B 重要度

DNA に関する記述として最も妥当なのはどれか。

1 DNA は，五炭糖のリボースと，塩基とリン酸からできる物質で，これが遺伝子の本体であることが実証されている。

2 DNA は，モーガンにより A，G，C，T という記号で表される 4 種類の塩基で構成される二重らせん構造をなすことが解明された。

3 1 個の体細胞に含まれる DNA の量は，細胞の部位が同一なら生物の種類によって異なることはない。

4 減数分裂によってできる精子などの生殖細胞における DNA の量は，生殖母細胞と同じ量が保たれる。

5 DNA の複製は，二重らせんの塩基対の水素結合が切れ，それぞれに相補的なヌクレオチドが並び，DNA ポリメラーゼの働きで互いに結合されて起こる。

解答欄

解説 52

1× **DNA** を構成する糖は五炭糖の**デオキシリボース**であり，**リボース**を含むのは **RNA** である。

2× DNA が 4 種類の塩基からなる二重らせん構造をとることを明らかにしたのは，**ワトソンとクリック**である。モーガンは**三点交差法**によって**キイロショウジョウバエの染色体地図**を明らかにした。

3× DNA の量は**生物によって異なる**。細菌類などの原核生物では **DNA の量が少なく，真核生物の核の DNA 量は多い**。

4× 減数分裂によって，生殖細胞の DNA 量は**生殖細胞の半分になる**。**この後受精によって** DNA 量は親と同じになる。

5○ DNA の複製では，2 本の**ヌクレオチド**鎖の間の水素結合が切れ，1 本ずつの鎖ができ，対応する塩基をもつヌクレオチドがそれぞれの鎖の前に並ぶ。その後，元の鎖と対応するヌクレオチドを，**DNA ポリメラーゼ**という酵素が**結びつけて複製が完成**する。

解答　5

生 物

No. 53 刺激の受容と反応

刺激の受容と生物の反応に関する記述として最も妥当なのはどれか。

1 受容器細胞は閾値（いきち）未満の刺激は受容せず，閾値以上の刺激を受容する。受容器の1個の細胞では，刺激が強いほど反応は大きくなる。これを「全か無かの法則」という。

2 ヒトの光刺激に反応する視細胞は角膜に含まれ，錐（すい）体細胞と桿（かん）体細胞の2種類に分けられる。そのうち，後者は弱い光のもとではたらき色覚を生じさせるが，明暗感覚は生じさせない。

3 ある刺激に対してのヒトの無意識的な反応を反射という。随意運動と異なり，受容器からの感覚情報が大脳を経由せず間脳や小脳から効果器に指令が伝わるので素早く反応できることが特徴である。

4 作動体の代表的な器官として筋肉が挙げられ，平滑筋と横紋筋の2種類に分けられる。このうち随意に作動させることが可能なのは横紋筋であり，主に骨格筋と心筋を構成する。

5 一定の刺激に対してその刺激源に近づいたり，遠ざかったりする反応を走性という。例えば,昆虫などが分泌する性フェロモンは負の走性を生じさせる。

解答欄

解説 53

1 × 興奮を起こす最小の刺激を**閾値刺激**または限界刺激といい，刺激の大きさを閾値もしくは限界値という。一方，閾値以上の刺激では，刺激の大きさに関係なく同じ大きさの反応が起きる。これを「**全か無かの法則**」という。

2 × **錐体細胞**は光に対する感度が低いが，**色の区別は行う**。**強い光**の下でよく働く。**桿体細胞**は光に対する感度は高いが，**色の区別はできない**。**弱い光**の下でよく働く。

3 × 反射では**脊髄や延髄**から効果器に指令が伝わるため，反応が素早く起こる。

4 ○ 平滑筋は**内臓筋**であり，意思によって収縮させることが**できない不随意筋**である。一方，横紋筋は**骨格筋**であり，意思によって収縮させることが**できる随意筋**である。心臓は**横紋筋**であるが，**不随意筋**である。

5 × 性フェロモンは**雄を引き寄せる作用**をもち，**正の走性**を生じさせる。

解答 4

生物

No. 54 動物の生態と行動説

動物の生態や行動についてドーキンスが唱えた説に関する記述として最も妥当なのはどれか。

1 犬に餌を与えるとき，同時にベルの音を聞かせると，やがてベルの音を聞いただけで唾液が出るようになることを発見し，これを「条件反射」と呼んだ。

2 カモやアヒルなどの雛は，孵化後，最初に接したものの後を追って行くことを発見し，このように特定の行動を引き起こす対象が記憶されることを「刷込み（インプリンティング）」と呼んだ。

3 同じ種の動物の場合には，寒冷地に生息する個体ほど暖かい地方に生息する個体よりも大型化することを発見し，大きくなるほど体表面積 / 体重の値が小さくなり，体重当たりの放熱量が少なくなることによると考えた。

4 生物進化の主な要因は突然変異であり，突然変異は遺伝すると唱えた。

5 同じ種どうしでの共食いなどの現象から，生物個体は，種としての存続よりも，自分の遺伝子を残すことを第一の目的としている利己的な存在であると唱えた。

解答欄

解説 54

1× 反射を起こす刺激と，反射と関係のない刺激を同時に繰り返し与えると，関係のない刺激を与えただけでも反射が起こる。これを**条件反射**という。**ロシアの学者パブロフ**が命名した。

2× オーストリアの動物学者**ローレンツ**が発見した。刷込みは特定の時期にしか成立せず，一度刷込みが起こると変更は困難である。

3× 動物に見られる温度と適応の３法則のうち，**ベルクマンの規則**に関する説明である。

4× オランダの植物学者**ド・フリース**の突然変異説の説明である。

5○ イギリスの動物行動学者**リチャード・ドーキンス**の説。ここで言う「利己的」とは，「自己の生存と繁殖率を他者より高めること」を意味する。

解答 5

生 物

No. 55 生存曲線

同じ時期に生まれた個体群内のある世代の個体数が，出生後の時間とともに減少する様子をグラフ化したものを生存曲線という。図のように，その動物の寿命を100とした相対年齢を横軸，出生時の生存個体数を10^3とした対数目盛を縦軸に表すと，大きくⅠ，Ⅱ，Ⅲの３つの型に分類できる。次のA～Eの動物のうち，一般的にⅠの型に該当するものの組合せとして最も妥当なのはどれか。

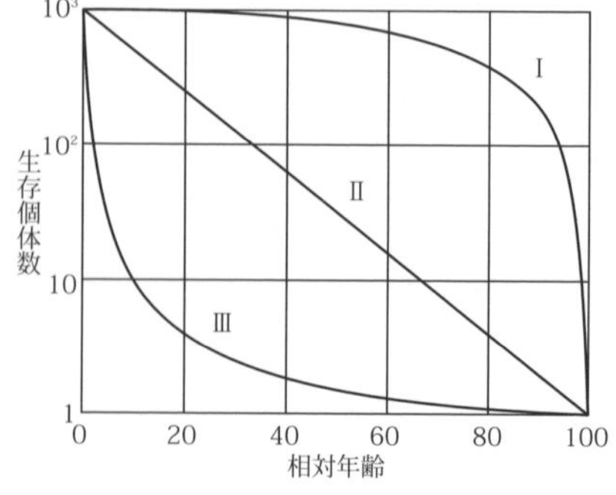

A　ウニのようにごく小さな卵を多量に作るもの

B　火山活動，山火事，洪水などのかく乱によってできた，競争相手の少ない空間に急速に広がる場合に有利な動物

C　食物連鎖において，上位の動物

D　多くの野鳥のように，各発育段階ごとの死亡率がほぼ一定している動物

E　発育初期に親による保護や養育を手厚く受ける動物

1　A，B　　**2**　A，E　　**3**　B，D　　**4**　C，D　　**5**　C，E

解答欄

解 説 55

さまざまな生物がどのように死ぬかを示すために，縦軸に生存固体数，横軸に相対年齢をとったグラフを**生存曲線**という。このグラフからは，さまざまな生物が時間とともにどれくらい減っていくかがわかる。

生存曲線のうち，Ⅰの変化を示す生物は，生まれる子供の数が少なく，子供の時の死亡率が低い。そのため子供を失うとその損失は大きく，親による保護や養育が手厚くなる。**哺乳類**はこれに該当する。

Ⅱの変化を示す生物は，年齢にかかわらず死亡率がほぼ一定であることを示している。**鳥類**や**爬虫類**がこれに該当する。

Ⅲの変化を示す生物は，卵の時期や子供の時期の死亡率が高い生物で，生み出される卵の数は多いが成体になる数は極めて少ない。**魚類**や**両生類**がこれに該当する。

なお，Bの説明に該当する生物は，Ⅲの変化を示す生物である。

解答　5

生物

No. 56 生態系

生態系に関する記述として最も妥当なのはどれか。

1 農耕は特定の作物を栽培することで自然の植物群を破壊し，植物の多様性を減少させ不安定な生態系に変える。

2 砂漠や深海では，一般に生物の多様性が極度に限定され，食物網などの生態系の構成要素が欠如するため，生態系そのものが成り立たず，わずかにオアシスや熱水噴出口周辺に例外的に小規模な生態系がみられる。

3 外来生物は，種間の競争を激化させて生態系を活性化させるだけでなく，在来近縁種との交雑により種を増加させるなど，新たな遺伝資源の導入による生物多様性の増大に寄与する。

4 熱帯多雨林には，枯死した植物を分解する生物が多いため，土壌に栄養分が豊富に蓄積されており，伐採や焼き畑によって森林が失われた場合でも生態系全体の回復が早いという特徴がある。

5 植物群落は時間とともに変化し最終的に変化のほとんどない極相になる。極相の陰樹林は活性が乏しく，生物の多様性に欠ける。

解答欄

解説 56

1○ 農耕は特定の作物を栽培し，**単一種からなる不安定な生態系**をつくり出す。また，それに伴い動物相も単純になり，特定の動物が大量発生し，作物に被害を及ぼす。このため農薬を使用することになり，農薬の使用によって新たに**環境汚染が引き起こされる**。

2× 砂漠も深海も**生態系の一部**である。生態系とは，ある地域における特色のある生物群と環境を総合したもので，**無機的環境，生産者，消費者，分解者**の４つの要素からなる。

3× 外来生物には天敵がいないことも多く，**過剰に繁殖し固有種の生存を脅かしたり**，交配によって**固有種が失われたり，病気を持ち込み固有種を絶滅させたりする危険**がある。

4× 熱帯多雨林では，高温のため微生物による有機物の分解が活発に行われる。そのため**表土の層が薄く，土壌が流出**しやすい。大規模な森林伐採により**洪水や土砂崩れが起こりやすい**。

5× 極相の陰樹林は，陸上の生態系の中でも**最も安定した**ものの１つであり，**植物が豊富でさまざまな生活場所があることから動物の種類も多く，生物の多様性に富んでいる**。

解答 1

地　学

No. 57 地　形

重要度

我が国及びその周辺でみられる各種地形に関する記述として最も妥当なのはどれか。

1　日本列島を東西に二分する地溝帯・フォッサマグナの西縁にある断層線を中央構造線といい，新第三紀の初めに形成された。

2　粘性の大きいマグマのつくる火山は成層火山と呼ばれ，噴火は爆発的で溶岩流は少ない。鹿児島県の桜島，北海道の有珠山など，最近我が国で噴火活動がみられた火山の多くは成層火山に属する。

3　カルスト地形は，花こう岩地帯が長年の雨水の浸食を受けて形成されたものである。浸食作用によって鍾乳洞やドリーネが形成される。

4　河川の上流部の岩盤の硬い地域では，V字谷と呼ばれる深い谷が形成される。河川の下流の流れの緩やかな部分では，蛇行河川が見られ，流れが変わった所に三日月湖が残る。河口付近では，砂や泥が堆積し扇状地が形成される。

5　砂浜海岸は，砂や礫などが海岸に沿って堆積したものである。また，入り江があると，河口から流れ出した土砂が堆積し砂州と呼ばれる長い砂の堤を形成する場合がある。一方，海による浸食により海食崖が生じ，波による浸食により海底が深くえぐられた海岸段丘ができる。

解答欄

解 説 57

1× フォッサマグナの西縁にある断層線は，**糸魚川 - 静岡構造線**と呼ばれる。**中央構造線**は，紀伊半島～四国～九州を通る断層線で，**西南日本**を内帯と外帯に分ける。

2○ 日本の火山に多いのは**成層火山**である。**成層火山**の特徴は，比較的粘性の大きいマグマが間欠的に爆発噴火し，火山岩や火山灰を噴き上げる。この型の火山には巨大なものが多い。

3× **カルスト地形**は**石灰岩地帯**に生じる。二酸化炭素を含む雨水に**石灰岩**の主成分の炭酸カルシウムが浸食されてこれらの地形が形成される。

4× 河口付近に砂泥が堆積してできる地形は，**三角州**と呼ばれる。**扇状地**は**山麓**など，**河川が広い平地に出る部分**に堆積によって生じる地形である。

5× 波による浸食は**水面付近**が最も強く，波の働きは海面下数メートルまでしか作用しない。**海岸崖**の下には**平らな海食台**が広がる。

解答　2

地学

No. 58 地　層

地層に関する記述として最も妥当なのはどれか。

1　大小の岩石，火山性噴出物，動植物の遺骸などが海底や湖底などに堆積して地層を形成する。砂や泥の粒子が水中を沈降する速さは，粒子が小さいほど速いので，下位ほど細粒で上位ほど粗粒の地層がでる。

2　地層が地盤の隆起によって陸化し，風化浸食を受けた後，再び沈降し，その上に別の地層が堆積するとき，地層間に不規則な凸凹面が生じる。これを不整合といい，不整合面の下側にしばしば基底れき岩が見られる。

3　離れた場所の間で堆積時期が同じ地層を決めることを整合といい，層理面といわれる活断層や生物化石の層が使われる。短期間に広域で生息した生物の化石は，示準化石といわれ年代決定に適し，限定された環境にだけ生息していた生物の化石は示相化石といわれ堆積した環境の推定に適している。

4　地層が波状に曲がった褶曲は，褶曲軸と垂直方向に押し合う力によって形成される。褶曲の谷の部分を背斜といい山の部分を向斜という。

5　地層に破断面ができて両側の地層がずれた断層は，正断層が破断面に向けて圧縮する力，逆断層が破断面と反対方向に引っ張る力，横ずれ断層が破断面に向けて斜めに圧縮する力によって形成される。

解答欄

解説 58

1×　粒子の沈降速度は粒子が小さいほど**遅く**，**下層に粒の大きな礫**，**中間層に砂**，**上層に泥**が堆積する。

2×　不整合面の**上側**に新たに堆積した礫岩層がしばしば見られる。これを**基底礫岩**という。

3○　**示準化石**が年代測定に，**示相化石**が生物の生存した時期の環境の推定に用いられる。**示準化石**となる生物は，種として生存した期間が短く，分布範囲が広く，個体数が多いものである。**示相化石**となる生物は，分布範囲が狭く，種としての生存期間が長いものである。

4×　褶曲の谷のように曲がった部分を**向斜**といい，山のように曲がった部分を**背斜**という。

5×　地層がある面を境にずれたものを断層という。**正断層**は張力によって生じ，上盤側がずり落ちている。**逆断層**は圧力によって生じ，上盤側がずれ上がっている。**横ずれ断層**は**水平方向**の圧力によって生じる。

解答　3

地 学

No. 59 地 震

地震に関する記述として最も妥当なのはどれか。

1 観測点ではじめに観測される地震波を初期微動，続く大きな揺れを主要動という。初期微動が始まってから主要動が始まるまでの時間を初期微動継続時間といい，これが短いほど地震そのもののエネルギーは大きくなる。

2 マグニチュードとは地震が放出するエネルギーの大きさを示し，マグニチュードが 1 増えるとエネルギーは約 10 倍に，2 増えると 10^2 倍になる。

3 地震の揺れの大きさを示すのが震度であり，震度は 0 から 7 までの 8 段階で示される。震度 4 では歩いている人も揺れを感じる。

4 地震には震源の深さが 100km を超えない浅発地震と 100km を超える深発地震があるが，日本海溝で沈み込む太平洋プレートに沿った部分では浅発地震も，深発地震も生じる。この部分でプレートがもぐり込むためである。

5 地殻の浅い部分で大規模な地震が起こると，断層運動の影響が地表に現れることがある。これを地震断層というが，一度地震断層が形成されるとその地域の地殻が安定するため，将来同じ地域で地震が起こることはない。

解答欄

解 説 59

1× **初期微動継続時間**は P 波（速さが 6 ～ 8km/ 秒のたて波，最初に観測点に達する波）と S 波（速さが 3 ～ 4km/ 秒のよこ波，主要動を引き起こす）の到達時間の差を示し，これによって震源から観測点までの距離が求められる。

2× マグニチュードが 2 増えると，地震のエネルギーは **1,000 倍**になる。

3× 震度は 0 から 7 までの数字で示されるが，震度 5 と 6 には強，弱の 2 つのレベルがあり，全部で **10 段階**に分けられている。

4○ 日本付近では，太平洋プレートやフィリピン海プレートが，北アメリカプレート，ユーラシアプレートの下にもぐり込んでいる。そのため浅発地震も深発地震も起きる。

5× 活断層の活動は継続的であり，断層上で地震が再び発生する可能性は**高い**。活断層による地震は直下型地震になることが多く，プレートの沈み込みに伴う地震よりエネルギーは小さいとはいえ，大きな被害がでることが多い。

解答 4

地学

No. 60 気温差

図のように，風上側山麓のA点（高度0m）で，気温20.0℃の飽和していない空気塊が山の斜面を上昇し，B点（高度1,000m）で飽和状態に達し，空気塊中の過剰な水蒸気が凝結して雲を発生させ，その後，山頂のC点（高度2,000m）に達するまで雲を生じさせ続け，C点に達したときまでに凝結した水分をすべて雨として降らせた。そして，C点を越えてからの空気塊は飽和していない状態に戻り，下降気流となって山の斜面を降下し，風下側山麓のD点（高度0m）に到達した。この空気塊が断熱的に変化したときA点とD点の気温の差は何℃になるか。上昇している場合＋，下降している場合－とする。

ただし，乾燥断熱減率は100mについて1.0℃，湿潤断熱減率は100mについて0.5℃とする。

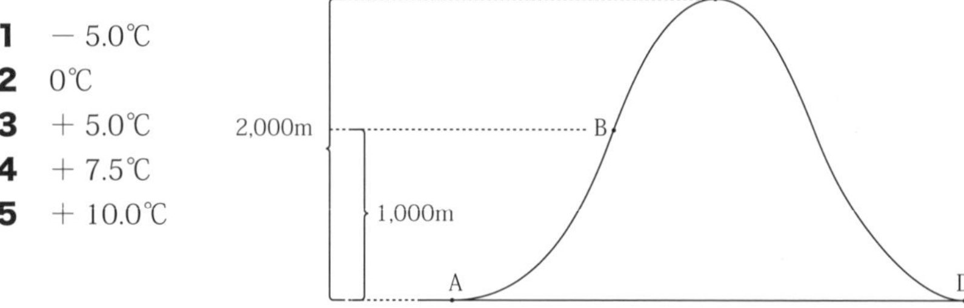

1 －5.0℃
2 0℃
3 ＋5.0℃
4 ＋7.5℃
5 ＋10.0℃

解答欄

解説 60

乾燥断熱減率とは，湿度が100％未満の空気の高度が変化するときの温度変化の割合であり，100m高くなると気温が1.0℃低下することを示す。**湿潤断熱減率**とは，湿度100％における同様の値を示す。

Aで20.0℃であった空気はAB間では湿度100％未満で変化し，B点で飽和に達し，BC間では湿度100％で変化する。山の反対側では再び湿度100％未満で温度が上昇する。各地点における気温は以下のとおり。

B点 **20.0 － 1.0 × 1000/100 ＝ 10.0**（℃）
C点 **10.0 － 0.5 × 1000/100 ＝ 5.0**（℃）
D点 **5.0 ＋ 1.0 × 2000/100 ＝ 25.0**（℃）

よってA点とD点の気温差は**＋5.0℃**になる。このような気象現象を**フェーン現象**という。日本では春先に太平洋側の高温多湿な空気が，高い山を越えて日本海側に吹き下るときに発生することが多い。

解答 3

地　学

No. 61 気　象

日本の気象に影響を及ぼす現象について正しい記述を選んだものはどれか。

A　中緯度地帯の高層大気の動きとしては，ジェット気流があり，風速が 40m/s 以上にも達する。ジェット気流は蛇行しながら極を中心に地球を一周している。

B　南米ペルー沖の海面の水温は，平年値よりも 2 ～ 5℃上昇することがあり，エルニーニョ現象と呼ばれている。これは，暖流の流れが通常よりも強まることが原因で発生すると考えられており，この現象が発生した年には日本では，梅雨明けの遅れ，冷夏・暖冬などの異常気象になるといわれている。

C　梅雨の時期になると，東西に長く伸びた閉塞前線が日本付近に長期間とどまり，この閉塞前線に向かってモンスーンが吹き込む。これにより高温多湿で曇りや雨の日が続くことになる。この時期の閉塞前線は梅雨前線と呼ばれる。

D　秋は台風が日本付近に接近したり上陸したりする。台風は南太平洋上で発生し，北上するが，南西諸島付近で東寄りに進路を変えることが多い。これは主に摩擦力により台風の進路が次第に右寄りにずれていくためである。

E　温帯低気圧は，暖気が寒気の上をはい上がる寒冷前線と，寒気が暖気の下にもぐり込む温暖前線などを伴う。寒冷前線が通過すると，狭い範囲に激しい雨が降る。

1　A，B　　**2**　A，C　　**3**　C，D　　**4**　D，E　　**5**　B，E

解答欄

解説 61

A ○　圏界面付近の特に強い偏西風を**ジェット気流**という。ジェット気流は蛇行しながら地球を一周する。

B ○　**エルニーニョ現象**は，何らかの原因で偏東風が弱まり温かい海水が太平洋の東側に広がり，ペルー沖の海の深部からの冷水の沸き上がりがなくなるため生じると考えられている。

C ×　**閉塞前線**とは寒冷前線が温暖前線に追いつき，追いついた寒気団と前方にあった寒気団とにできる境目のことである。梅雨前線は，寒気団と暖気団の勢力が等しいため動きの止まった**停滞前線**である。

D ×　台風は発生後，偏東風に流されて西へ進み，その後小笠原高気圧の縁に沿って北西から北に進路を変えた後，**偏西風**に乗って日本に達する。

E ×　暖気が寒気の上にゆるやかに上昇し，寒気を押し上げながら前進する前線を**温暖前線**といい，寒気が暖気の下にもぐり込み，暖気を押し上げながら移動する前線を**寒冷前線**という。

解答　1

地学

No. 62 エネルギー収支

B 重要度

地球のエネルギー収支に関する記述として最も妥当なのはどれか。

1 緯度が高い地域では，太陽放射の入射量の方が地球放射の放射量より大きく，緯度が低い地域ではその反対に地球放射の放射量の方が大きい。

2 地球が受ける太陽放射の入射量は赤道付近で最大になるが，太陽放射の吸収量は赤道付近で最大にはならない。

3 太陽放射は主に地球の昼の面に入射するが，地球放射は地球の昼の部分からも夜の部分からも放射されており，地球放射で主に放射されるのは紫外線である。

4 太陽放射は主に地球の昼の面に入射するが，地球放射はそのほとんどが昼の大陸の部分から放射され，地球放射で主に放射されるのは赤外線である。

5 太陽放射の吸収量と地球放射の放射量がつり合うのは，緯度 45°付近である。

解答欄

解 説 62

1× 緯度の高い地域では**地球放射**の放射量の方が**太陽放射**の入射量を上回り，緯度の低い地域では**その逆になる**。太陽光線を斜めから受けると，光が大気中を通過する距離が長くなり，大気による熱の吸収が多くなる。加えて，斜めに光を受けると光を受ける面積も広がり，単位面積当たりの熱量が低くなる。

2○ 太陽放射の入射量は赤道付近で**最大**になるが，赤道付近は雲に覆われることが多く，太陽エネルギーが一部反射されるため，**吸収量**は**最大**にならない。

3× 地球放射は主に**赤外線**で放出される。二酸化炭素は赤外線を吸収するため，温暖化の原因物質と考えられている。

4× 地球放射は**赤外線**として放出されるので，**昼間だけでなく夜間も**放出されている。

5× 太陽放射の吸収量と地球放射の放射量は**緯度 38°**付近でつり合っており，それより低緯度地域では吸収量が放射量を上回り，高緯度地域ではその逆となる。低緯度地域で余った熱は，**風**や**海流**の形で高緯度地域へ熱を伝える。

解答 2

地学

No. 63 地球と太陽

地球と太陽に関する記述ア～エの正誤の組合せとして正しいのはどれか。

ア　地球は北極と南極を結ぶ線を軸として北極の上空から見て時計回りに回転運動をしており，これを「地球の自転」というが，さらに太陽の周りを北半球の上空から見て時計回りに回っており，これを「地球の公転」という。

イ　太陽と地球の間に月が入ることにより太陽が完全に隠される現象を皆既日食といい，その際，ふだんは太陽の強烈な光で遮られて見ることができない「プロミネンス」が月に隠された太陽の外側に広がって観測される。

ウ　太陽表面で「フレア（太陽面爆発）」という現象が起こると強いX線，紫外線，電子や陽子などの荷電粒子が放出され，その結果電離層が乱され通信障害などを引き起こす「バンアレン現象」や地磁気の一時的変化をもたらす「磁気嵐」などの影響が地球に及ぼされる。

エ　太陽表面に現れる「黒点」は周囲より温度が低いため黒く見える。黒点の移動は太陽が自転していることを示す。太陽の自転周期は高緯度になるほど速くなる。これは太陽が気体でできているため緯度によって自転周期が異なるためである。

	ア	イ	ウ	エ
1	誤	誤	誤	誤
2	正	誤	誤	誤
3	誤	正	正	誤
4	正	正	誤	正
5	正	正	正	正

解答欄

解説 63

ア×　地球は北極の上空からみて**反時計回り**の方向に回転運動している。また公転の方向も**反時計回り**である。

イ×　太陽の大気は，彩層とその外側の**コロナ**に分けられる。皆既日食の際には，この**コロナ**が観測される。プロミネンスも皆既日食で見られるが，太陽の外側に広がった帯のように観測されるのは**コロナ**である。

ウ×　放出されたX線等で通信障害が生じる現象を**デリンジャー現象**という。一方，磁気嵐により，地球の周囲にドーナツ状に強い放射線帯が生じる。これを**バンアレン帯**という。

エ×　太陽の自転周期は高緯度ほど**遅くなる**。

解答　1

地学

No. 64 太陽系の惑星

B 重要度

A～Hは，太陽系の惑星である水星，金星，火星，木星に関する記述であるが，火星と金星のいずれかに当てはまるもののみをすべて挙げているのはどれか。

A　自転周期は太陽系の惑星の中で最も長く，質量は地球の約0.8倍である。

B　自転周期が太陽系惑星の中で最も短い。

C　公転速度は，太陽系の惑星の中で最も速く，約88日で一周する。太陽から受けるエネルギーは，同一面積当たり地球の約6.7倍である。

D　自転周期が24時間37分であり，自転軸は公転面に対して約25°傾いているので，地球のような季節の変化がみられる。

E　二酸化炭素を主とする大気は薄く，大気圧は地球の100分の1以下である。極冠や凍土として水が存在する。

F　表面は，二酸化炭素を主とする厚い大気におおわれ，その温室効果により表面の温度は460℃に達し，大気圧は表面では90気圧にもなる。

G　ほとんど大気がないため，太陽に面する側（昼）と反対側（夜）の表面温度の差は500℃以上になる。

H　大気活動は活発であり，大気の循環によって縞模様が生じているほか，「大赤斑」と呼ばれる巨大な渦が見られる。

1　A，C，G，H　　**2**　A，D，E，F
3　B，C，E，F　　**4**　B，D，F，G
5　C，D，F，H

解答欄

解説 64

A　**金星**に関する記述である。

B　**木星**に関する記述である。木星の自転周期は0.41日である。

C　**水星**に関する記述である。

D　**火星**に関する記述である。

E　**火星**の大気は地球の0.6％程度であり，水は液体としては存在せず，極冠や凍土として存在する。

F　**金星**の大気はほとんどが二酸化炭素であり，温室効果が著しい。

G　**水星**には大気がなく，昼間の温度は430℃，夜の温度は－170℃にも達する。

H　**木星**の質量は地球の約320倍であり，太陽系の惑星の中で最大である。

したがって，火星と金星の記述に当てはまるのは，**A，D，E，F**である。

解答　2

文章（現・古）
文章（英語）
判断推理
数的推理
資料解釈
数学
物理
化学
生物
地学
思想
文学芸術
日本史
世界史
地理
政治
経済
社会
情報

思想

No. 65 社会契約説

社会契約に関する記述A，B，Cに該当する思想家の組合せとして最も妥当なのはどれか。

A　彼は，自然状態は「万人の万人に対する戦い」と考えたが，そうした無秩序状態では自己の生命・自由・財産の安全も確保できないので，人民は理性的な原理である自然法に従って社会契約を結び，個人の無制限な自然権を抑制し，社会全体の利益を守るためこれを国家に全面譲渡する必要があるとした。

B　彼は，自然状態は普遍的な自然法のもとに自由で平等な平和的状態が保たれているとしながら，いったん紛争が起こった場合，それを調停する公的機関がないために戦争が起きる恐れがあるので，人民は社会契約を結んで権力を国家に信託し，これにより権利の保全をはかるとしたが，もし国家が権力を乱用するような場合は，人民は抵抗権・革命権を有するとした。

C　彼は，自然状態は人間が自由で平和に過ごしているものとしたが，文明の生起とともに私有財産の観念が発生し不平等などの現象が現われたと説いた。このような不平等を除き，万人の幸福を実現するためには公共的利益を求める一般意志のもと，自己とその権利を共同体に全面譲渡する社会契約を結ぶ必要があるとした。

	A	B	C
1	ホッブス	ロック	ルソー
2	ホッブス	ルソー	ロック
3	ルソー	ホッブス	ロック
4	ルソー	ロック	ホッブス
5	ロック	ルソー	ホッブス

解答欄

解説 65

A **ホッブス**はイギリスの哲学者・政治学者。ピューリタン革命からクロムウェルの軍事独裁までの混乱を見て彼は**自然状態を闘争状態**と同義であると考え，人民が国家に権力を**全面譲渡**する社会契約を結ぶべきだとした。**『リヴァイアサン』**は『旧約聖書』に登場する巨大な海獣の名に由来するが，これは強大な国家を「**リヴァイアサン**」にたとえたもの。結果的に当時の**絶対王政を擁護すること**になった。

B **ロック**はイギリスの哲学者・政治学者。国家権力は自然権の保障を目的とし，社会契約は人民による権力の信託に基づくものとした。また彼は人民の主権が国家成立の根拠であるとする「**人民主権（主権在民）**」を唱え，それに基づく**代議制民主政治の理論を確立**した。そしてその**抵抗権**の思想は**アメリカ独立戦争**や**フランス革命**に多大な影響を及ぼした。主著に**『統治論』『人間知性論』**がある。

C **ルソー**はフランスの啓蒙思想家。彼の**社会契約説**の根本原理は公共の利益をめざす普遍的意志としての「一般意志」である。彼が唱える人民主権は人々の一般意志の行使であり，すべての人民が直接的に意志を表明する「**直接民主主義**」であるので，イギリスの代議制に批判的であった。主著に**『社会契約論』『エミール』**がある。

解答　1

プラス知識

社会契約説　17～18世紀，経済的な力をつけた市民階級（都市の新興ブルジョワジー）が台頭し市民革命を展開する社会背景の中に現われた思想であり，旧来の宗教的勢力の特権，王権神授説，絶対主義を否定し打破する思想として大きな意味を持った。

市民革命　ピューリタン革命（1642～49），名誉革命（1688），アメリカ独立戦争（1775～83），フランス革命（1789）などを指す。

自然状態　ホッブスらの社会契約説に共通して想定されているところの，政治的にも法的にも拘束のない社会形成以前の「自然状態」のことである。この状態を想定した上で，国家権力の起源を人民の合意に基づく契約に求め，それを根拠に国家が形成されるとするのが社会契約説である。

思想

No. 66 江戸末期から明治初期の思想家

江戸時代末期から明治時代にかけての日本の思想家等に関する記述として最も妥当なのはどれか。

1　佐久間象山は，封建的身分制度の中で不遇のうちに死んだ下級武士の父を見て，深い反封建的感情を抱き，幕末に幕府の遣米使節団に通訳として加わるなどして西洋近代社会との接触を体験し，その後日本の近代化の道を説く啓蒙活動を展開した。

2　西周は，土佐藩に生まれ，18 歳のときに長崎に行きフランス語を習得して，その後フランスへ留学，共和主義思想を身につけ，帰国後は急進的民主主義思想の普及に努める一方，ルソーの『社会契約論』を翻訳，『民約訳解』として出版した。

3　内村鑑三は，信仰が「実験」すなわち実体験であることを強調し，キリスト教の神の前に立つ一人の人間として内面的独立と平等を説くとともに，教会や儀礼を排した聖書のことばによる信仰を重んじて無教会主義の立場をとった。

4　森鷗外は，『現代日本の開化』により日本の近代を内発的開化の西洋とは異質の外発的開化とし，『私の個人主義』により自己本位に根ざす倫理的な個人主義の確立を唱えたが，晩年には自我とエゴイズムの矛盾に苦闘し「則天去私」という無我の境地を祈念した。

5　新渡戸稲造は，東京帝国大学を卒業後，フェノロサらとともに古美術調査を行って日本美術の振興をはかる活動を展開，東京美術学校の創設にもかかわり，さらに横山大観らと日本美術院を創るなどして日本画の刷新に努めた。

解答欄 | |

プラス知識

江戸と明治の思想

・江戸時代の機軸思想は儒学（朱子学），国学，洋学である。幕府が体制維持のために採用したのが儒学（朱子学），神道の流れを受けつつ古典に即してその真意をとらえようとしたのが国学，8 代将軍吉宗により漢訳洋書の輸入が解禁され蘭学が成立し，英，独，仏の学問も含めたより広い領域を対象として発展したのが洋学である。

・明治期の思想は，まず明六社に集まった洋学者を中心に市民社会の形成をめざし

解説 66

1× **福沢諭吉**についての記述である。中津藩の下級武士である父の不遇な生涯は**福沢**をして「門閥制度は親の敵でござる」と言わしめている。**福沢**は幕府の**遣米使節団に通訳**として加わり**啓蒙思想の根底**を作った。**佐久間象山**は江戸末期の思想家。西洋の科学技術を積極的に取り入れる必要を説いたが，1864年攘夷派により暗殺された。

2× **中江兆民**についての記述である。**中江**は土佐藩の足軽の子として生まれた明治の思想家。彼が翻訳した『**民約訳解**』は，**自由民権運動に深い影響**を与えた。**西周**は**明治の哲学者・思想家**。津和野藩の藩医の長男。オランダに留学し，社会科学（実証主義・功利主義・カントの永久平和論など）の影響を受けた。帰国後，**西洋思想の紹介に貢献**，哲学，主観，客観，理性，悟性，現象，意識など多くの**哲学用語を創出**した。

3○ 札幌農学校で学び，渡米した**内村鑑三**は，帰国後聖書の言葉を重視する**無教会主義**を唱え，国内に広めた。

4× **夏目漱石**についての記述である。**夏目漱石**は**イギリス留学**の後作家となり，文学を通して近代的自我のあり方を追求した。**森鷗外**は東大医学部を出て**陸軍軍医**となり，そのかたわら小説を書き続けた。晩年手がけた**歴史小説**には，明治体制下におけるエリートの立場と作家としての心の葛藤が転移されているといわれる。

5× **岡倉天心**についての記述である。**天心**は明治に入って人々から顧みられなくなった**日本美術の復興**をはかった人物。高い英語力を活かして『**茶の本**』のほか，『**東洋の理想**』などを著し，日本文化の海外への紹介に尽した。**新渡戸**は明治末期から昭和初期の教育者にしてキリスト者でもあった人物。主著に『**武士道**』がある。

解答 3

た啓蒙運動としてスタートした。その代表格が福沢諭吉，森有礼，西周らである。次に明治10年代，藩閥専制化を強める政府に対し政治的自由を求める自由民権運動が起こった。この中から出てきた思想家が中江兆民，植木枝盛らである。これらとは別の系譜に内村鑑三，新島襄，新渡戸稲造らキリスト者系の思想家がいる。

No. 67 ギリシャ哲学

ギリシャの哲学に関する記述として最も妥当なのはどれか。

1　ギリシャの自然哲学は，神話的世界観を退けロゴスによって自然のあらゆる現象を生み出すアルケーと呼ばれる根源を探求した哲学である。自然哲学の祖プロタゴラスは「万物の根源は水である」と説き，デモクリトスは「万物は流転する」と説いた。

2　ソフィストは，人間の問題である法や社会制度を哲学の対象とした。代表的なソフィストであるプロタゴラスは，個々の人間の判断が事物の善悪の基準であり，万物をつらぬく普遍的真理は存在しないと考え，「人間は万物の尺度である」とする相対主義の立場をとった。

3　ソクラテスは，「汝自身を知れ」という標語を人間探求の出発とし，「無知の知」を説いて無知の自覚を促した。一方，アテネの堕落を厳しく批難するなどしたが，その言動は時の権力者に危険視されたため，自ら裁判に訴え，権力者の追放に成功した。

4　プラトンは，不完全で不断に変化し生成消滅する感覚世界から独立し，知性によって把握される完璧で理想的で不朽のイデア界があると説いた。中でも美のイデアはその他の個々のイデアに比し至上のものであるとした。

5　アリストテレスは，師のプラトンのイデア論を批判し，現実世界から分離，独立したかたちで存在するイデア界を否定した。そして現実の個物の中にその物の本質であるヒュレー，すなわち質料が内在し，それが生成発展して姿を表すと唱えた。

解答欄

プラス知識

ギリシャ哲学の流れ

・古代ギリシャ人は，世界のもろもろの現象を神々によって説明しようとする神話的世界観の中にいたが，前６世紀頃になると，世界は理法（ロゴス）が支配しており，その理法を人間の理性によって解明しようする人々，すなわち知を探求する哲学者が現われた。

・知の探求の対象を，宇宙（コスモス）としたのが自然哲学者たちである。「万物の根源は水である」としたタレス，「魂の不滅」を唱えたピタゴラス，「万物は流転する」としたヘラクレイトス，「万物の根源は水・空気・火・土」としたエンペドクレス，「そ

解説 67

1× 「**万物の根源は水である**」としたのは**タレス**,「**万物は流転する**」としたのは**ヘラクレイトス**である。**プロタゴラス**は「**人間は万物の尺度である**」と説いた。**デモクリトス**は，万物の根源的要素を，それ以上分割できないものという意味で**アトム**と呼んだ哲学者である。

2○ **プロタゴラス**は，個々の人間によって判断基準は異なり，すべての現象は見方によって善にもなり悪にもなるので，**客観的真理というものはない**と考えた。

3× 「自ら裁判に訴え，権力者の追放に成功した」とあるが，**ソクラテス**が裁判に訴えた**ことはなく**，権力者の追放に成功した**事実もない**。彼はむしろ「青少年を惑わした」という理由で**死刑の評決**を受け，亡命を勧める友人もいたが国法に従うと語り**毒杯を仰いだ**。

4× 「イデア界」の定義について書いてある，第一センテンスに問題はない。**間違っている**のは「その他の個々のイデア」のうち最高のイデアを「**美のイデア**」としている点である。**プラトン**が至上のイデアとしたのは「**善のイデア**」である。

5× 全体の文章はおおむね問題ないが，「**ヒュレー，すなわち質料**」の部分を「**エイドス，すなわち形相**」に**入れ代える**必要がある。アリストテレスは「現実の個物の中にその物の本質」として内在するのは「**形相**」（＝**エイドス**）としている。

解答 2

れ以上分割不可能なアトムこそが万物の根源である」としたデモクリトスなどがいる。
・ペルシャ戦争勝利ののち，ギリシャ人の関心は自然から社会や国家，そして人間自身へと向かった。こうして現われたのがソフィスト（知者）である。その代表者に「人間は万物の尺度である」としたプロタゴラスがいる。
・ソフィストの相対主義に対して批判的な立場に立ったのがソクラテス。続いて現われたのがプラトン，アリストテレスで，彼らをギリシャ三大哲学者という。

思想

No. 68 中国の思想家

中国の思想家である荀子に関する記述として最も妥当なのはどれか。

1 彼は，孔子の教えを継承しながらも，「人之性悪。其善者偽也」と述べ，人間は本来私利をむさぼり，他人を憎む性質をもつものであるから，自然のままにしておくと欲を追い求め，たがいに争うことになると考え，規範としての礼によってその性質を人為的に矯正していく必要があると説いた。

2 彼は，社会の混乱は周公が定めた礼の制度が消失したためと考え，人と人をつなぐ親愛の精神を仁とし，なおかつその仁が他人を尊重する態度となったものが礼であるとし，これらにより人民を感化することをはかり行動を整えるとする内容の徳治主義を説いた。

3 彼は，仁を継承，発展させ，「…無惻隠之心，非人也。無羞悪之心，非人也。無辞譲之心，非人也。無是非之心，非人也」と述べ，これらの心を四端とし，これらを磨き育てることによって，人は親・別・序・信の四徳を身に付けることができると説いた。

4 彼は，人間を恒常的に利己的で打算的存在と考え，法や刑罰といった外的強制によって社会秩序を維持する法治主義の必要性を説き，さらに臣下を統御するためには賞と罰が必要であるとして，厳正な法の規準のもとの信賞必罰を説いた。

5 彼は，万物は理と気，すなわち原理や条理といったものとガス状の物質との合成で成立しているという理気二元論を説いた。また「性即理」という言葉により人間の本性には天の理がそなわっているとし，「格物致知」という言葉により個物の理を窮（きわ）めれば知恵を完成させられると説いた。

解答欄

プラス知識

孔子の門人たち

・孔子は争乱の春秋時代に生きた。乱世の中で荒廃した人心を救うために孔子は人間の内なる本質（普遍的愛にして道徳の根拠）である「仁」と，それが形式として現れたところの「礼」を理想の観念とした。そして「礼」に即して「仁」を実行できる理想の人間を「君子」とよび，君子が人民を道徳的に感化することによって国家を統治することを「徳治主義」といった。

解説 68

1○　**荀子の性悪説**についての説明である。**孟子の性善説**に反対し，人間の性は本来悪であるから，**礼**によって改め，社会秩序を保つべきだと主張した。

2×　これは**荀子の師**に当る**孔子の思想**についての記述である。**孔子の思想**（儒教）は，人の本性は生まれつき善に向かうとすると説く**孟子**の性善説と社会規範としての礼を重んじる**荀子**の性悪説に継承された。

3×　これは**孟子の思想**についての記述である。ただし「**四徳**」の**内容が違う**。**正しく**は「**仁・義・礼・智**」である。「親・別・序・信」は「親・義・別・序・信」という儒教で重んじられる**五倫**から「義」を抜いたものである。

4×　これは韓非子についての記述である。**韓非子**は**法家の思想の大成者**で，**荀子**のもとで儒教を学び，**秦の商鞅**らの影響のもと，法律や刑罰に基づいて国家を治める**法治主義**により国家の強化を図る必要を説いた。

5×　これは**朱子の思想**で，すなわち**朱子学**についての記述である。**朱子**は宋代の思想家。中国では宋代以降，**朱子学**が正統な儒学として公認され，わが国でも**江戸時代**に**幕府**によって**官学**として採り入れられた。

解答　1

・孔子の思想は多くの門人に継承され，彼らは「儒家」とよばれた。孟子と荀子が代表者である。
・孟子は「性善説」と「四端説」（惻隠の心・羞悪の心・辞譲の心・是非の心）を唱えた。
・荀子は「仁」の実現を最終目標としたが，より「礼」を重要視し，「性悪説」を唱えた。
・春秋・戦国時代，さまざまな知識人が輩出した。彼らを総称して「諸子百家」とよぶ。道家，法家，墨家，名家，兵家，陰陽家，縦横家，農家などがある。

思想

No. 69 江戸時代の儒教

江戸時代における儒教を中心とした思想に関する記述として最も妥当なのはどれか。

1　林羅山は，天地自然には元々身分的差別が存在せず，それは天地の理法にもかなうとする「上下定分の理」を唱え，封建社会の身分秩序を批判した。そしてそのような人間関係で重視される礼儀正しい行動へと導くのが「敬」であり，これに基づく「存心持敬」を説いた。

2　中江藤樹は，真の知は実践を離れてはありえないとする王陽明の実践主義を示す「知行合一」に従い，天保の飢饉の際に不正を働く奉行や大商人らを批判，乱を起こしたが敗れ自殺した。彼が行った様々な徳行は周囲の農民まで感化するほどで，近江聖人と呼ばれた。

3　伊藤仁斎は，直接『論語』『孟子』を熟読することにより聖人の意思を知り，儒教の元々の意義である古義を理解することの重要性を説いて古義学を展開した。また生涯町人の身分にもかかわらず，封建の世の支配者である武士のあり方の理想として，「士道」の確立を唱えた。

4　石田梅岩は，儒教に仏教や神道などを融合させた心学を創始し，自分の本性を知り本性に基づいて生活すべきであるとした。また，相互的な商行為の倫理性を説き，具体的な実践の倫理として正直と倹約を重んじた。

5　荻生徂徠は，厳格に道徳を説く朱子学は人間の自然性を抑圧するのではないかと疑い，中国古代の文章である四書五経を正確に読解することの重要性を説いた。やがて儒教と仏教を意味する漢意（からごころ）を排し，大和心を加味した儒学を唱えるようになった。

解答欄

プラス知識

儒教の流れ

・儒教が百済を通じて日本に入ってきたのは４世紀末。室町時代に儒学の一派である朱子学が入ってきたが，禅の「助道の一つ」にすぎなかった。江戸時代になって藤原惺窩が初代将軍徳川家康に儒学（朱子学）を講じたのをきっかけに，朱子学は幕藩体制下，社会の支配者となった武士層を中心に本格的に定着した。

・藤原惺窩の弟子，林羅山は家康・秀忠・家光・家綱の４代の将軍に仕え，朱子学の官学化の基礎を築いた。羅山のあとの朱子学者は山崎闇斎，貝原益軒，新井白石

解説 69

1 × **林羅山**は封建制度下の**身分秩序を肯定した朱子学者**なので「天地自然には元々身分的差別が存在せず」**ではなく「存在する」**とするべきところ。また「封建社会の身分秩序を**批判し**」ではなく「**肯定した**」のである。「存心持敬」については問題なし。

2 × 「真の知は実践を離れてはありえないとする王陽明の実践主義を示す『知行合一』に従い」**まではよいが**，以下は江戸後期の陽明学者で，**大坂町奉行所の与力大塩平八郎**についての記述。さらにそのあとの「**近江聖人**」の文章は**藤樹**についての記述である。

3 × 「直接『論語』『孟子』を熟読することにより聖人の意思を知り～生涯町人の身分にもかかわらず」**まではよいが**，以下は**山鹿素行**についての記述である。ちなみに**山鹿素行は古学**，**伊藤仁斎は古義学**，**荻生徂徠は古文辞学**である。

4 ○ 町人生まれの**石田梅岩**は，神道・儒教・仏教の三教を平易に説いて，**町人や農民に大きな思想的影響**を与えた。「**石門派心学**」と呼ばれる彼の思想においては，商行為の正当性が強調され，「**商人の利は武士の俸禄に同じ**」と表現された。

5 × 「厳格に道徳を説く朱子学は人間の自然性を抑圧するのではないかと疑い～重要性を説いた」**までは
よいが**，「**漢意（からごころ）を排し**」たのは**国学者の本居宣長**である。また「大和心を加味した儒学」のようなものが**存在したことはない**。

解答 4

などである。
・儒学の一派，陽明学も中江藤樹により展開され，熊沢蕃山，大塩平八郎へと継承された。
・朱子学や陽明学のような後世の注釈を排し，直接儒学の原典を学べと主張したのが古学派で，山鹿素行の古学・伊藤仁斎の古義学・荻生徂徠の古文辞学に分かれる。

思想

No. 70 心理学・精神分析学

次のA，B，Cは「心理学」あるいは「精神分析学」について考察した思想家に関する記述であるが，人物名との組合せとして最も妥当なのはどれか。

A　スイス出身の心理学者，精神分析学者。人の無意識を個人の過去に堆積されたものに限定せず，民族，人類全体，さらには霊長類としての原始的体験がそこに蓄積された集合的無意識とし，これは宗教や神話の中にシンボリックに反映されていると主張した。

B　アメリカ合衆国の心理学者。人の欲求を階層的に考え，生理的欲求が充足されて初めて安全欲求が動機付けられ，次には愛情欲求へ，さらに尊重欲求へ向かうとし，それが最後には自己実現によって得られる生命の喜びやエクスタシーを志向するようになると主張した。

C　オーストリアのウィーンを活動拠点とした心理学者・精神分析学者。人の神経症の原因は無意識の中に抑圧された性的欲求であると考え，そのことを患者に自覚させ，それを意識的にコントロールできるように導くことで，神経症を治癒しようとする精神分析学を唱えた。

	A	B	C
1	フロム	マズロー	クレッチマー
2	フロム	マズロー	フロイト
3	フロム	レイン	クレッチマー
4	ユング	レイン	クレッチマー
5	ユング	マズロー	フロイト

解答欄

プラス知識

心理学・精神分析学

・心理学は人の心の働き，あるいは人や動物の行動を研究する学問であり，精神分析学は無意識に関わる行動を観察・分析する方法。両者はしばしば混同して使われる。

・フロイトは，何が人間のパーソナリティを形成するのかを考えるために乳幼児期から青年期までをいくつかに区分し，それぞれの時期に性的欲求や願望がどのように満たされたかが重大な影響を与えるとした。この性的欲求が「リビドー」と称されるものである。

解説 70

A　**ユング**に関する記述である。**ユング**は**フロイト**の**リビドー**についての考えを拡張して**無意識の学説**を構築したが，その結果**フロイトと決別**することとなり，新学派を形成した。**フロム**はドイツに生れ，アメリカに亡命した新フロイト派の社会心理学者・精神分析学者。自由が招来する孤独と不安に耐えられず，自由から逃亡してナチスのファシズムに吸収された**ドイツ大衆**の心理を分析した。主著に『**自由からの逃走**』がある。

B　**マズロー**に関する記述である。**マズロー**は欲求を「**生理的欲求→安全欲求→愛情欲求→尊重欲求**」へ，そして最終的には「**自己実現欲求**」へと階層的に高次化していくと考えた。この自己実現で得られる至高の体験こそが健全な人格の条件であるとしたのだが，この考え方にはイギリスの功利主義者**J.S. ミル**の立場と共通点があるとされる。**レイン**はイギリスの精神医学者。精神病を生み出す家族や社会のあり方を探求しながら，精神障害は社会的・政治的な環境の中で作られると主張した。

C　**フロイト**に関する記述である。**フロイト**は，人間の心は**リビドー**の欲求を満足させようとする**エス（イド）**と，良心をつかさどる**超自我**と，両者の間にあって現実への適合を促す**自我**の**三層**によって構成されるとした。フロイトが創始した**精神分析学**は人間を動かしているのは**無意識的な衝動**であると主張しているが，これは近代の理性的人間観を揺るがして余りある衝撃であった。主著は『**夢判断**』『**精神分析学**』。**クレッチマー**はドイツの精神医学者で，**人間の体形が性格に影響**していると主張した。

解答　5

・フロイトの唱えた「エディプス・コンプレックス」は，父と知らずに父を殺し，母と知らずに母を犯してしまうギリシャ神話の王のように，男児は無意識のうちに父を憎み母の愛を得ようとするとした。
・フロイトの弟子ユングは夢・神話・錬金術などの研究を通して「集合的無意識」や「元型」（個人を超えた人類共通の心のイメージ）など独自の概念を創った。

文学・芸術

No. 71 戦後の重要日本作家

第二次世界大戦後に活躍した我が国の作家に関する記述として最も妥当なのはどれか。

1　三島由紀夫は，青年時代から壮年時代にかけて，豊かな教養と鋭い感性によって『金閣寺』,『斜陽』などの日本の古典文学を題材にした多数の作品を著した。しかし，晩年には作風が自嘲的で退廃的な傾向を帯びていったため，無頼派と呼ばれるようになった。

2　大岡昇平は自らの俘虜体験を通じての透徹した心理分析と記録への迫真的執念を作品に示した。代表作品としては俘虜体験を描いた『俘虜記』，戦場の極限状況を描いた『真空地帯』,そしてフランス風心理小説の手法を用いた『武蔵野夫人』などがある。

3　遠藤周作はフランス留学経験を持ち，日本的精神風土とキリスト教を対峙させたカトリック作家である。代表作品としては，イエスに背いた人間とイエスとのかかわりを描いた『死者の奢り』，対立する神学生を死へと追いやる醜い主人公を描いた『白い人』などがある。

4　太宰治は戦前にデヴューし共産党シンパ活動に加わったり心中事件を起こしたりしているが，彼の名声を高くした作品は終戦直後に書かれている。代表作としては，人間の営みを根底的に理解できない大庭葉蔵という男を描いた『富嶽百景』がある。

5　司馬遼太郎は，歴史を一つの物語という視点でとらえ，そこに現代的視点を加味する手法，いわゆる司馬史観の導入により多くの歴史小説を著した。代表作品としては，坂本竜馬の生涯を描いた『竜馬がゆく』や明治時代を切りひらいた若者の群像を描いた『坂の上の雲』などがある。

解答欄 ＿＿＿＿

プラス知識

戦後の作家

戦　後　派　野間宏『暗い絵』『真空地帯』,三島由紀夫『仮面の告白』『潮騒』『金閣寺』『豊饒の海』,大岡昇平『俘虜記』『野火』『レイテ戦記』,井上靖『闘牛』『氷壁』『敦煌』,梅崎春生『桜島』『幻化』,武田泰淳『風媒花』『ひかりごけ』『貴族の階段』，安部公房『砂の女』『燃え尽きた地図』

第三の新人　安岡章太郎『悪い仲間』『海辺の光景』，遠藤周作『沈黙』『海と毒薬』,庄野潤三『プールサイド小景』,小島信夫『抱擁家族』,吉行淳之介『暗室』

解説 71

1× 『**金閣寺**』は**三島由紀夫**の作品だが，『**斜陽**』は**太宰治**の作品で，戦後の没落貴族の姿を描いたもの。晩年に「**無頼派**」と呼ばれるようになったのも**太宰治**である。

2× 『**真空地帯**』は**大岡昇平**の作品ではなく，**戦後派作家の野間宏**が軍国主義を批判した作品。大岡の戦争文学としては『**俘虜記**』のほかに人肉食問題を描いた『**野火**』，厖大な資料を駆使して激戦を再現し戦死者への鎮魂とした『**レイテ戦記**』がある。また『**武蔵野夫人**』の記述は**適切**である。

3× 文章は**遠藤周作**を評したものだが，『**死者の奢り**』は**大江健三郎**の作品。イエス・キリストに背いた人間を描いた遠藤の作品は『**沈黙**』である。『**白い人**』は遠藤が芥川賞を受賞した作品で，これについては正しく引用されている。

4× 文章は**太宰治**を評したものだが，**大庭葉蔵**が出てくるのは『**人間失格**』である。太宰の戦後作品としてはほかに『**斜陽**』『**ヴィヨンの妻**』などが名高い。なお太宰は昭和 23 年に玉川上水で入水自殺を遂げている。

5○ **司馬遼太郎**は昭和 34 年に『**梟の城**』で直木賞を受賞。代表作には『**竜馬がゆく**』『**坂の上の雲**』『**国盗り物語**』などの小説のほか『**街道をゆく**』などの紀行文がある。

解答　5

そ の 他　大江健三郎『死者の奢り』『個人的な体験』『万延元年のフットボール』

1972 年以降に活躍する作家　村上龍『限りなく透明に近いブルー』『コインロッカー・ベイビーズ』，村上春樹『ノルウェイの森』『羊をめぐる冒険』『ねじまき鳥クロニクル』『海辺のカフカ』『1Q84』，吉本ばなな『キッチン』『TUGUMI』

文学・芸術

No. 72 古典文学の理念

日本の古典文学における文芸理念に関する記述として最も妥当なのはどれか。

1 上代の歌集では,『万葉集』に代表されるような,優しく可憐な歌風である「たをやめぶり」が表現されている。対照的に，中古では『古今和歌集』に代表されるような,素朴で雄大な歌風である「ますらをぶり」が特徴とされている。

2 中世の随筆文学では，明るく軽やかな感動を与える情趣である「をかし」が主要理念として表現されるようになった。この「をかし」という言葉は，吉田兼好の『徒然草』の中の「よろづのことも始め終はりこそをかしけれ」に由来している。

3 中古の物語文学では，清少納言の『枕草子』に代表される，対象への共感や賞賛に基づいた深い情趣が描出されている。これを，近世の国学の大成者でもある賀茂真淵は「もののあはれ」と表現した。

4 中世の能楽では，芸の美しさ，魅力，あるいははなやかさを意味する「花」が理念として表出されるようになった。この「花」という言葉は，世阿弥が著した能楽書である『風姿花伝』の中に多用されている。

5 近世では，井原西鶴が大坂の町人社会に生きた人物らしく町人の目で人間模様を見つめ,その多様な出来事を「浮世草子」として作品化し『好色一代男』となった。この作品を可能にした理念は「虚実皮膜論」と言われている。

解答欄

プラス知識

各時代の理念の特色

上代（大和・奈良時代）

「まこと」日本文学の基底に流れる理念。人間の心をありのまま，自然のままに写し出す素朴な美として表わされる。

「ますらをぶり」おおらかで男性的な歌風を指す。「たをやめぶり」女性的でなおかつ優美で穏やかな歌風を指す。

中古（平安時代）

「あはれ」しみじみとした感動を表す。

「をかし」明るく軽快な感動を表す。『枕草子』の中に多用されている。

「もののあはれ」“あはれ”という感動が“もの”という他者的存在を契機として高められた状態をさす。本居宣長が『源氏物語』から12箇所を抽出し，この物語の

解説 72

1 × 「**たをやめぶり**」と「**ますらをぶり**」の意味説明は正しいが,『**万葉集**』が「**ますらをぶり**」であり『**古今和歌集**』の特徴を示しているのが「**たをやめぶり**」である。近世の国学者，**賀茂真淵**が最初に用いたことはよく知られる。

2 × 「**をかし**」の語義に問題はなく，また『徒然草』の中に「をかし」が用いられていることは事実だが,「**をかし**」を主要な文学理念としたのは「**中古**」(＝**平安**）の随筆である**清少納言**の『**枕草子**』である。

3 × 「**もののあはれ**」を文学理念とするのは**紫式部**の『**源氏物語**』である。また『**源氏物語**』の本質を「**もののあはれ**」であると主張したのは**賀茂真淵ではなく，近世国学者の本居宣長**である。

4 ○ **世阿弥**が**能**における「**芸の美しさ，魅力**」を示す理念としたのが「**花**」である。この「**花**」はたとえば「見る人の心に珍しきが（能の）花なり」という文章を始めとして『**風姿花伝**』の中で繰り返し論じられている。

5 × 文章は**西鶴**を評したものとして概ね妥当だが，彼にはこれといって標榜した**文学理念はない**。「**虚実皮膜論**」は事実と虚構との中間に真実があるとする理念で，**近松門左衛門の浄瑠璃作品**に底流する理念とされる。

解答 4

本質が“もののあはれ”にあることを例証した。

中世（鎌倉・室町）
「余情・艶」余情は表現の外に醸されるある種の気分。艶は優美で上品な美しさ。
「幽玄」奥深い余情や象徴的な情趣。中世の中核的文芸理念。
「有心」幽玄を受け継ぎさらに余情の色調を濃くしたもの。
「無心」絶対無の境地。

近世（江戸時代）
「さび」寂しさに近いが，これに沈潜せず，むしろそれを抑制した美。
「いき」官能に溺れず，人情の機微を理解して淡々と身を処する洗練された境地。

No. 73 浮世絵

次は浮世絵に関する記述であるが，A～Eに入る言葉の組合せとして，最も妥当なものはどれか。

浮世絵は，17 世紀に木版による大量印刷の技法を確立し，18 世紀中頃には多色刷りの技法である錦絵を開始して以降，急速に広まり，ヨーロッパの〔　A　〕の画家たちにも影響を与えた。

寛政期には，美人画の〔　B　〕や，役者絵・相撲絵の東洲斎写楽は，女性や歌舞伎役者，相撲力士などの上半身を大きく描く大首絵の様式を開拓して人気を集めた。大首絵はその大胆な歪曲によって役柄はもちろんその性格まで表現しており，単純化と強調が効果的に用いられているとされる。マネの作品「ゾラの肖像」は，その背景に相撲力士の浮世絵があることでも知られており，モネの作品「ラ・ジャポネーズ」からは，着物を羽織った婦人の立ち姿の構図が，美人画から引用されたことがうかがえる。

天保期には，風景版画に優れた作品が残された。葛飾北斎のシリーズ作品「富嶽三十六景」のうち，〔　C　〕として知られる「凱風快晴」や，大波の向こうに小さく見える富士山が印象的な「神奈川沖浪裏」などは，現代でも日本の美しい風景として取り上げられている。歌川広重の作品には「東海道五十三次」,〔　D　〕などがある。後期印象派に属するオランダ人の〔　E　〕は〔　D　〕の中の「大はしあたけの夕立」などを模写しているだけでなく，パリの画材屋の主人を描いた「タンギー爺さん」で広重などの作品数点を背景一面に描くなど，浮世絵に触発されて独自の絵画様式を形成していったと考えられる。

	A	B	C	D	E
1	バロックやロココ	鈴木春信	青富士	近江八景	ゴッホ
2	バロックやロココ	鈴木春信	赤富士	名所江戸百景	ゴーギャン
3	古典派やロマン派	喜多川歌麿	白富士	名所江戸百景	ゴーギャン
4	印象派や後期印象派	喜多川歌麿	青富士	近江八景	ゴーギャン
5	印象派や後期印象派	喜多川歌麿	赤富士	名所江戸百景	ゴッホ

解答欄

解説 73

空欄がたくさんある場合，わかるところから確実に埋めていくのがベストなやり方だ。

Aは「**印象派や後期印象派**」。江戸時代後期から明治維新にかけて浮世絵が大量に欧州に渡り，その斬新な表現や技法が**印象派や後期印象派**に衝撃を与えた。

Bは「**喜多川歌麿**」。**歌麿**は江戸中・後期の浮世絵師で**美人画**の分野において「**大首絵**」の様式を創案した。「**ビードロ（ポッピン）を吹く娘**」などが有名。

Cは「**赤富士**」。「富士山」には晩夏から初秋の早朝に太陽の光を受けて暗赤色に色づいて見える自然現象があり，**北斎**がその姿を描き『**富嶽三十六景**』の中の「**凱風快晴」の別称**となる。

Dは「**名所江戸百景**」。広重は江戸末期の浮世絵師で，『**名所江戸百景**』は彼の浮世絵連作。他にも『**木曽街道六十九次**』『**近江八景**』などの連作がある。

Eは「**ゴッホ**」。**ゴッホ**は激情的なタッチの独特な画風を築いた**後期印象派**に属するオランダの画家。浮世絵に大きな影響を受けた画家でもあり，『**名所江戸百景**』の中の「**大はしあたけの夕立**」はゴッホが模写したことでも有名である。

解答　5

プラス知識

浮世絵メモ

・1867年のパリ万国博において喜多川歌麿，鈴木春信，歌川広重，歌川国貞などの浮世絵版画の展示は熱狂的な日本ブーム，「ジャポニスム」のきっかけとなった。

・浮世絵は自然をモチーフとし対象を大胆に歪曲して客観性を必ずしも重要視しないが，西洋絵画は人間を主体としたキリスト教の伝統表現をもち，写実的客観性が求められた。また浮世絵にシンメトリー構造はないが，西洋絵画にはそれが珍しくない。

・浮世絵の影響はマネ，モネ，ドガ，ゴッホ，セザンヌ，ルノワール，ゴーギャンら印象派だけでなく，アングル（古典派），ミレー（バルビゾン派），ルソー（素朴派），コロー，ベルナール，ロートレック，クリムト，シーレなど多くの画家に見られる。

文学・芸術

No. 74 近代の日本詩人

近代における日本の詩人に関する記述として最も妥当なのはどれか。

1 明治中期，浪漫主義的抒情が主流となりつつあった詩壇に象徴主義的詩風の詩を移植した詩集として森鷗外の『於母影』が挙げられる。これは，ドイツのゲーテ，ハイネ，ゲロック，ホフマン，イギリスのシェークスピア，バイロンなどの詩を訳出したものである。

2 イギリスのロマン派の代表者バイロンやワーズワースなどの詩は，島崎藤村の訳詩集『若菜集』によって紹介された。この詩集に収められた詩は創作詩といっていいようなもので，『若菜集』は日本における浪漫主義の詩の流行のきっかけとなった。

3 明治末期から大正時代にかけ，詩壇の中心となったのは，口語自由詩の三好達治である。その詩には白樺派的理想主義，人道主義の傾向が顕著で，代表詩集として『道程』がある。また，彼は彫刻家としても有名で『手』などを残している。

4 文語定型詩の音楽性を達成した詩人として，萩原朔太郎が挙げられる。彼は，繊細な感覚と鋭敏な神経とによって近代人の微妙な心理をとらえ，近代詩のひとつの典型を示した。彼の代表詩集として『邪宗門』，『思ひ出』がある。

5 昭和の初期，フランスの象徴詩の影響を受けた，一見復古的な叙情味の詩風の中原中也が現われた。彼の詩には強い観念の表白はなく，些細な生活の中の愛や悲しみを近代的悲哀感を漂わせながら美しい韻律によって表出した。代表詩集として『山羊の歌』がある。

解答欄

プラス知識

近代詩のアラカルト

明治時代　森鷗外『於母影』，北村透谷『蓬萊曲』，島崎藤村『若菜集』，土井晩翠『天地有情』，上田敏『海潮音』，北原白秋『邪宗門』

大正時代　室生犀星『愛の詩集』『抒情小曲集』，高村光太郎『道程』『智恵子抄』，萩原朔太郎『月に吠える』『青猫』，宮沢賢治『春と修羅』

昭和（戦前）　三好達治『測量船』『艸千里』，中原中也『山羊の歌』『在りし日の歌』，伊東静雄『わが人に与ふる哀歌』，立原道造『萱草に寄す』，西脇順三郎『Ambarvalia』，村野四郎『体操詩集』，草野心平『蛙』，中野重治『中野重治詩集』

解説 74

1× 「浪漫主義的抒情が主流となりつつあった詩壇に象徴主義的詩風の詩を移植した詩集」は**上田敏**の『**海潮音**』。これはマラルメ，ヴェルレーヌなど**フランスの象徴詩を訳した詩集**として有名である。

2× **島崎藤村**の『**若菜集**』は訳詩集ではなく，藤村自身の**創作第一詩集**である。これは『**新体詩抄**』に始まる日本近代詩の最初の芸術的完成として，また明治の**浪漫主義時代**の到来を告げる詩集として画期的な作品。当然バイロンやワーズワースとは無関係。

3× この文章はそっくり**高村光太郎**に当てはまるものであり，**三好達治**についてのものではない。三好達治は昭和を代表する叙情詩人。彼の代表詩集は『**測量船**』と『**艸千里**（くさせんり）』であり，後者では，五七調，七五調の伝統的文語韻律体を採用している。

4× **朔太郎**は「文語定型詩」ではなく「**口語自由詩**」**の完成者**。ちなみに**口語自由詩の先駆者は高村光太郎**である。その他の部分は朔太郎に適合するが，最後の『**邪宗門**』**と**『**思ひ出**』は**北原白秋の詩集**。朔太郎の代表詩集は『**月に吠える**』『**青猫**』。

5○ **中原中也**は中学の頃から詩人を志した早熟多感な詩人。31 歳で逝去しているので典型的な**夭折型の詩人**である。一見，古風なリリシズムの詩だが，その中に虚無感と哀愁を漂わせる独特の詩風を確立した。

解答　5

昭和（戦後） 金子光晴『落下傘』，鮎川信夫『橋上の人』，田村隆一『四千の日と夜』『言葉のない世界』，谷川俊太郎『二十億光年の孤独』
訳　詩　集 『於母影』『海潮音』
口語自由詩 高村光太郎・萩原朔太郎（『氷島』を除く）の詩集
四　季　派 三好達治・中原中也・伊東静雄・立原道造
プロレタリア詩人 中野重治
荒　　地 鮎川信夫・田村隆一
近代詩の種類 文語定型詩・文語自由詩・口語定型詩・口語自由詩

日本史

No. 75 明治時代の政治・外交

明治時代の政治・外交に関する記述として最も妥当なのはどれか。

1　新政府の指導により，諸藩はその藩士に対する俸禄を廃止し，政府が直接に藩士に対して家禄を与えることとなった。これを秩禄処分という。秩禄処分によって藩士に対する統制力を失った各藩は，政府に対して領地と領民の返上を申し出て，廃藩置県が行われた。

2　国会開設の勅諭が出ると，大隈重信らは立志社を創立して自由民権運動を主導した。さらに政府が内閣制度を発足させると，国会で政府と対抗できる勢力を確立するために，立志社を発展解消して立憲改進党を結党した。

3　大日本帝国憲法発布後最初の衆議院選挙で自由党と立憲改進党を中心とする民党が衆議院の議席の過半数を獲得すると，両党は合同して政友会を結成し板垣退助が首相となった。

4　日清戦争で日本が勝利し下関条約が結ばれた。この条約により遼東半島が日本に割譲されたが，ロシアがフランスとドイツとともに同半島を清に返還することを要求した結果，日本はその要求を受け入れた。後に，ロシアは遼東半島にある旅順・大連港を清から租借した。

5　北清事変が起きると，日本を含む列強は連合軍を派遣して清を降服させた。日本はこれを機に朝鮮半島における権益を守ることを目的として満州全域を占領したが，シベリア東部に進出していたロシアと対立することとなり，北清事変の翌年には日露戦争が勃発した。

解答欄

解説 75

1×　秩禄処分は，**政府**が士族に対する俸禄支給を**停止する**措置である。また，領地と領民の返上は，**版籍奉還**である。

2×　立志社を設立したのは，**板垣退助**である。立志社と国会開設の勅諭の**順序は逆**であり，立志社が解消した後にできた政党は**自由党**である。

3×　民党で内閣を構成したのは，**憲政党**である。国会開設前に**自由党と立憲改進党は解党**している。**憲政党**で首相になったのは**大隈重信**であり，**板垣退助**は内務大臣であった。

4○　これが**三国干渉**（1895 年）である。

5×　北清事変の終結後（1901 年）も，満州を事実上占領したのは，**ロシア**である。**日露戦争**の開戦は，その**3**年後である。

解答　4

日本史

No. 76 幕末の政治・社会

重要度 A

幕末の政治・社会に関する記述として最も妥当なのはどれか。

1　アヘン戦争で清がイギリスに敗れたことが日本に伝わると，老中水野忠邦を中心とする幕府は，異国船打払令を出して鎖国政策を強化し，長崎に入港する清・オランダ以外の外国船をすべて撃退することを命じた。

2　1853年に来航して日本の開国を要求したアメリカ東インド艦隊司令長官ペリーは，翌年，再び来航し幕府に対して条約の締結を強硬に迫り，日米修好通商条約を結んだ。この条約では，横浜に領事の駐在を認めること，アメリカに一方的な最恵国待遇を与えることなどが取り決められた。

3　幕府が勅許を得られないまま欧米諸国との通商条約に調印したため，幕府に対する非難や開国に反対する運動が高まる一方で，開国の必要性を説き，開国・貿易を肯定的に受け止めようとする尊王攘夷論も現れた。

4　大老井伊直弼が桜田門外の変で暗殺された後，老中安藤信正は，朝廷と幕府との融和によって政局を安定させようとして公武合体策を進めたが，坂下門外の変で傷つけられ失脚した。

5　欧米との通商条約に基づき，横浜港などが開港されて貿易が始まったが，開港直後は金・銀を中心とする鉱産物の輸出額が輸入額を上回ったため，幕府は金・銀の海外流出防止のために，江戸の問屋を通して輸出することを命じた。

解答欄

解説 76

1×　**異国船打払令**が出されたのは，アヘン戦争前の1825年であり，この時出されたのは遭難船のみに燃料，給水を認めた**薪水給与令**が正しい。

2×　1854年に締結した条約は**日米和親**条約であり，条約で領事を置いたのは，**下田**である。

3×　幕府が朝廷の勅許を得られないまま，外国との通商条約を締結したとする記述は**正しいが**，尊王攘夷論は，開国・貿易について**否定的である**。

4○　**桜田門外**の変は1860年，**坂下門外**の変は1862年である。

5×　開国直後の日本は輸出超過の状態であったが，主要輸出品は**生糸**・**茶**・**海産物**であった。輸出の急増のために品不足になり，輸出品ばかりではなく，他の商品の価格も上昇した。そこで，幕府は物価抑制のために，**雑穀**・**水油**・**蝋**・**呉服**・**生糸**の五品を，江戸の問屋を通して輸出するように命じた（五品江戸廻送令）。

解答　4

No. 77 平安時代の出来事

A～Eは平安時代の出来事に関する記述であるが，これらのうち，下線部について古いものから順に並べたものとして妥当なのはどれか。

A　平将門は，常陸・上野・下野の国府を襲い，関東一円を占領して新皇と称し，一時は関東の大半を征服したが，一族の平貞盛と下野の豪族藤原秀郷の軍によって討伐された。

B　藤原良房は，応天門の火災を当時勢力をのばしていた大納言伴善男の仕業として失脚させ，権力を確立して最初の人臣摂政となった。

C　平清盛と源義朝の勢力争い，藤原通憲（信西入道）と藤原信頼の藤原氏内部の争いが結びついて，後白河法皇の院政の下で乱が起きた。

D　桓武天皇により派遣された征夷大将軍の坂上田村麻呂は，胆沢城を築き，やがて鎮守府を多賀城からこの地に移した。

E　他氏の排斥に成功した藤原氏は，次に一族内部で摂政・関白の地位をめぐり激しい争いを繰り返したが，道長・頼通の頃に全盛期を迎え，道長は３天皇の外戚として勢力をふるった。

1　B→D→C→A→E　　**2**　B→D→E→A→C

3　D→A→B→E→C　　**4**　D→B→A→C→E

5　D→B→A→E→C

解答欄

解説 77

A　将門の乱が鎮圧されたのは **940** 年である。平将門が一族の内紛をきっかけに反乱を起こし，一時は関東８カ国を支配下に置いて，自ら新皇と称した。

B　藤原良房の摂政就任は **858** 年である。摂政は元来皇族がなるものとされていたが，清和天皇の外戚となった藤原良房は，伴善男を失脚させて，摂政に就任した。

C　平治の乱が起きたのは **1159** 年である。平清盛が乱を平定することで，後白河法皇の信頼を得て，平氏の全盛期を迎えることになる。

D　胆沢城の築城は **802** 年である。胆沢城の築城を行ったのは，坂上田村麻呂である。彼は桓武天皇の東北地方平定の命を受け，胆沢城を築城し，蝦夷の族長を帰順させた。

E　藤原道長の摂政就任は **1016** 年である。道長とその子頼通の時代が，摂関政治の全盛期である。

以上から，正しい肢は **5** である。

解答　5

日本史

No. 78 江戸時代の政治

B 重要度

江戸時代の政治に関する記述として最も妥当なのはどれか。

1　5代将軍綱吉は，幕府の財政を立て直すために，勘定吟味役柳沢吉保の意見を用いてこれまでの元禄金銀を改鋳し，幕府の歳入を増やしたが，貨幣価値の下落により物価の上昇をまねき，武士や庶民の生活を困窮させた。

2　6代将軍家宣・7代将軍家継の政務を補佐した朱子学者の新井白石は，貨幣の品質の向上を図るとともに，海舶互市新例を出して長崎貿易を奨励したので，金銀の流出が増大したものの，幕府の財政は立て直された。

3　八代将軍吉宗は，商工業者に株仲間をつくることを奨励したり，印旛沼や手賀沼の干拓を進め，蝦夷地の開拓も計画した。また，長崎貿易の制限を緩めて，海産物の輸出を奨励し，銅・鉄などを幕府の専売制とした。

4　老中の松平定信は，七分積金によって，飢饉・災害時に困窮した貧民を救済する体制を整えたり，困窮する旗本や御家人を救済するために棄捐令を出して札差に貸金を放棄させた。

5　老中の水野忠邦は，株仲間を奨励して商人の自由な営業を認めたり，慶安御触書を出して農民の出稼ぎを禁止し，農村の人口を増加させようとしたが，いずれも十分な効果をあげることはできなかった。

解答欄

解説 78

1×　それまでの慶長小判から質の悪い元禄小判へ改鋳するように建議したのは，綱吉の**側用人の柳沢吉保ではなく**，勘定吟味役の**荻原重秀**である。

2×　新井白石の建議で海舶互市新例を出したのは**事実であるが**，それは貿易を奨励するためではなく，貿易による**金・銀の流出を防ぐため**である。

3×　この記述は**田沼**政治に関するものである。吉宗の享保の改革の目的は，幕政の能率化と年貢の増徴，物価安定を目指す**農業・商業政策の強化**にあった。

4○　松平定信の政治は**寛政**の改革と呼ばれており，**七分積金**と**棄捐令**の他にも，飢饉に備えて農村に米穀を備蓄させたり（**囲米の制**），幕府の学問所で朱子学以外の儒学の教授を禁止したりした（**寛政異学の禁**）。

5×　水野忠邦の政治は**天保**の改革と呼ばれているが，株仲間は**解散させている。株仲間の流通支配**が，物価騰貴の原因と考えていたからである。また，慶安御触書を出したのは三代**家光**のときであり，**天保**の改革のときの**強制的帰農策は人返しの法**である。

解答　4

日本史

No. 79 中世の武家社会

中世の武家社会に関する記述として最も妥当なのはどれか。

1　12 世紀には，源頼朝が鎌倉を根拠地と定め，東国の支配を進めた。頼朝は鎌倉に侍所，公文所（政所），問注所などを設置し，さらには朝廷から地方に守護と地頭を置く権限も認められ，武家政権としての鎌倉幕府を確立させたが，その当時，依然として京都には公家政権が存在し，律令体制による伝統的な行政権を保持していた。

2　源頼朝の死後，征夷大将軍に任命された北条義時が鎌倉幕府の実権を握り，新たに京都に西面の武士を置いて朝廷の監視を強化したことから，幕府と朝廷との対立が深まり，承久の乱が起こった。その結果，幕府側が圧倒的な勝利をおさめ，それまで幕府の力が弱かった畿内や西国にもその支配権が浸透することになった。

3　承久の乱後，急増した荘園領主と地頭との紛争などを公平に裁判するため，武家法として最初の体系的法典である武家諸法度が制定された。これは，武家社会の道理・習慣や源頼朝以来の幕府の先例を基準として，御家人の権利・義務や裁判の原則を定めたものであり，朝廷や荘園領主の裁判をも規制するものであった。

4　鎌倉幕府の滅亡後，後醍醐天皇は京都で公武を統一して新しい政治を始めた。天皇は足利高氏（尊氏）を征夷大将軍に任命して室町幕府を開かせたが，北条早雲が反旗をひるがえして京都に光明天皇を立てたことから，南北朝の動乱が始まった。この動乱の中で将軍権力は急激に弱体化し，幕府の実権は有力な守護大名へと移っていった。

5　14 世紀には，戦国の争乱の中で守護大名が没落し，新たに新田義貞や楠木正成などの戦国大名が台頭してきた。戦国大名は一族や国人・地侍に知行地を与えて家臣とし，大名と家臣とは土地の給与を通じて御恩と奉公の関係によって結ばれるようになった。こうして，それまで武士の間で私的に結ばれてきた主従関係が，公的な関係へと変わっていった。

解答欄

解説 79

1○　源頼朝は1180年には**侍所**を，1184年には**政所**と**問注所**を鎌倉に設け，東国の支配を固めていった。

2×　源頼朝の死後，将軍職に就いたのは**源頼家**である。**北条義時**は**北条時政**の跡を継ぎ，執権に就任した人物である。また，京都に西面の武士を置いたのは**後鳥羽上皇**である。

3×　最初の体系的な武家法は，**御成敗式目（貞永式目）**である。武家諸法度は**江戸**時代のものである。また，**御成敗式目**は幕府の**御家人**に対する定めであって，**朝廷や荘園領主**に適用されるものではない。

4×　後醍醐天皇は天皇親政を理想としており，**足利高氏（尊氏）**を**征夷大将軍には任命してない**。後に，**足利高氏（尊氏）**は**後醍醐天皇**に対し反旗を翻し，京都に光明天皇を擁立し，征夷大将軍に任命されることになる。

5×　14世紀に新田義貞や楠木正成が活躍したのは**事実であるが，彼らは戦国大名ではない**。守護大名が没落し，戦国大名に入替わるのは**応仁の乱**（1467～1477年）以降である。

解答　1

プラス知識

中世社会の確立　（関連年代・事柄）

1185年：壇ノ浦の戦い，守護・地頭の設置
1192年：源頼朝が征夷大将軍に任命
1221年：承久の乱
1232年：御成敗式目の制定（最初の武家法）
1274年と1281年：元の襲来（元寇）
1297年：永仁の徳政令→幕府権威の失墜
1333年：鎌倉幕府の滅亡
1334年：建武の新政→その後，南北朝の争乱へ
1392年：南北朝の統一

日本史

No. 80 第一次世界大戦後の世界と政党政治

第一次世界大戦後の世界と政党政治に関する記述として最も妥当なのはどれか。

1　原敬内閣は 1919 年，第一次世界大戦後のパリでの講和会議に西園寺公望を全権として派遣し，中国政府に対して多額の賠償金の支払いを要求した。しかし，中国政府が拒否したため，講和条約調印の日に東京で開かれた国民大会は暴動化し，いわゆる日比谷焼打ち事件に発展した。

2　アメリカ合衆国は 1921 年，海軍の軍備縮小及び極東問題を審議するため，ジュネーヴ会議を招集した。会議では，日本，アメリカ合衆国，英国，中国によって四カ国条約が締結され，中国の領土と主権の尊重，中国における各国の経済上の機会均等などが約束された。

3　関東軍は 1928 年，反日的な満州軍閥の張作霖を爆殺した。当時，満州某重大事件と呼ばれた，この事件の真相は国民には知らされなかった。田中義一内閣は，この事件の責任者を処分しようとしたが果たせず，内閣は総辞職した。

4　岡田啓介内閣は，1932 年に日満議定書を取り交わして満州国を承認したが，1933 年の国際連盟の総会において，満州における中国の主権を認める勧告案が採択されると，国際連盟脱退を通告し，独自で満州の経営に乗り出した。

5　近衛文麿内閣は，1937 年の柳条湖事件に始まる日中戦争について，当初は不拡大方針に基づき中国政府との和平交渉を試みたが，半年も経ないうちに交渉に行き詰まったため，「国民政府を対手とせず」として 1938 年に中国政府に対し，正式に宣戦布告を行った。

解答欄

プラス知識

第一次世界大戦後の世界と日本

1　日本の参戦（関連年代・事柄）

連合国側の一員として参戦し，ドイツの根拠地である青島を攻略

1915 年：対華 21 カ条要求

1918 年：米騒動・原敬内閣の成立

解 説 80

1× 日本が**パリ講和会議**で，中国政府に対して多額の賠償金の支払いを要求した**事実はない**。また，日比谷焼打ち事件（1905年）は，**ポーツマス条約締結**の際，**ロシアからの賠償金支払い**の規定がなかったことに怒った民衆の暴動事件である。

2× アメリカ合衆国が1921年に召集した会議は，**ワシントン**会議である。四カ国条約の締結国は，**アメリカ・イギリス・日本・フランス**であり，**中国は入ってない**。この会議で，①主要国の海軍主力艦トン数比の決定（ワシントン軍縮条約），②**アメリカ・イギリス・日本・フランス**の間で，太平洋属領の利権尊重を約した四カ国条約の締結，③この四カ国条約に**イタリア・ベルギー・中国・オランダ・ポルトガル**が加わって，中国の主権・領土の尊重や経済活動の機会均等を約した九カ国条約が締結された。

3○ **田中義一**首相は，与党政友会と陸軍に事件責任者の処分を反対され，天皇にも叱責されて辞職した。

4× **斎藤実**内閣のときの記述である。後に**斎藤実**（内大臣）は，**二・二六事件**（1936年）において惨殺された。

5× **盧溝橋**事件（1937年）が日中戦争の発端となった。**柳条湖**事件（1931年）は，**満州事変**（1931年）の発端となった事件である。また，**日本が中国政府に対して，正式な宣戦布告を行ったという事実はない**。

解答　3

2 ベルサイユ体制の確立（関連年代・事柄）
1919年：ベルサイユ条約締結
1920年：国際連盟の成立→日本は常任理事国
1921年：ワシントン会議開催→四カ国条約締結，日英同盟の破棄
1922年：九カ国条約，ワシントン海軍軍縮条約の調印

世界史

No. 81 近世のヨーロッパ

近世のヨーロッパに関する記述として最も妥当なのはどれか。

1　海外に進出したポルトガルは，「新大陸」の銀を独占して急速に富強となり，16 世紀後半のフェリペ 2 世の治世に全盛期を迎えた。また，スペインを併合してアジア貿易の拠点であるマラッカを領有し，1588 年には無敵艦隊（アルマダ）がイギリス艦隊との海戦に勝利して大西洋の制海権を握った。

2　ネーデルラントは，15 世紀半ばからハプスブルク家の領有地で，北部にはルター派の新教徒が多かった。ハプスブルク家の王朝であるスペインは，カトリックを強制して自治権を奪おうとしたが，北部 7 州はユトレヒト同盟を結んで戦いを続け，1581 年に独立を宣言した。

3　イタリアでは，17 世紀初めに新教徒への対応をめぐり，諸侯がギベリン（皇帝派）とゲルフ（教皇派）に分かれて争う三十年戦争が始まった。戦いは，スウェーデンやフランスが干渉し，宗教戦争から国際戦争へと様相を変えて長期化したが，1648 年のウェストファリア条約によって終結した。

4　イギリスでは，バラ戦争の後に王権が強化され，エリザベス 1 世の時代に絶対主義の全盛期を迎えたが，各州の地主であるユンカーの勢力が大きかった。そこで，女王は常備軍・官僚制を整備して中央集権化を推進した。

5　16 世紀後半のフランスでは，ユグノーと呼ばれたカルヴァン派とカトリックとの対立が激化し，宗教戦争が長期化した。これに対し，ユグノーであったブルボン家のアンリ 4 世は，王位につくとカトリックに改宗し，ナントの勅令を発してユグノーに一定の信仰の自由を認め，内戦はようやく鎮まった。

解答欄

解説 81

1×　スペインとポルトガルの**関係が逆**になっている。また，**スペインの無敵艦隊はイギリス艦隊との戦いで破れ**（1588 年），大西洋の制海権を喪失した。

2×　**ルター派でなく，カルヴァン派の新教徒**が多い北部 7 州がユトレヒト同盟（1579 年）を結んでスペインと戦い，1581 年に独立を宣言した。

3×　三十年戦争は，**ドイツ**における**カトリック**と**プロテスタント**の宗教上の戦争である。

4×　イギリスでは強大な常備軍・官僚制は**整備されておらず，地主層のジェントリ**（郷紳）の勢力が強かった。ユンカーは**ドイツ**の地主貴族の名称。

5○　フランスの**ユグノー**戦争（1562 ～ 1598 年）は，アンリ 4 世の出した**ナント**の勅令（1598 年）により終結した。

解答　5

世界史

No. 82 中国と西域との交流

B 重要度

中国と西域との交流に関する記述として最も妥当なのはどれか。

1 前漢の武帝は，匈奴との戦いを有利に進めるために中央アジアの大月氏国に張騫を派遣して同盟を結ぼうとしたが果たせなかった。この派遣によってもたらされた情報により，内陸部のオアシス都市をつなぐ通商路が開拓されて西域との交易が発展し，この道は，のちに絹の道と呼ばれた。

2 後漢の光武帝の命を受けた仏僧法顕は，仏教の経典を求めて海の道と呼ばれた海路からインドへ渡り，アジャンターなどインド各地の仏跡を訪ね，内陸部の通商路を通って帰国した。彼は旅行記『大唐西域記』を著し，小説『西遊記』に登場する三蔵法師のモデルになった。

3 後漢の将軍班固は，匈奴征伐に従軍して活躍し，西域都護に任じられて中央アジアの50余国を服属させた。さらに部下の甘英を大秦国（ローマ）に派遣して国交を開こうとした。「虎穴に入らずんば虎子を得ず」という言葉は，彼が匈奴との戦いの中で語ったと伝えられている。

4 唐の仏僧玄奘は，国禁をおかしてインドに赴き，ナーランダの僧院で仏教を学んだ後，中央アジア各国を巡歴した。多数の経典を持ち帰り，漢訳に業績を上げた。彼の著した旅行記『仏国記』の影響もあり，中国の仏教は唐の時代に最盛期をむかえ，雲崗や竜門に石窟寺院の造営が始まった。

5 モンゴル帝国の皇帝フビライ＝ハンは，都をサマルカンドから長安に移して元王朝を開き，領内の駅伝制を整えて東西の交流を奨励した。モンテ＝コルヴィノらイエズス会の宣教師が元を訪れヨーロッパの文化を伝えた。

解答欄

解説 82

1○ 結局，**張騫の目的は果たせなかったが**，**西域との通商路を開拓できた**意義は大きかった。

2× 法顕は**東晋**の時代の仏僧。彼は399年に長安を出発し，陸路で西域・インドに赴き，412年にスリランカから**海路で帰国**した。また，彼の著書は**『仏国記』**である。

3× 班固は**班超**の兄で，『漢書』を著した史家。それ以外の**記述は正しい**。

4× 玄奘が著したのは**『大唐西域記』**である。また，雲崗や竜門の石窟寺院は，**北魏**時代に造営が始まった。

5× フビライ＝ハンが都を定めたのは**大都（北京）**である。モンテ＝コルヴィノは，**フランチェスコ**派の修道士である。

解答 1

世界史

No. 83 近代における革命と戦争

各国で起きた革命及び戦争に関する記述として最も妥当なのはどれか。

1　英国では，議会を解散した上で増税を強行しようとするチャールズ1世に対し，議会派が「万機公論に決すべし」と主張してピューリタン革命を起こした。議会派のクロムウェルは王党派の軍隊を破るとチャールズ1世をオランダへ追放し，護民官に就任して共和制を敷いた。

2　英国によって重税を課せられるなどの圧迫を受けていたアメリカ植民地では，トマス・ジェファソンが自著『コモン・センス』の中で「代表なくして課税なし」と唱えて独立の気運を高めた。植民地で反乱が起きると英国は鎮圧を試みたが失敗し，アメリカ合衆国が建国された。

3　フランスでは，絶対王政に対する民衆の不満からフランス革命が勃発し，ルイ16世は革命勢力によって処刑された。ロベスピエールは「国王は君臨すれども統治せず」であるべきだと主張してテルミドールの反動を起こし，統領政府を樹立した。

4　アメリカ合衆国では，奴隷制の拡大に反対し，自由貿易を推進するリンカンが大統領に就任したことで南北戦争が勃発した。リンカンはこの戦争中に奴隷解放宣言を発表して，「人民の，人民による，人民のための政治」を掲げた。

5　プロイセンでは，ビスマルクが首相に就任すると，「鉄と血によってのみ問題は解決される」と主張して軍備拡張を図り，普墺戦争でオーストリアを破った。さらに普仏戦争でフランスを破ると，プロイセン王のヴィルヘルム1世はベルサイユ宮殿でドイツ帝国の成立を宣言した。

解答欄

解説 83

1×　「万機公論に決すべし」は，**五箇条の御誓文**の言葉。クロムウェルはチャールズ1世を処刑し，共和制の名の下に**護国卿**となり，独裁政治を行った。

2×　『コモン・センス』は**トマス・ペイン**の著書。「代表なくして課税なし」はイギリスが印紙法を制定した際，アメリカ側の反発を表した言葉である。

3×　「国王は君臨すれども統治せず」という言葉は，**イギリス**で成立した責任内閣制を表す言葉。また，ロベスピエールは**テルミドールの反動で処刑**された。

4×　リンカンの支持基盤である北部各州は，**保護**貿易を主張していた。なお，「人民の，人民による，人民のための政治」は，**ゲティスバーグ演説**の著名な一節。

5○　ビスマルクのこの言葉は，**鉄血**政策と呼ばれた。

解答　5

世界史

No. 84 中国の文化

B 重要度

中国の各時代の文化に関する記述として最も妥当なのはどれか。

1　春秋戦国時代には諸子百家と呼ばれるさまざまな思想が開花したが，前漢の武帝はこれらの思想のうち法家思想を官学として指定する一方，それ以外の思想を焚書・坑儒によって厳しく弾圧した。

2　三国時代から南北朝時代にかけて学問では儒学が発展し，国家を現実的に運営する方法を論じ合う，いわゆる清談が儒学者の間で流行した。また，この時代には紙が発明され，木簡や竹簡に代わって書写の材料とされた。

3　唐の時代には外国文化が盛んに流入したため，国際色豊かな文化が発達するとともに，詩文が興隆し李白や白居易らを輩出した。また，青白磁（影青）の生産地として，景徳鎮が知られるようになった。

4　宋の時代には朱子学が大成され，君臣，父子の身分関係を正す大義名分論が唱えられた。また，民族意識の高まりから歴史や地理などの学問が重視されたが，中でも編年体の中国通史である『資治通鑑』は名高い。

5　元の時代には東西の交通路が整備されたことにより東西の文化交流が盛んになって，商人のマルコ＝ポーロや宣教師のマテオ＝リッチらが往来した。また，庶民文化が発展し『紅楼夢』や『儒林外史』などの傑作が書かれた。

解答欄

解説 84

1×　前漢の武帝が，官学として指定したのは**儒教**である。また，法家思想は**秦**が重視したものであり，焚書・坑儒も**秦の始皇**帝が行った。

2×　魏晋南北朝期の**清談**は，内容的には政治と離れたもので，いわゆる俗世間とは遊離した論議である。儒教と直接関係するものではない。また，紙はすでに**後漢**の時代に発明されていた。

3×　前半部分の**記述は正しい**。しかし，**景徳鎮**が青白磁（影青）の生産地として知られるのは**宋**代以降である。

4○　『資治通鑑』は大義名分論の立場から，**司馬光**が編纂した編年体の通史である。

5×　マテオ＝リッチは，**明**代末に中国を訪れたイエズス会宣教師である。また，『紅楼夢』と『儒林外史』は**清**代に書かれた小説である。

解答　4

世界史

No. 85 イギリスの対外関係

イギリスの対外関係に関する記述として最も妥当なのはどれか。

1 イギリスでは，13 世紀に諸侯が王にマグナ＝カルタ（大憲章）を承認させるなど他のヨーロッパ諸国に比べて王権が弱かった。さらに 15 世紀，百年戦争でフランスに敗れると，バラ戦争と呼ばれる王位を巡る大内乱が起こり，王は諸侯・騎士勢力に依存したので，王権はますます弱体化した。

2 16 世紀，英国国教会を確立させたイギリス女王エリザベス 1 世は，ネーデルラントのスペインからの独立を援助し，スペインの無敵艦隊をレパント沖海戦で撃退した。さらに，東インド会社を設立させて，毛織物貿易を保護するなど重商主義政策によってイギリス絶対主義の全盛期を築き上げた。

3 17 世紀，西欧列強の植民地抗争においては，イギリスは，モルッカ諸島の香辛料貿易をめぐる争いでオランダに敗れた後，インド経営に重点を置いた。オランダとの対立が激しくなる中で，イギリスは航海法が引き起こした英蘭戦争でオランダを破り，さらに，18 世紀の半ばには，フランス，ベンガル王侯軍に勝利して，インド植民地化の足場を固めた。

4 20 世紀初頭，イギリスは，ベルリン・ベオグラード・バグダードを結ぶ 3B 政策を推し進めるドイツに，3C 政策で対抗した。第一次世界大戦に突入すると，イギリスはフランスとともに，オーストリア領ボスニア・ヘルツェゴビナ割譲をイタリアに約束して，ドイツ・オーストリアとの三国同盟から脱退させ，三国同盟を崩壊させた。

5 第二次世界大戦後の数年間に，イギリスは，アイルランド，カナダなどの独立を認めるとともに，独立した諸国とイギリス連邦を結成した。また，ヤルタ協定に基づいてアラブ諸国の独立を承認する一方，パレスチナ在住のユダヤ人の独立国家構想を支持したが，これが後のパレスチナ問題を生む原因となった。

解答欄

プラス知識

第一次世界大戦前の世界

1　第一次世界大戦前の同盟・協商関係

（三国同盟側）		（三国協商側）
ドイツ オーストリア イタリア	VS	イギリス フランス ロシア

解説 85

1× **バラ戦争**後，王位に就いた**ヘンリ7世**は，国王直属の特別裁判所である星室庁を設置し，王権に反対する者を処罰して，絶対王政の基盤を固めていった。

2× イギリスがスペインの無敵艦隊を破ったのは，**ドーバー沖**である。**レパントの海戦**（1571年）は，**スペイン艦隊がオスマン帝国**の艦隊を破った戦いである。

3○ イギリスはモルッカ諸島の香辛料貿易をめぐる争いで**オランダ**に敗れた（1623年のアンボイナ事件）。その後，イギリスはインド経営に重点を置き，インド植民地化の足場を固めていく。

4× **3B政策**は，**ベルリン・ビザンティウム**（現在のイスタンブル）・**バグダード**を結ぶ**ドイツ**の世界政策である。また，第一次世界大戦中に**英仏露がイタリアに約束**したのは，トリエステ・南チロル・アドリア海沿岸地方の領有である。

5× **イギリス連邦**が成立したのは**1931**年であるから，**第二次世界大戦後であるとする記述は誤り**。カナダとアイルランドは，それ以前に独立を果たしている。また，**ヤルタ協定**（1945年）において，**パレスチナ問題に言及した文言はない**。パレスチナ問題に関して，イギリスの二枚舌外交が指摘されたのは，アラブ居住区の独立を認めた**フサイン・マクマホン協定**（1915年）と，ユダヤ人のパレスチナにおける建国を約した**バルフォア宣言**（1917年）である。

解答 3

2 ドイツとイギリスの世界政策

ドイツ（3B政策）		イギリス（3C政策）
ベルリン ビザンティウム バグダード	VS	カイロ ケープタウン カルカッタ

世界史

No. 86 ギリシャの歴史

ギリシャの歴史に関する記述として最も妥当なのはどれか。

1　エーゲ海地域を中心に栄えた青銅器文明であるエーゲ文明は，はじめはギリシャ本土のミケーネ文明が中心であった。ミケーネ文明の担い手は，アナトリア西岸から進出してきたギリシャ人で，首都クノッソスに大規模な宮殿を築き，海洋的文化を展開したが，後にバルカン半島を南下してクレタ島やトロヤでクレタ文明を形成したフェニキア人によって滅ぼされた。

2　紀元前８世紀頃からギリシャ各地にポリスが相次いで成立した。諸ポリスは地中海や紅海の沿岸に進出し，カルタゴやカイロなど多くの植民市を建設したため，ギリシャに敵対するササン朝ペルシアとの間にペロポネソス戦争が起こった。諸ポリスはアテネを中心にデロス同盟を組織し，ペルシア軍をマラトンの戦いやサラミスの海戦で破ってペルシア帝国を滅亡させた。

3　カイロネイアの戦いの後，マケドニアのアレクサンドロス大王はアテネ・テーベ連合軍を破ってギリシャの支配権を確立し，東方遠征を行ってアケメネス朝ペルシアを倒し，大帝国を建設した。ローマ帝国に滅ぼされるまでの間，この国では東方文化と融合したヘレニズム文化が栄え，上下水道・コロセウムなどの土木建築や法律・暦など実用面で特色をみせた。

4　ビザンツ帝国では，ローマ教会が発した聖像禁止令を巡る対立を契機に東西教会が分裂し，教皇を首長とするギリシャ正教会が確立した。帝国ではギリシャ語が公用語とされ，イスラム文化とギリシャ正教を融合させたビザンツ文化が生み出された。ギリシア正教は東欧全体，ロシアなどの地域において受容され，独自の文化圏としての東ヨーロッパ社会が成立した。

5　ビザンツ帝国滅亡後，オスマン帝国の支配下にあったバルカン半島では，19世紀初めにギリシャが独立運動を起こした。ウィーン体制の中心人物であるメッテルニヒは干渉を企てたが，ロシア・イギリス・フランスはバルカン半島への進出を目的にギリシャを援助し，オスマン帝国からの独立を達成させた。

解答欄	

解説 86

1 ×　エーゲ文明は前3000年頃からのものだが，クレタ島を中心とした**クレタ（ミノス）文明**は，ギリシャ本土の**ミケーネ文明よりも先に栄えた**。また，**ミケーネ**文明はギリシャ人の一派であるアカイア人が形成した文明であるが，ギリシア人の一派である**ドーリア人**によって滅ぼされたと考えられている。

2 ×　地中海や紅海沿岸の植民市は，**フェニキア人**が建設した都市である。ギリシャとペルシアとの間で起きた戦争は，**ペルシア戦争**である。さらに，この当時のペルシアは**アケメネス**朝である。

3 ×　アレクサンドロス大王以前に，その父の**フィリッポス2世**のときに，**カイロネイア**の戦いでアテネとテーベの同盟軍を破って，**マケドニア**がギリシャを支配下に置いている。しかし，アレクサンドロス大王の死後，大王の帝国は分裂し，やがて東方から進出してくるローマ帝国に滅ぼされてしまう。また，上下水道・コロセウムなどの土木技術や法律などの実用面の文化が発達したのは，**ローマ**文化である。

4 ×　偶像禁止令を発したのは，**ビザンツ**帝国である。726年，皇帝**レオン3世**が偶像禁止令を出した。また，ギリシャ正教は**東欧全体に受容されていたわけではなく**，ポーランドやチェコで信仰されていたのは**カトリック**である。

5 ○　ロシア・イギリス・フランスの艦隊が**ナヴァリノ**の海戦（1827年）で**オスマン帝国軍を破り**，これによりギリシャの独立は確実なものとなった。ギリシャの独立は，1830年のロンドン会議で，国際的に承認された。

解答　5

プラス知識

古代ギリシャの盛衰　（関連年代・事柄）

前600年頃　：ソロンの改革
前500年～449年　：ペルシア戦争→デロス同盟の結成
前431年～404年　：ペロポネソス戦争→アテネの没落
前338年　：カイロネイアの戦い→マケドニアの支配

No. 87 中国各王朝と周辺事情

中国の各王朝とその周辺諸国に関する記述として最も妥当なのはどれか。

1 前漢は，劉邦が項羽を破って建国した王朝であるが北方の匈奴に破れたため和親政策を採った。紀元前 2 世紀後半には，武帝は反撃に出て匈奴を北へ追いやった。

2 唐は，煬帝のときに大運河を建設するなどしたため財政基盤が弱体化した。朝鮮半島の新羅は高句麗を滅ぼして 6 世紀後半に朝鮮半島を統一した後，弱体化した唐に侵攻しこれを滅ぼした。

3 隋は，五代十国の時代の混乱を収束させて 7 世紀に統一国家を建設した。唐は，初期においてはタラス河畔の戦いでアッバース朝を滅ぼすなどして，中央アジアやベトナムにいたる大帝国を建設した。

4 宋は，皇帝直属の軍隊を強化するなどして中央集権体制を整備した結果，軍事力が強大となり，12 世紀には女真族の金を滅ぼすとともに，朝鮮半島の高麗から領土を奪った。

5 元は，強大な軍事力を用いて 13 世紀後半に南宋を滅ぼした後，日本やベトナムに遠征軍を派遣したが失敗に終わった。この後，弱体化した元は，北方の女真族のヌルハチが建国した清によって滅ぼされた。

解答欄

解説 87

1○ **前漢の高祖**（**劉邦**）の時代には**匈奴**と親和策をとったが，**武帝の時代**には度重なる遠征により，**匈奴**を北に追いやった。

2× **隋**の煬帝は大運河の建設と三度にわたる高句麗遠征のために，多くの民衆を徴発した。そのため，農民反乱が各地に起こり，**隋**はその混乱の中で滅亡した（618 年）。また，新羅が唐と連合して高句麗を滅ぼし，朝鮮半島を統一したのは，**7** 世紀後半（668 年）である。

3× 五代十国の時代を収束して，中国を統一したのは**宋**である（960 年）。また，**唐**はタラス河畔の戦い（751 年）では，**アッバース朝に敗れている**。

4× 宋は**武断**政治の弊害を改めようとしたため，**文治**政治を徹底した。それにより軍事力は弱体化し，異民族の侵入に度々苦しむことになった。宋は**金**と協力して遼を滅ぼしたが，今度は**金**の侵攻を受けることになり，華北地方を放棄して江南地方に逃れ，**南宋を建国**した。

5× 前半部分の**記述は正しい**。しかし，漢民族によって建国された**明**が元をモンゴル高原へ退けたので，**後半部分の記述は誤り**。

解答 1

地理

No.88 世界の湖

重要度

次の文はユーラシア大陸に存在するある湖に関する記述であるが，A～Dに入る語句の組合せとして最も妥当なのはどれか。

［　A　］は淡水湖の面積では，世界最大の［　B　］には及ばないものの，世界で最も深く貯水量も世界最大である。世界の淡水の20%ほどがここにあるとされている。水質も［　C　］に代わり世界最高の透明度を誇る湖となっており，世界遺産に登録されている。沿岸では，この湖の固有種であるサケ科のオームリや［　D　］を対象とした漁業が盛んである。

	A	B	C	D
1	アラル海	カスピ海	バイカル湖	チョウザメ
2	バイカル湖	スペリオル湖	摩周湖	チョウザメ
3	スペリオル湖	カスピ海	バイカル湖	マス
4	バイカル湖	スペリオル湖	アラル海	マス
5	カスピ海	バイカル湖	摩周湖	チョウザメ

解答欄

解説 88

A　**バイカル湖**である。**カスピ海**と環境破壊が進行している**アラル海は塩水湖**であるので，淡水湖には当てはまらない。また，**スペリオル湖**は北アメリカにある五大湖のうちの一つ。ユーラシア大陸にはないので，これも当てはまらない。

B　**スペリオル湖**である。**スペリオル湖**は，淡水湖として世界最大の面積（約82,200平方km）を持つ湖である。

C　**摩周湖**である。かつては**バイカル湖**を凌ぐ透明度を誇っていたが，1950年代以降は透明度が低下してしまった。

D　**チョウザメ**である。世界三大珍味のキャビアで知られる**チョウザメ**が生息している。

以上から，最も妥当な組合せは**2**である。

解答　2

地理

No. 89 国境

国境に関する記述として最も妥当なのはどれか。

1　山岳（特に山脈）は隔絶性が高いのでしばしば国境となるが，河川は長い年月を経て流路や中州の位置が変わり国境に変更が生じるので今は利用されていない。

2　主権国家の領域としては，領土・領海・領空があり，それぞれ独自に隣国との国境線を定める国際的な合意がある。

3　海洋国境は，海洋に面しているすべての国に存在しており，領海線＝国境である。領海線は3カイリ（海里）と決まっており，狭い海域で向き合う国では条約で決定している。

4　人為的国境には，経緯線を用いた国境などがある。例えばアメリカ合衆国・カナダの北緯49度線，西経141度線などがあるが，民族分布の境界と一致していないことが多い。

5　湖沼国境は，河川と類似して隔離性は劣るが交流性に優れている。チチカカ湖にはチリ・ボリビア，ビクトリア湖にはマダガスカル・ケニア・タンザニアの国境がある。

解答欄

解説 89

1×　**河川は山岳と同様に**，現在でも国境となっている例は多い。**ライン川はドイツとフランス**，**ドナウ川はルーマニアとブルガリア**の国境線の一部となっている。ただし，川の流れが大きく変わると，国境紛争の原因になる問題点がある。

2×　主権国家の領域としては，**領土・領海・領空**があるとする**記述は正しいが**，領空（大気圏内）には国境線を定める国際的な**合意はない**。領土と領海の上空**にすぎないから**である。

3×　領海は**12**カイリ（海里）とする国が多い。

4○　アフリカ諸国の中にも**人為的国境**が数多くみられるが，**民族分布と必ずしも一致してない**ため，民族紛争の火種となりやすい。

5×　**チチカカ湖**には**ペルー**とボリビアの国境がある。**チリではない**。**ビクトリア湖**には**ウガンダ**・ケニア・タンザニアの国境がある。**マダガスカルとは無関係**である。

解答　4

地理

No. 90 日本の主要輸入品目と輸入先

表は 2021 年の我が国の主な輸入品 5 品目について，輸入額，主要輸入相手国上位 3 か国及び輸入額に占めるそれらの国の割合を示したものである。A～E に当てはまる輸入品の組合せとして最も妥当なのはどれか。

品目	輸入額（億円）	輸入相手国及び輸入額に占める割合（%）		
A	2兆8013	オーストラリア 67.2	インドネシア 11.3	ロシア 10.2
B	2兆8352	中　国 55.8	ベトナム 14.1	バングラデシュ 4.6
C	1兆4423	チ　リ 35.0	オーストラリア 18.0	インドネシア 13.0
D	1兆5158	中　国 18.0	チ　リ 9.2	ロシア 9.1
E	1958	アメリカ合衆国 45.1	カナダ 35.5	オーストラリア 19.2

	A	B	C	D	E
1	鉄鉱石	とうもろこし	石炭	小麦	液化天然ガス
2	石炭	魚介類	鉄鉱石	衣類	液化天然ガス
3	とうもろこし	衣類	鉄鉱石	液化天然ガス	小麦
4	衣類	石炭	銅鉱	小麦	魚介類
5	石炭	衣類	銅鉱	魚介類	小麦

解答欄

解説 90

A **石炭**である。**鉄鉱石**の場合には，**オーストラリア**，**ブラジル**，**カナダ**からの輸入となる。

B **衣類**である。**中国の衣類**は，主力輸出品の一つである。

C **銅鉱**である。**チリが入っている**ので，**銅鉱**と判断できる。

D **魚介類**である。**中国**の漁船漁業生産量は世界 1 位である。**チリ**からは主にサケ・マスを輸入している。

E **小麦**である。**アメリカ合衆国**，**カナダ**，**オーストラリア**の三国で，ほとんど輸入をまかなっていることから**小麦**と判断できる。

以上から，最も妥当な組合せは **5** である。

解答　5

地理

No. 91 世界の民族と言語

各国の民族や言語に関する記述として最も妥当なのはどれか。

1　フランスでは，多種多様な方言が存在していたが，国民国家として統一される過程において，かつてのパリ地方の方言が国語として「フランス語」の地位を占めた結果，現在では，各地方特有の方言はすべて消滅している。

2　カナダでは，旧宗主国イギリスからの移民が，全人口の大半を占めている上，すべての州及び準州において過半数の人口を持っているため，英語が国の唯一の公用語とされている。

3　インドネシアは，2億7千万人の世界第4位の人口を有する多民族国家である。少数民族による分離独立運動が相次ぎ，1999年に東ティモール，2002年にアチェが独立を宣言し，2004年には両国が正式に独立国として国際社会から承認された。

4　中華人民共和国には，人口の約60%を占める漢民族と55の少数民族が共存し，1980年代の胡耀邦政権時代には少数民族の優遇を図って固有の言語による教育を認めたが，習近平政権では，新疆ウイグル自治区での爆破テロ事件などを背景に，少数民族に対する弾圧が強まっている。

5　オーストラリアには，かつて白人による先住民アボリジニや他の有色人種の移民に対する迫害や差別の歴史があったが，今は移民が全体の約2割を占めるようになった。公用語は英語で，人口の約80%が家庭で英語のみを使用し，最も広く使われている。

解答欄

プラス知識

世界の主要言語

言語	特　徴	主な使用地域・国
英語	最も広い地域で使用されている。学術語・商業語・外交語	イギリス・北米・オセアニアなど
中国語	使用する人口は一番多い。北京語や広東語など方言が多い。	中国・台湾，その他周辺地域
ドイツ語	学術語として重要。	ドイツ・スイス・オーストリアなど
フランス語	外交語・社交語として重要。	フランス・スイス・カナダの一部など
ロシア語	学術語として重要。	ロシアとその周辺地域
スペイン語		スペイン・ブラジルなどを除く中南米諸国
ポルトガル語		ポルトガル・ブラジル

解説 91

1× かつてパリ地方の方言であったものが，「**フランス語**」として通用するようになったとする**記述は正しいが**，すべての方言が**消滅したわけではない**。

2× カナダの公用語は，**英語**と**フランス語**である。英語を唯一の**公用語**とする記述は誤りである。

3× **アチェ州は独立していない**。ポルトガル領であった**東ティモール**は，1999年8月30日，国連主導の住民投票によりインドネシアの占領から解放され，21世紀最初の独立国として，2002年5月20日に独立した（国際法上はポルトガルからの独立）。

4× 中華人民共和国には，人口の**約92%**を占める漢民族と55の少数民族が共存している。習近平政権になって少数民族の同化政策が加速され，少数民族に対する人権問題が国際社会から指摘されている。

5○ 非英語圏から来た移民あるいはその子孫の中には，家庭で祖国の言葉を使う者もおり，少数だが**中国語**，**ベトナム語**，**イタリア語**なども使用されている。

解答 5

プラス知識

世界の主要文化圏

文化圏	共通点・特色	主な地域・国
ゲルマン（アングロアメリカ）文化圏	プロテスタントが多い	北西ヨーロッパ・北米
ラテン文化圏	カトリックが多い	南西ヨーロッパ・中南米
スラブ文化圏	ギリシア正教が多い	東欧・ウクライナ・ロシア
イスラム文化圏	イスラム教が多い	中近東・北アフリカ
インド文化圏	ヒンドゥー教が多い	南アジア
東アジア文化圏	仏教・道教・儒教が多い	日本・朝鮮・中国
マライ文化圏	イスラム教が多い	インドネシア・マレーシア
内陸アジア文化圏	ラマ教が多い	モンゴル・チベット

地理

No. 92 中国の少数民族

中国は多民族国家で，人口の約 92%を占める漢族のほかにさまざまな少数民族が暮らしている。A～D は，主な少数民族の伝統的な生活様式を記述したものであるが，該当する民族名の組合せとして最も妥当なのはどれか。

A　草原地帯に住み，牧畜を中心とした生活を営んでいる。家畜の乳からは，さまざまな乳製品がつくられる。ゲルと呼ばれるフェルトでつくられた円筒型のテントに居住し，仏教を信仰している。

B　標高が高く，乾燥した地域に住んでいる。生業は農業と放牧が主であるが，標高が高いところでは，ヤクを飼育している。仏教を信仰し，サンスクリット文字を基にした表音文字を用いている。

C　トルコ系の民族で，アラビア文字を基にした表音文字を用い，イスラム教を信仰している。砂漠と草原が続く乾燥地帯に居住し，牧畜やオアシスにおいて灌漑農業に従事する者が多い。

D　中国湖南省から雲南省，東南アジア北部の主に山地に広く住む中国の少数民族である。山地を渡り歩く焼畑耕作民として知られていたが，現在では定住化が進んでいる。道教の神である盤古を信仰し，民族としての伝承を有する。

	A	B	C	D
1	チベット族	モンゴル族	ウイグル族	ヤオ（瑶）族
2	チベット族	ウイグル族	モンゴル族	ヤオ（瑶）族
3	ウイグル族	チベット族	ヤオ（瑶）族	モンゴル族
4	モンゴル族	チベット族	ウイグル族	ヤオ（瑶）族
5	モンゴル族	チベット族	ヤオ（瑶）族	ウイグル族

解答欄

解説 92

A　**モンゴル族**である。人口約 581 万人で，その多くは**内モンゴル**自治区に居住している。

B　**チベット族**である。人口約 542 万人で，その多くは**チベット**自治区に居住している。

C　**ウイグル族**である。人口約 840 万人で，その多くは**新疆ウイグル**自治区に居住している。

D　**ヤオ（瑶）族**である。人口約 264 万人の山岳民族。伝承の内容が日本に伝わって，『南総里見八犬伝』に取り入れられたとされている。

以上から，最も妥当な組合せは **4** である。

解答　4

地理

No. 93 イスラム教とイスラム社会

重要度

イスラム教及びイスラム社会に関する記述として最も妥当なもののみをすべて挙げているのはどれか。

A　イスラム教は西アジア，北アフリカを中心に広がっているが，それ以外の地域でも，イスラム教徒が人口に占める割合が半数以上となる国は，東欧や東南アジアにも存在する。

B　イスラム教の創始者であるムハンマドは神からの言葉を伝える預言者であり，信仰の対象とはならない。また，モスクは祈りのための場所で，メッカの方向を示す窪みが築かれており，祭壇や神の像などは置かれていない。

C　イスラム暦の９月の第１週に，祖先の労苦を偲ぶための祭り（ラマダーン）が１週間にわたって行われる。イスラム教徒は，この期間に子羊の肉，膨らませないパン，苦菜等の粗末な食事をとる。

D　食事に関して厳格な規定があり，牛は神聖な動物であるため食べることが禁じられている。また，上位の宗教指導者ほど肉類に関する制限が厳しくなってゆき，最上位の者は完全な菜食主義となる。

E　イスラム教では，教典であるコーランが，法律の役割を果たしている国もある。一方，イスラム教徒が国民の大半を占めるにもかかわらず，憲法で政教分離を定めている国の例として，トルコが挙げられる。

1　A，B　　**2**　A，D，E　　**3**　B，C　　**4**　A，B，E　　**5**　C，D，E

解答欄

解説 93

A○　東欧では**アルバニア**と**コソボ**，東南アジアでは**マレーシア**，**ブルネイ**，**インドネシア**が該当する。

B○　イスラム教徒にとって，信仰の対象となるのは唯一神**アッラー**のみである。**ムハンマド**は尊敬の対象たりえても，信仰の対象とはならない。また，祭壇や神の像を置かないのは，偶像崇拝を厳しく禁じているからである。

C×　**ラマダーン**は，イスラム暦の第９番目の月名であり，この１か月間にわたって，日の出から日没まで**断食**が課せられる。

D×　問題文の記述は，**ヒンドゥー**教に該当する。イスラム教徒の肉食の制限に関しては，一般信徒も宗教指導者も同じである。

E○　イスラム法に基づく政治をとる国が多いが，**トルコ**は憲法で政教分離を定めている。

以上から，最も妥当な組合せは**A，B，E**の**4**である。

解答　4

地理

No. 94 世界の気候

世界の気候と農業に関する記述として最も妥当なのはどれか。

1　熱帯雨林気候は，赤道直下のアマゾン地方やアフリカ南東部やインドシナ半島全域などにみられ，1年は雨季と乾季に分かれている。熱帯雨林の伐採跡地では，サトウキビ，綿花，コーヒーなどを栽培する大規模農業や企業的畜産が盛んに行われている。

2　ステップ気候は，アフリカの北回帰線付近と中央アジアを中心にみられ，年間降水量が少なく，地表に草木はあまりみられず岩や砂が広がっている。しかし，ステップ周辺部では，比較的雨量が多く褐色土が形成されており，灌漑によってとうもろこし，小麦などを栽培する農牧業地帯となっている。

3　地中海性気候は，ヨーロッパ中西部やオーストラリア南東部など，北半球では大陸の西岸，南半球では東岸の比較的高緯度地方にみられ，暖流と偏西風の影響で，四季を通じて適度の降水と比較的温和な気候となっている。小麦やライムギなど穀物の栽培と牧畜を組み合わせた混合農業が広く営まれている。

4　温帯湿潤気候は，大陸西岸の緯度的に30°から40°に分布し，地中海沿岸から黒海，北米大陸や南米大陸の西岸，アフリカ大陸やオーストラリア大陸の南端にもみられる。夏季は亜熱帯高圧帯の影響で乾燥し，冬季は偏西風の影響で降雨に恵まれており，果樹栽培と羊や山羊の移牧が行われている。

5　亜寒帯（冷帯）湿潤気候は，北アメリカ北部やシベリアなど北半球にみられる。亜寒帯北部では，針葉樹を主とする亜寒帯林（タイガ）が広い地域を覆っているが，亜寒帯南部では，夏の気温が比較的高くなるので，小麦やジャガイモなどの栽培や酪農が行われている。

解答欄

解説 94

1×　1年が雨季と乾季に分かれていることから，**サバナ**気候（Aw）に関する記述である。**熱帯雨林**気候（Af）は，一年中降雨がみられ，乾季はない。

2×　**前半部分**の記述は，**砂漠**気候（BW）に関する記述であり，**後半部分から**が**ステップ**気候（BS）に関する記述である。

3×　すべて**西岸海洋性**気候（Cfb）に関する記述である。

4×　すべて**地中海性**気候（Cs）に関する記述である。**温帯湿潤**気候（Cfa）は季節風の影響で，夏季に降雨が多く，冬季に降雨が少ないのが特徴である。

5○　その自然条件から，**林業**，**混合農業**，**酪農**が行われている。

解答　5

地 理

No. 95 世界の主要な河川

B 重要度

世界の主要な河川に関する記述として最も妥当なのはどれか。

1 長江は，四川省南部を水源とし，チベット高原から華中地域を流れ，黄海に注ぐ中国最長の河川である。流域には多量の泥や砂が流れるため，中・下流部にかけて河床が上昇し，特に下流部では天井川となっている地域もある。

2 アマゾン川は，アンデス山脈を水源とし，南アメリカ大陸南部を東流して大西洋に注ぐ，世界最大の流域面積を有する河川である。流域の大部分が熱帯気候に属しており，カンポやパンパと呼ばれる熱帯雨林が密生している。

3 ドナウ川は，ドイツのシュバルツバルトを水源とし，東流してポーランド，ハンガリー，ルーマニアなど東ヨーロッパ諸国を経て地中海に注ぐ国際河川である。流域は肥沃な土壌に恵まれ，小麦，とうもろこしなどの生産が盛んな農業地域となっている。

4 ナイル川は，アフリカ大陸の赤道付近を水源とする外来河川であり，北流して紅海に注ぎ，河口近くのアレクサンドリア付近には円弧状の三角州が形成されている。近年までは世界最長とされていたが，現在はアマゾン川に次いで世界第２位の河川である。

5 コロラド川はアメリカ合衆国西部のロッキー山脈を水源とし，コロラド高原を横断し，カリフォルニア湾に注いでいる。流域にはグランドキャニオンや世界恐慌後の経済活性化のために建設されたフーヴァーダムなどが存在する。

解答欄

解 説 95

1× 長江は，**青海省**のチベット高原を水源地域とし，中国大陸の華中地域を流れ，**東シナ海**へと注ぐ中国およびアジアで最長の川である（全長 6,300km）。

2× 前半部分の**記述は正しいが**，アマゾン川流域の熱帯雨林は**セルバ**と呼ばれている。ブラジル高原に分布する**カンポ**とアルゼンチンに分布する**パンパ**は，南米大陸の疎林と潅木を交えた草原地帯の呼称である。

3× ドナウ川はドイツのシュバルツバルトを水源にしているが，**黒海**に注いでいる国際河川である。

4× ナイル川は赤道付近にあるビクトリア湖とエチオピア高原のタナ湖を水源としているが，**地中海**に注いでいる河川である。現時点において，ナイル川は世界最長の川（6,695km）とされているが，アマゾン川の長さについては，その巨大な水系と数多くの支流のため，複数の見解があるのが事実である。

5○ **コロラド州**のロッキーマウンテン国立公園内に水源がある。

解答 5

政　治

No. 96 人身の自由

日本国憲法が定める人身の自由に関する記述として最も妥当なのはどれか。

1　被疑者は，理由となる犯罪を明示した令状がなければ逮捕されない。ただし，現行犯については，公訴権をもつ検察官に限って令状なしに逮捕することができる。この場合，検察官は被疑者に対し，弁護人に依頼する権利を有することをただちに告げなければならない。

2　被疑者は，検察官の発した令状によらなければ犯罪捜査として捜索・押収を受けることはない。他方，検察官は犯罪の発生を未然に防ぐ必要を認めた場合，弁護人に依頼する権利を有することを明示して，犯罪を予防する措置としての捜索・押収を認めた令状を発することができる。

3　被疑者は，一事不再理の原則により実行のときに適法であった行為について検察官から起訴されることはない。しかし，その後の法改正によってその行為が犯罪と明示され，被害者から告発があった場合には，検察官は実行のときに違法ではなかった被疑者の行為についても，裁判所に起訴することができる。

4　刑事被告人は，すべての証人に対して自ら審問することができ，自己に必要な証言を得るために公費で証人を求めることもできる。さらに，自ら弁護人を依頼できない場合は，国が弁護人を付することとされている。また，自己に不利益な供述を強要されることはない。

5　刑事被告人は，事件が裁判所で係争中は被疑者に過ぎず，行動の自由が保障されていることから，この間に刑事手続によって抑留又は拘禁された場合には，裁判所による判決が有罪であったとしても，国に対し，これらの拘束で生じた経済的損失について刑事補償を求めることができる。

解答欄

解説 96

1× 被疑者は理由となる犯罪を明示した令状がなければ，逮捕されないとする記述は正しい（憲法33条）。しかし，**現行犯**については検察官**だけではなく，**何人でも令状なしで逮捕**できるので，この部分の記述は誤り**である（刑事訴訟法213条）。なお，被疑者の弁護人依頼権については**正しい**（憲法34条）。

2× 被疑者は，**裁判官**の発した令状でなければ，犯罪捜査として捜索・押収を受けることはないので**誤り**（憲法35条，刑事訴訟法107条・219条）。

3× 何人も，実行のときに適法であった行為については，刑事上の責任を問われることはない（憲法39条）。これは罪刑法定主義（憲法31条）の帰結である**事後法の禁止（遡及処罰禁止）の原則**によるものである。したがって，既に適法とされた行為について，検察官が遡って処罰を裁判所に求めることはできない。なお，**一事不再理の原則（二重処罰の禁止）**とは，確定判決によって**無罪**とされた行為あるいは**有罪**とされた行為を，あらためて処罰することを許さない原則である（同法39条）。

4○ 刑事被告人の有する**証人審問権**（憲法37条2項），**弁護人依頼権**（同法同条3項），**黙秘権**（同法38条1項）の**記述として正しい**。

5× 何人も，抑留又は拘禁された後，**無罪**の裁判を受けたときは，国に対してその経済的損失の補償を求めることができる（憲法40条）。**無罪の判決であることが要件**となる。

解答　4

プラス知識

罪刑法定主義の内容

人権保障のために，どのような行為が処罰されるのか法律に定められることが要請される。

・罪刑の法定
・罪刑の均衡
・類推解釈の禁止
・事後法（遡及処罰）の禁止

※注　一事不再理の原則（二重処罰の禁止）は，確定判決の効力（既判力）の問題であり，罪刑法定主義の内容ではない。

政治

No. 97 国会

我が国の国会に関する記述として最も妥当なのはどれか。

1 国会は，衆議院と参議院の二院制を採用している。衆議院は，予算案の議決などにおいて参議院に優越するなど相対的に強い権限が与えられていることから，参議院に比べて議員の定数が多く，その任期も長い。また，被選挙権が与えられる年齢も高くなっている。

2 国会の種類の一つに，毎年必ず召集される常会がある。常会は年度の初めの4月に召集され，会期を150日間とすることが憲法第52条に定められており，他の時期に召集することや会期を延長することは認められていない。

3 一定数以上の国会議員が要求したときには，臨時会と呼ばれる国会を召集することができる。臨時会の召集に必要な国会議員の数は，両議院の総議員の4分の1以上となっている。

4 衆議院を解散した場合，憲法第54条によって，解散後の総選挙の日から30日以内に，内閣の意向や当選した議員の要求の有無にかかわりなく，特別会と呼ばれる国会を召集しなければならない。

5 衆議院を解散した場合，衆議院議員は，その時点から議員としての活動を停止するが，総選挙の結果が出るまでは議員としての身分を保有しており，この間に国に緊急の事態が発生した場合には臨時会と呼ばれる国会の召集を要求することができる。

解答欄

プラス知識

国　会

1　国会の地位

「国権の最高機関であって，国の唯一の立法機関」とされている（憲法41条）。

①「最高機関」の意味：国民の代表機関である国会を国政の中心とする。三権分立制を崩す意味ではない。

②「唯一の立法機関」の意味：国会以外のどの機関も法を制限できないし（国会中心立法の原則），議決に関与できない（国会単独立法の原則）とする。

解説 97

1 × 衆議院の優越事項があり，衆議院の議員定数が参議院より多いことについては**正しい**。しかし，衆議院議員の任期は**4**年，参議院議員の任期は**6**年で，**衆議院議員の任期の方が短い**（憲法45条，46条）。さらに，被選挙権が与えられる年齢は，衆議院議員が**25**歳以上，参議院議員が**30**歳以上で，**衆議院議員の方が低くなっている**（公職選挙法10条1項1号・2号）。

2 × 憲法52条では，「国会の常会は，毎年一回これを召集する。」と定めるのみで，国会法で「毎年**1月に召集**するのを常例とする」と規定している（同法2条）。さらに，会期は原則として**150**日間で，**1回延長することができる**ことを，国会法で定めている（同法10条，12条）。

3 × **いずれかの議院**の総議員の4分の1以上の要求で臨時会を召集できる（憲法53条）。

4 ○ 憲法54条は，衆議院の解散の後に衆議院の欠ける期間を最小限度に抑える目的で，解散後の期日を定めたものである。したがって，内閣の意向や当選した議員の要求の有無にかかわりなく，**特別会**を召集しなければならない。なお，衆議院議員の任期満了による総選挙が行われた場合には，**臨時会**が召集される（国会法2条の3第1項）。

5 × 衆議院を解散した場合，衆議院議員は議員としての**身分を失う**（憲法45条ただし書）。たんに，活動を停止するものではない。衆議院解散中に，国に緊急の事態が発生した場合には，内閣が**参議院**の**緊急集会**を求めることができる（同法54条2項ただし書）。

解答 4

2 国会の会の種別

種 別	目 的	召集要件
常会	予算と関連法の審議	1月中に召集され，会期は150日間
臨時会	臨時の案件審議	内閣またはいずれかの議院の総議員の1/4以上の要求
特別会	内閣総理大臣の指名	衆議院の解散総選挙の日から30日以内
参議院の緊急集会	衆議院解散中の緊急時の案件審議	内閣の要求

※注 衆議院議員の任期満了に伴う総選挙の場合には，臨時会が召集される。

政 治

No. 98 大統領制

大統領制に関する記述Ａ～Ｄとそれを採用している国の組合せとして最も妥当なのはどれか。

Ａ　大統領は選挙人による間接選挙によって選出され，任期は４年，三選は認められていない。国家元首であり，同時に行政府の長である。全国民の代表として議会から独立して行政権を行使する。議会に対する法案提出権がない代わりに教書を送付する権利があり，法案拒否権を持っている。

Ｂ　大統領は連邦会議によって選出され，任期は５年で，三選は認められていない。国家元首として，条約の締結，外交使節の信任・接受，連邦大臣・裁判官・上級公務員の任命などの権限を持っているが，国家統合の象徴であるという性格が強い。

Ｃ　大統領は国民の直接選挙により選出され，任期は５年である。第１回投票で過半数がとれない場合には，上位２人による第２回投票で選出される。首相や閣僚の任免権，国民議会の解散権などを持ち，権限は非常に強大であるが，議会に責任を負う内閣も存在し，半大統領制ともいわれる。

Ｄ　大統領は国民の直接選挙により選出され，任期は６年，三選は認められていない。国家元首であり，首相任命権，国家会議（下院）の解散権，非常大権を持ち，軍最高司令官を兼ねるなど，強大な権限を持っている。また，議会の法案に対する拒否権を持っている。

	Ａ	Ｂ	Ｃ	Ｄ
1	アメリカ	ドイツ	フランス	ロシア
2	アメリカ	フランス	ロシア	ドイツ
3	ドイツ	フランス	アメリカ	ロシア
4	フランス	ロシア	ドイツ	アメリカ
5	フランス	ドイツ	ロシア	アメリカ

解答欄

解説 98

A **アメリカ**が該当する。**アメリカ**では，厳格な**三権分立制**が採用されている。そのため，大統領は議会に**教書を送付する権利**と**法案拒否権**はあるが，**法案提出権**と**議会解散権**を持たない。議会も大統領に対する**不信任権**がない。大統領選挙人による**間接選挙**により選出され，**2期8年**までしか大統領職にとどまることができない。

B **ドイツ**が該当する。**ドイツ**では**議院内閣制**が採用されており，大統領は元首として一定の権限を有するが，**国家統合の象徴**であるという性格が強い。大統領は，**下院議員**及び**各州議会議員の代表者**で構成する**連邦会議**で選出される。

C **フランス**が該当する。大統領の権限は**首相と閣僚の任免権**，**国民議会**（下院）**の解散権**などを持ち，非常に強大であるが，同時に議会に対して責任を負う内閣も存在する。そのため，**大統領制**と**議院内閣制が混在**するので**半大統領制**とも呼ばれている。大統領は国民の**直接選挙**により選出され，第1回投票で過半数がとれない場合には，上位2人による第2回投票で選出される。

D **ロシア**が該当する。**フランス**の**半大統領制**と同じく，大統領に強大な権限があり，同時に議会に対して責任を負う内閣も存在する。大統領は国民の**直接選挙**により選出され，**任期は6年**で，三選は認められていない。なお，2020年の憲法改正で，現職大統領の任期は制限対象外とされ，プーチン大統領は2024年の任期満了後も更に2期務めることができるようになった。

以上から，最も妥当な組合せは**1**である。

解答 1

プラス知識

主要国の政治制度

形態	内容	主な採用国
大統領制	立法府と行政府が完全に分離	アメリカ，フィリピン，中南米諸国
議院内閣制	議会の信任に基づき内閣が存続	日本，イギリス，ドイツ，イタリア
半大統領制	大統領制と議院内閣制が混在	フランス
権力集中制	一つの機関に権力が集中	中国，北朝鮮，ロシアなど

※注 ドイツとイタリアにも大統領は存在するが，国家の象徴的な存在であり，これらは実質的には議院内閣制を採る国々である。

政治

No. 99 行政法規

我が国の行政に関する法律の記述として最も妥当なのはどれか。

1 国家公務員法は，国家公務員の採用や給与，服務について規定しているが，特別職の国家公務員には適用されない。1999（平成11）年の改正では，国家公務員の不祥事を防止するために，国家公務員が遵守すべき倫理原則や贈与，株取引などの報告を義務付けるなどの規定が追加された。

2 地方自治法は，地方自治の本旨に基づいて地方公共団体の区分並びに地方公共団体の組織及び運営に関する事項の大綱を定めている。1999（平成11）年の改正により，機関委任事務が廃止され，地方自治体の処理する事務は自治事務と法定受託事務に分類されるようになった。

3 行政機関の保有する情報の公開に関する法律（情報公開法）は，2003（平成15）年に成立し，2005（平成17）年4月から施行された。これは地方公共団体が条例によって1980年代から導入し始めていた情報公開制度を国レベルで規定したものである。情報公開法の適用対象となるのは国の行政機関であるが，重要な国家機密を取扱う外交・防衛・警察関係の行政機関は除外されている。

4 国家賠償法は，国又は公共団体の損害賠償責任に関する法律である。公権力を行使する公務員が，その職務を行うについて，過失によって違法に他人に損害を与えたときは，原則として国又は公共団体がその損害賠償責任を負うが，公務員に故意又は重過失があったときには公務員個人が直接被害者に対して損害賠償責任を負うと規定している。

5 行政事件訴訟法は，行政事件訴訟全般に関する法律で，民事訴訟とは異なる行政事件訴訟特有の裁判手続きについて規定している。現行憲法は，行政裁判制度を採っており，行政事件に関する裁判は司法裁判所ではなく行政裁判所が管轄している。

解答欄

プラス知識

行政法の原理と法体系

1　法治行政の原理（法治主義）

①法律の法規創造力：国会で制定する法律だけが，国民の権利義務に関する法律である法規を創造できる。

②法律の優位：法律が存在する場合には，行政作用が法律に違反してはならない。

③法律の留保：一定の行政作用については，法律の根拠がなければならない。

解説 99

1 × 国家公務員法は一般職に適用され，特別職の公務員には適用されないので，この点に関する**記述は正しい**（同法２条５項）。しかし，国家公務員が遵守すべき倫理原則などは，**国家公務員倫理法**に規定されているので，この点に関する**記述は誤りである**。

2 ○ 地方自治法は，1999（平成 11）年に地方分権化推進の方針に基づいて大改正され，国と地方の関係が，従来の上下関係から対等な関係に改められた。**機関委任**事務が廃止され，地方自治体の事務が**自治事務**と**法定受託事務**に再編されたのも，その一環である。

3 × 行政機関の保有する情報の公開に関する法律（情報公開法）は，行政機関を「内閣に置かれる機関及び内閣の所轄の下に置かれる機関」と規定している（同法２条１項１号）。したがって，**国家機密を取扱う**ことが多い**外交・防衛・警察関係の機関も適用の対象**となる。

4 × 国家賠償法は，公務員の不法行為と公の営造物の設置管理の瑕疵に対する国又は公共団体の賠償責任を定めた法律である。したがって，**公務員個人**に対する損害賠償責任は**規定していない**。ただし，公務員に故意又は重過失があったときには，賠償した国又は公共団体が**求償**できる旨の**規定は存在する**（同法１条２項）。

5 × 公共の福祉を実現していく行政の特殊性に鑑み，行政事件訴訟法が民事訴訟とは異なる裁判手続きを規定しているとする**記述は正しい**。しかし，現行憲法は法の下の平等を貫くために，行政事件に関する裁判**も司法裁判所**が管轄している（同法 76 条１項・２項）。

解答 2

２　行政法の体系
個別の法規がまとまって，法体系を形成している。
①行政主体に関する法（行政組織法）：内閣法・国家行政組織法・地方自治法・国家公務員法・地方公務員法など
②行政作用に関する法（行政作用法）：警察官職務執行法・行政代執行法・行政手続法など
③行政救済に関する法（行政救済法）：行政不服審査法・行政事件訴訟法・国家賠償法など

政治

No. 100 裁判所

我が国の司法制度に関する記述として最も妥当なのはどれか。

1 日本国憲法では，司法権の独立を保障する規定が初めて設けられた。日本国憲法制定以前は司法権の独立が保障されていなかったため，ロシア皇太子を傷つけた巡査を死刑にするよう政府が要求した大津事件では，裁判所は政府の要求どおり巡査に対して死刑判決を出した。

2 日本国憲法では，裁判官が司法権の内外からの圧力などによって罷免されたりすることがないよう，身分保障の規定を設けている。このため，裁判官が罷免されるのは心身の故障により職務を行うことができなくなった場合と，国民審査によって不適格とされた場合に限られる。

3 日本国憲法では，裁判所は最高裁判所，高等裁判所，下級裁判所に分類されており，裁判所法によって，下級裁判所は地方裁判所，家庭裁判所，簡易裁判所に分類されている。裁判所法ではこのほかに，特別裁判所として行政事件を専門に担当する行政裁判所を置くことを定めている。

4 日本国憲法では，裁判は公開法廷で行うことを原則とする。しかし，政治犯罪や国民の基本的人権に関する事件の訴訟については，裁判官が全員一致で，個人のプライバシーを保護する必要があると決定した場合に，例外として非公開とすることができる。

5 日本国憲法では，裁判官のうち，最高裁判所の長官のみが内閣の指名に基づいて天皇によって任命される。その他の裁判官，すなわち，最高裁判所長官以外の最高裁判所の裁判官，高等裁判所及び他の下級裁判所の裁判官は，すべて内閣によって任命される。

解答欄

プラス知識

司法の独立と民主的統制

1　司法の独立

裁判官は他の国家機関や裁判所内部の職制による干渉を受けない

⇩

裁判官の身分保障により担保する（心身の故障と公の弾劾による他は罷免されない）

解説 100

1 × 日本国憲法で，司法権の独立を保障する規定が初めて設けられたとする**記述は正しい**。しかし，日本国憲法制定以前においても，**大津**事件では，被告を死刑にせよという政府の圧力に対し，大審院院長（現在の最高裁判所長官）の児島惟謙は**担当裁判官を励まし，外部の圧力から司法権の独立を守った先例がある**。

2 × 憲法 78 条は，「裁判官は，裁判により，心身の故障のために職務を執ることができないと決定された場合を除いては，公の弾劾によらなければ罷免されない。」と規定している。つまり，裁判官が罷免されるのは，裁判により心身の故障のために職務を執ることができないと決定された場合と**公の弾劾による場合**である。**公の弾劾**とは，**弾劾裁判所による裁判**である（同法 64 条）。さらに，**最高裁判所裁判官**については，**国民審査**が加わる（同法 79 条２項・３項）。

3 × 憲法では，裁判所は**最高裁判所と下級裁判所に分類しているのみであり，高等裁判所の定めはない**（同法 76 条１項）。**下級裁判所の中に高等裁判所**が定められている（裁判所法２条１項）。また，司法裁判所の組織系列に属しない特別裁判所の設置は，憲法で**禁止**されている（同法 76 条２項）。

4 × 政治犯罪や国民の基本的人権に関する事件の訴訟については，**常に公開すること**が要求されている（憲法 82 条２項ただし書）。国民の基本的人権の保障に重大な影響がある事件の訴訟については，**国民の監視が必要だから**である。

5 ○ 最高裁判所の長たる裁判官は，**内閣が指名**し，**天皇が任命**する（憲法６条２項）。その他の裁判官は，**内閣が任命**する（同法 79 条１項，80 条１項）。

解答 5

２　司法の民主的統制
裁判官が独善に陥ることを防止する
・弾劾裁判による罷免
・最高裁判所裁判官の国民審査による罷免

No. 101 社会的基本権

我が国の社会権的基本権に関する記述として最も妥当なのはどれか。

1　日本国憲法は，社会権的基本権として国家賠償請求権，刑事補償請求権，生存権，教育を受ける権利，勤労権，勤労者の団結権・団体交渉権・団体行動権（争議権）を規定している。このような考え方はモンテスキューの唱えた自然法思想に由来し，フランス第四共和制憲法によってはじめて憲法に規定された。

2　日本国憲法第 25 条の規定は，健康で文化的な最低限度の生活を営む権利を保障し，国家に対し，社会福祉，社会保障及び公衆衛生の向上及び増進の義務を課している。この生存権の規定については，プログラム規定説，法的権利説などが主張されたが，判例は，何が健康で文化的な最低限度の生活であるかの認定判断は厚生大臣（当時）の合目的的な裁量に任されているとした。

3　日本国憲法第 26 条の規定は，すべての国民に，能力に応じて，ひとしく教育を受ける権利を保障し，義務教育は，これを無償とすると定めている。この規定は，立法上の目標を示したもので，教育基本法は，良質の教育を提供するために国・公立学校で合理的な少額の授業料を徴収することを認めている。

4　日本国憲法第 27 条は，勤労の権利と義務を規定し，これにより労働基準法が制定されたが，公務員は公共の福祉を守る責務を有するため憲法上の勤労者には含まれず，原則として労働基準法が適用されない。そのため国家公務員法及び地方公務員法が制定されたが，これらの法規が労働基準法に抵触する場合には労働基準法が適用される。

5　日本国憲法第 28 条は，勤労者の団結権・団体交渉権・団体行動権（争議権）を保障している。これにより制定された労働組合法は，労働組合の正当な団体交渉や争議行為で発生した損害について労働組合に対し民事上の責任を課しているが，刑事上の責任は免除している。また，管理運営事項として使用者に団体交渉を拒否する裁量を認めている。

解答欄

解説 101

1× 社会権的基本権としては，生存権，教育を受ける権利，勤労権，勤労者の団結権・団体交渉権・団体行動権（争議権）が挙げられる。国家賠償請求権（憲法 17 条）と刑事補償請求権（同法 40 条）は，**基本的人権を守る請求権であり，社会権的基本権ではない**。さらに，社会権的基本権が初めて憲法に規定されたのは，**ワイマール**憲法である。

2○ 憲法 25 条は，１項で**生存権保障**の目的・理念を宣言し，２項でその目的・理念の実現に努力すべき国の責務を定めている。この**生存権**の規定については，プログラム規定説と法的権利説が主張されているが，判例は何が健康で文化的な最低限度の生活であるかの**認定判断は，厚生大臣**（当時）の合目的的な裁量に任されているとしている（**朝日訴訟**）。

3× 憲法 26 条の規定に関する**記述は正しい**。しかし，**教育基本法**では国又は地方公共団体の設置する学校における義務教育について，**授業料を徴収しないことを定めているので誤りとなる**（同法４条２項）。

4× 公務員も賃金，給料その他これに準ずる収入によって生活する者である**から，勤労者に含まれ，原則として労働基準法の適用対象**となる。ただし，国家公務員法・地方公務員法が**労働基準法**と抵触する場合には，前者が優先的に適用される（国家公務員法１条５項，地方公務員法２条）。**労働基準法の特別法として，制定された**ものだからである。

5× 憲法 28 条の規定に関する**記述は正しい**。しかし，労働組合法では，正当な団体交渉や争議行為等に対して，**刑事免責**（同法１条２項）**だけではなく，民事免責**（同法８条）**も定めている**。また，管理運営事項を理由として使用者に団体交渉の拒否は，労働組合法でそれを認めた**規定がないので，不当労働行為となる**（同法７条２号）。

解答 2

プラス知識

社会権的基本権 （国民が国家に対して人間に値する生活を要求し得る権利）
- 生存権：努力目標にすぎない規定（プログラム規定）なのか，それとも法的権利なのか議論が分かれる
- 教育を受ける権利
- **勤労**の権利と労働三権（団結権・団体交渉権・団体行動権）

政 治

No. 102 内 閣

内閣に関する記述として最も妥当なのはどれか。

1 内閣は，国会の指名に基づいて天皇により任命された首長たる内閣総理大臣及び内閣総理大臣の指名に基づき天皇により任命された国務大臣をもって組織するとされるが，国務大臣の数は 14 人以内でなければならない。

2 内閣は，毎会計年度の予算を作成し，国会に提出して，その審議を受け議決を経なければならないが，予見し難い予算の不足に充てるため，国会の議決に基づいて予備費を設け，内閣の責任でこれを支出することができる。

3 衆議院で内閣不信任の決議案が可決され，又は内閣信任の決議案が否決されたときは，内閣は必ず総辞職をしなければならないが，内閣総理大臣が欠けたとき，又は衆議院議員総選挙の後に初めて国会の召集があったときは，総辞職をしなくてもよい。

4 衆議院が内閣総理大臣の指名の議決をした後，国会休会期間中の期間を除いて 30 日以内に参議院が内閣総理大臣の指名の議決をしないときは，再度衆議院で出席議員の 3 分の 2 以上の多数で議決した場合に，衆議院の議決が国会の議決となる。

5 内閣総理大臣は，何時でも議案について発言するため両議院に出席することができるが，国務大臣については，国会議員の身分を有する者はその所属議院にのみ出席することができ，国会議員の身分を有しない者はいずれの議院にも出席することはできない。

解答欄

プラス知識

日本の議院内閣制

内閣総理大臣と国務大臣で内閣を構成（合議体）

⇩

内閣の意思決定は閣議で全員一致

・要件

1 国務大臣の数は原則 14 名まで（最大 17 名まで）

2 内閣総理大臣と国務大臣は文民であることを要する

解説 102

1 × 内閣総理大臣は，国会の指名に基づき天皇が任命するとする**記述は正しい**（憲法 67 条 1 項，6 条 1 項）。しかし，**国務大臣は内閣総理大臣が任命し**（同法 68 条 1 項），**天皇が認証**する（同法 7 条 5 号）。なお，国務大臣の数は原則として **14** 人以内であるが，必要であれば **17** 人までとすることができる（内閣法 2 条 2 項）。

2 ○ 内閣は，毎会計年度の予算を作成し，**国会に提出**して，その**審議を受け議決を経なければ**ならない（憲法 86 条）。さらに，予見し難い予算の不足に充てるため，国会の議決に基づいて予備費を設け，**内閣の責任で**これを支出することができる（同法 87 条）。

3 × 内閣不信任決議案の可決または信任決議案の否決があったとき，**内閣は総辞職または衆議院の解散のいずれかを選択**することになる（憲法 69 条）。これに対し，内閣総理大臣が欠けたときまたは衆議院議員総選挙の後に初めて国会が召集されたときには，**内閣は総辞職しなければならない**（同法 70 条）。

4 × 内閣総理大臣の指名は，（1）参議院が異なる指名の議決をして両院協議会が開かれたが，意見が一致しなかったときと，（2）衆議院の指名の議決の後，国会休会中の期間を除いて **10 日以内**に参議院が指名の議決をしないときに，衆議院の議決が国会の議決になる（憲法 67 条 2 項）。衆議院の再可決が必要なのは，**法律案**の場合である（同法 59 条 2 項）。

5 × 議院内閣制の要請の下，内閣総理大臣と国務大臣は，**いずれの議院においても出席する権利と義務**がある（憲法 63 条）。

解答 2

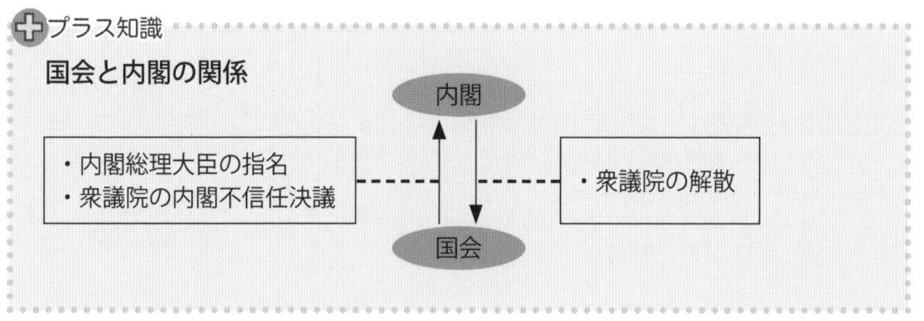

政 治

No. 103 平等権

我が国の憲法で定められている法の下の平等に関する記述として最も妥当なのはどれか。

1　法の下の平等の対象は自然人に限られると解されており，憲法においては外国人に対して日本国民と異なる取扱いをすることは禁止されている。

2　栄典制度は，国家への貢献度に応じて人を評価するものであるから，平等原則と矛盾するとして憲法はこれを禁止している。

3　同一の対象について条例で規制する場合，各地方公共団体によって異なる取扱いがあっても，憲法が条例制定権を認めている以上，憲法違反とはいえない。

4　選挙人の投票の価値は平等であることから，選挙区間における議員一人当たりの選挙人数の較差が最大1対1.5に達した場合は違憲とするが，選挙を無効とするまでには至っていない。

5　労働基準法における女性の保護規定は，男女平等に反すると解されており，産前産後の就業制限も含めすべての保護規定は撤廃されている。

解答欄

プラス知識

平等権　（個人の人格価値が等しいことから生じる権利）

1　憲法に定められた平等
- 法の下の平等
- 両性の本質的平等
- 教育の機会均等
- 参政権の平等

2　平等権に関する最高裁の重要判例
- 尊属殺人重罰規定違憲判決（1973. 4. 4）
- 衆議院議員定数違憲判決
  最大較差 4.99 倍で違憲（1976. 4.14）
  最大較差 4.40 倍で違憲（1985. 7.17）

解説 103

1× 法人については，その性質に矛盾しない範囲で，**法の下の平等**（憲法 14 条 1 項）が適用される。また，外国人についても，**憲法は日本国民と異なる取扱いを要求していない**。しかし，主権国家の制約上，合理的な範囲内であれば制限を加えられる。

2× 栄典の授与は，**天皇の国事行為**として**憲法自らが認めている**（同法 7 条 7 号）。ただし，栄典の授与にはいかなる特権も伴わず，その効力も一代限りとされている（同法 14 条 3 項）。

3○ 憲法は地方公共団体に**条例制定権を認めている**（同法 94 条）ので，同一の対象について，地方の事情によって異なる規制をしたとしても，**それだけで直ちに憲法違反となるわけではない**。

4× 投票価値の平等は図られるべきであるが，著しい不平等が生じている状態を**違憲状態**とし，それを合理的期間内に是正されない場合には**違憲**とする。2012 年 12 月の衆院選で戦後初の**選挙無効**の司法判断が下された。現在，衆議院議員選挙の一票の格差を **1 対 2 未満**にしようとしている。

5× 男女間の肉体的・生理的な条件を考慮して，女性保護規定を設けたとしても，**合理的な範囲内であれば，法の下の平等に反しない**。なお，就業機会の均等を図る見地から女子に対する**深夜労働の禁止規定は撤廃**されたが，**産前産後の就業制限規定**（労働基準法 65 条～ 67 条），**生理休暇規定**（同法 68 条）**などの保護規定は撤廃されていない**。

解答 3

・嫡出子と非嫡出子の相続分規定合憲判決（1995. 7. 5）
・国籍法違憲判決（2008. 6. 4）

3 雇用における男女の平等
・労働基準法：男女同一賃金の原則
・男女雇用機会均等法：性差別禁止範囲が女性だけから男女双方に拡大され，運用の結果によってどちらかに不利になるような間接差別の解消を打ち出している。
・育児・介護休業法：男女どちらの労働者にも保障している。

経　済

No. 104 需要曲線と供給曲線

私たちに必要不可欠で無料で供給される空気中の酸素及び引取料を支払って家庭が捨てるゴミの需要曲線及び供給曲線を示した図の組合せとして，最も妥当なのはどれか。

なお，ゴミについては，ゴミを出す家庭が供給者，ゴミを引き取る側が需要者であるものとする。

A

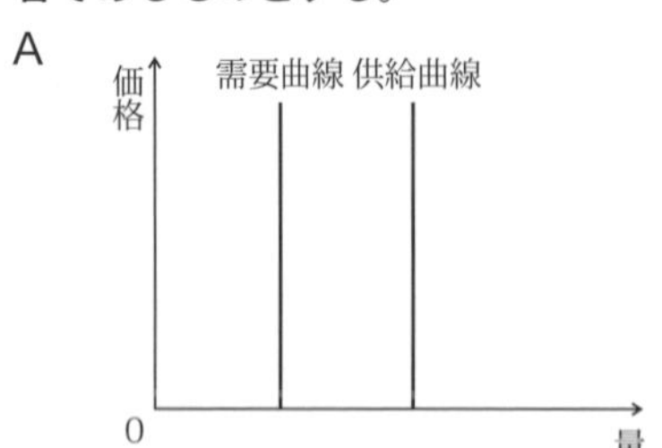

B

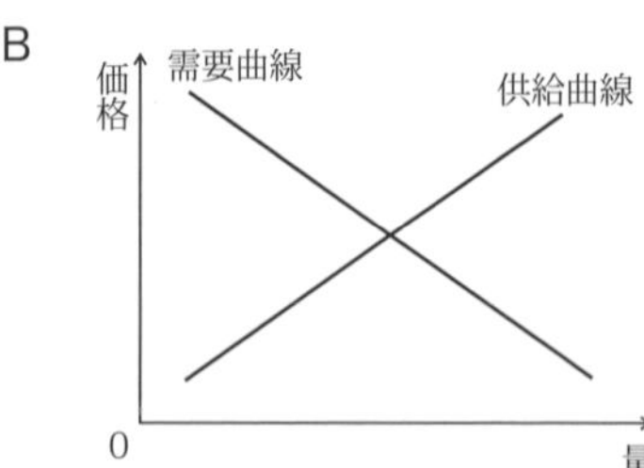

C

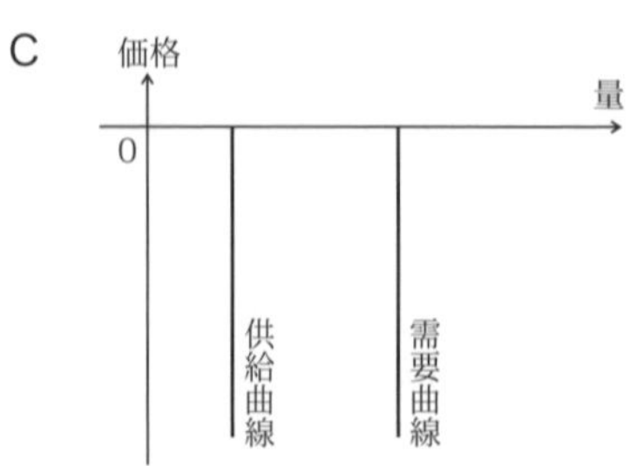

D

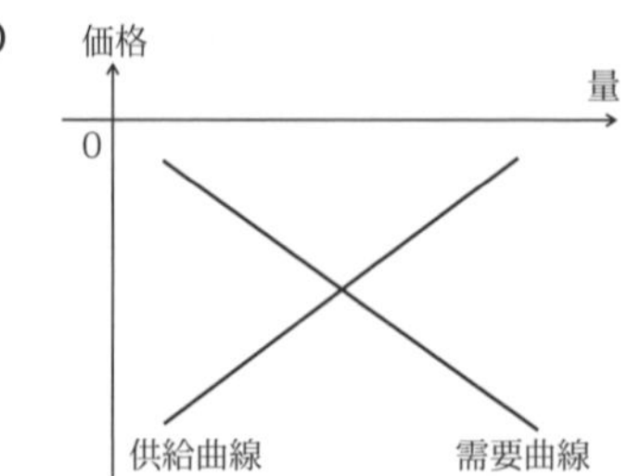

	空気中の酸素	ゴミ
1	A	C
2	A	D
3	B	C
4	B	D
5	C	B

解答欄

解説 104

A～D図の需要曲線と供給曲線の関係は，以下のとおりである。

A　ある財の供給量が需要量を常に**上回っている**状態。

B　需要量と供給量が**一致する**ところ（**均衡点**）で価格が決定する状態。

CとDは価格がマイナス領域なので，**供給**側が対価を支払う。

C　対価を受け取る側（**需要側**）が，常に対価を支払う側（**供給側**）を**上回っている**状態。

D　対価を受け取る側（**需要側**）と対価を支払う側（**供給側**）の**需給量の一致するところ**（均衡点）で**価格が決定**する状態。

以上から，酸素は必要なだけ無料で利用できるので，酸素の供給が需要を常に上回っているのは**A**である。これに対し，ゴミを出すときには，ゴミを出す側（供給側）がゴミを回収する側（需要側）に対価を支払うことになるから，その均衡点での価格がマイナスになっているのは**D**である。したがって，最も妥当な組合せは**A，D**の**2**である。

解答　2

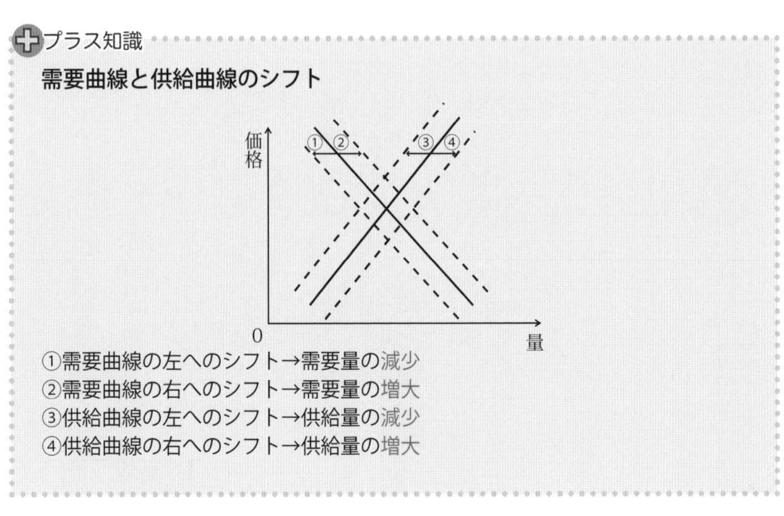

経 済

No. 105 ケインズ以降の経済学者と理論

A，B，Cは20世紀に活躍した経済学者に関する記述であるが，経済学者の名前との組合せとして最も妥当なのはどれか。

A　彼は，完全雇用の水準に達するまでは，金融と財政によって経済を拡大し，完全雇用に達した後は適正な経済成長路線に誘導し，その下での経済は，自由な競争をもたらす資源の合理的配分に期待するという考えから，自らの立場を新古典派経済学とケインズ経済学の総合を図る「新古典派総合」であるとした。主著の一つ『経済学』は近代経済学の代表的入門書として知られている。

B　マネタリストである彼は裁量的財政政策に反対し，経済を自由な市場に委ねるべきであり，物価安定のため貨幣量の増加率を適切な率に固定することを主張した。また，彼は自由な私企業体制の維持を主張するいわゆる新自由主義論の指導者の一人であり，福祉国家化の進行と政府の巨大化に批判的立場をとった。アメリカのレーガン政権，イギリスのサッチャー政権の経済政策に影響を与えた。主著に『選択の自由』がある。

C　制度学派の流れをくむ彼は，現代資本主義分析における問題提起で知られ，著書『ゆたかな社会』では，現代社会におけるインフレ，広告・宣伝による消費者操作たる依存効果を指摘し，また，著書『新しい産業国家』では，現代の大企業を支配しているのは経営者や技術者など種々の専門家集団たるテクノストラクチャーであることなどを主張した。ケネディ政権時代の駐インド大使を務めた経験もある。

	A	B	C
1	ガルブレイス	フリードマン	レオンチェフ
2	ガルブレイス	ハイエク	サムエルソン
3	フリードマン	ハイエク	レオンチェフ
4	フリードマン	サムエルソン	ガルブレイス
5	サムエルソン	フリードマン	ガルブレイス

解 説 105

A　**サムエルソン（サミュエルソン）**である。彼は経済学を**数学的に精密化**し，モデル科学として立脚させた立役者とされる。新古典派経済学にケインズのマクロ経済学的分析を組合せた**新古典派総合**の創始者として著名である。新古典派総合の考え方を要約すると，完全雇用水準に達するまでは**ケインズ経済学の主張する金融・財政政策を採用**し，完全雇用達成後は**市場機構**（市場メカニズム）**を重視した政策を採用**すべきとするものである。

B　**フリードマン**である。**フリードマン**らのマネタリストの主張を要約すれば，政府が市場経済に介入するのは，**適切な金融政策だけ**であり，後は市場機構（市場メカニズム）によりマクロ経済問題は解決していくとするものである。それゆえ，ケインズ経済学の主張する裁量的財政政策に対してはその効果に疑問を呈し，また，福祉国家化や政府の巨大化に対して否定的な見解を示している。アメリカのレーガン政権やイギリスのサッチャー政権などの経済政策に，理論的な支柱を提供したことで知られている。

C　**ガルブレイス**である。『**ゆたかな社会**』と『**新しい産業国家**』は彼の代表的な著書である。『ゆたかな社会』では，生産者側の宣伝によって消費者の本来意識されない欲望がかき立てられるとする**依存効果**を説き，物質生産の持続的増大が経済的・社会的健全性の証であるとする考えに対して疑問を投げかけている。さらに，『新しい産業国家』では，現代の大企業を支配しているのは，経営者や技術者などの**専門家集団**であることを主張している。

以上から，最も妥当な組合せは**5**である。

解答　5

プラス知識

経済理論の系譜

経済学派	内　容	学　者
古典学派	プライス・メカニズムを想定した経済理論	アダム・スミス，リカード
マルクス経済学	剰余価値の概念を用いて，資本主義経済を解明	マルクス，レーニン
近代経済学	価格分析を主とする新古典学派 国民所得の分析を主とするケインズ学派	ワルラス，マーシャル，ケインズ
マネタリズム	政府の市場に対する介入に懐疑的な立場	フリードマン

経　済

No. 106 デフレ経済

重要度

我が国の消費者物価指数は，1999 年から 2005 年に至るまで前年比で低下が続き，このような継続的な物価下落状態は「デフレ」と形容されている。このデフレという現象に関する記述として最も妥当なのはどれか。

1　デフレ下では債務額は実質的に増加するため，デフレは債務者に不利な所得再分配を行う機能をもつ。したがって，今回のデフレは借金を抱える企業の財務内容悪化の要因となった。

2　今回のデフレの要因としては，2000 年から 2003 年にかけて円高が進展したこと及びこの時期のマネーサプライが継続的に減少したことが挙げられる。

3　デフレ下でも賃金には下方硬直性があるため，一般にデフレは給与所得者に有利に働く。今回のデフレ期においても，賃金水準の低下という現象は起きず，その結果，労働分配率は上昇した。

4　戦後の我が国経済において今回のデフレのような消費者物価の継続的な下落が起きた時期としては，東京オリンピック後の不況時，プラザ合意後の円高期がある。

5　我が国においては，アジア通貨危機の影響が大きく，それが今回のデフレの要因となったのみならず，他の主要先進諸国にもデフレの状況をもたらすこととなった。

解答欄

解 説 106

1○　デフレは**物価水準の継続的下落**と**貨幣価値の継続的上昇**を意味するから，**借入金のある企業の財務内容は悪化**する傾向がある。売上げが伸び悩むのに対し，**借入金の実質的増加**を意味するからである。

2×　デフレの主な要因は，1997 年に実施された**消費税率アップ**に伴う**消費の落ち込み**，**緊縮財政**，**資産価値の目減り**などによるものである。2001 年 3 月から実施された**量的金融緩和政策**により，ベースマネーは増加したが，マネーサプライの伸びは低かった。しかし，**継続して減少したわけではない**。

3×　一般物価水準と同じく賃金水準は**低下**し，労働分配率も**低下**した。

4×　東京オリンピック後の不況，プラザ合意後の円高不況の**いずれのときにおいても**，継続的な消費者物価の下落現象**は起こらなかった**。

5×　1997 年のタイの**バーツ**を発端にしたアジア通貨危機の影響は，日本をはじめ主要先進諸国において深刻**ではなかった**。影響が大きかったのは，タイ・インドネシア・韓国などである。

解答　1

経 済

No. 107 我が国における税制

B 重要度

我が国の税制に関する記述として最も妥当なのはどれか。

1 我が国の税金は，国が徴収する国税と都道府県や市町村が徴収する地方税に大別される。令和 5 年度当初予算についてみると，国税は総額で約 69 兆 4 千億円であるが，その内訳は所得税が 50%，法人税が 30%，消費税が 7%となっている。

2 所得税の税率は，従来は 10%から最高税率 37%の 4 段階であったが，各所得に応じたきめ細かな税負担を図り公平性を保つ観点から改正が行われ，現在は 5%から 45%の 7 段階となっている。

3 間接税についてみると，従来は多種多様な物品やサービスに課税されていたが，1980 年代後半の消費税導入の際に大幅に簡素化され，現在では消費税のほか，酒税，たばこ税，自動車重量税のみがある。

4 法人は内国法人たると外国法人とを問わず，日本国内に源泉のある所得についてのみ納税義務がある。また，内国法人のうち学校法人や社会福祉法人などの公益法人については，収益事業から生じた所得に限り課税される。

5 2024 年 1 月から新制度が開始した NISA（少額投資非課税制度）では，NISA 口座で投資した金融商品の非課税保有期間が購入時から 20 年間となった。

解答欄

解 説 107

1× 令和 5 年度の一般会計当初予算では，国税の総額は 69 兆 4 千億円**で正しいが**，その内訳は**所得**税が 18.4%，**法人**税が 12.8%，**消費**税が 20.4%である。

2○ 現行の所得税の税率は，平成 27 年度の改正により，従来の 5%から 40%までの **6** 段階から，5%から 45%までの **7** 段階に変更したものである。

3× 納税義務者と税を負担する者が異なる税を**間接**税というが，問題文で挙げられている**他にも，関税や揮発油税など多くのものが存在する**。

4× **内国**法人については，海外に源泉のある所得についても**納税義務**がある。後半部分の記述**については正しい**。

5× 非課税保有期間が購入時から 20 年間なのは，2023 年末に一般 NISA とともに制度が終了した**つみたて NISA** である。新制度の NISA では，非課税保有期間が**無制限**となり，非課税保有限度額（総枠）が最大 **1,800** 万円となった。

解答 2

経 済

No. 108 BRICS 諸国の最新経済情勢

次のA～Dの記述は，BRICSと呼ばれる国々の最近の経済情勢に関するものである。それぞれの記述と国名の組合せとして最も妥当なのはどれか。

A　2022年の名目GDPは1兆9,200億ドルで，2023年の経済成長率（実質GDPによる）も2.9%と，緩やかな成長を続けている。主な輸出品目は，大豆・鉄鉱石・原油等の一次産品で，全体の43.5%を占めている。

B　2022年のGDP成長率は7.0%で，名目GDPは3兆4,166億ドルとなっている。主要産業は，農業・工業・IT産業である。

C　19世紀後半にダイヤモンド・金が発見されて以降，鉱業主導で成長し，その資本を原資として製造業・金融業が発展した。近年は，鉱業の対GDP比が減少し，金融・保険の対GDP比が拡大している。主要貿易相手国は中国である。

D　2022年の実質経済成長率は3.0%，名目GDPは約18兆1,000億ドルで，米国に次いで世界第2位の経済大国である。2022年の輸出額は3兆5,936億ドル，主要輸出相手国は米国である。

E　石油・天然ガスなどの天然資源に経済的・財政的に依存しているため，2015年の国際的な原油価格の低迷を受けて，経済・財政状況は悪化した。2022年2月以降，西側諸国からの経済制裁の対象となっている。

	A	B	C	D	E
1	インド	南アフリカ	中国	ロシア	ブラジル
2	中国	ロシア	ブラジル	インド	南アフリカ
3	ロシア	ブラジル	インド	南アフリカ	中国
4	ブラジル	インド	南アフリカ	中国	ロシア
5	南アフリカ	中国	ロシア	ブラジル	インド

解答欄

解説 108

BRICS とは，**ブラジル・ロシア・インド・中国・南アフリカ**のことなので，それぞれどの記述が該当するのか検討していく。

A　**ブラジル**である。**大豆・鉄鉱石**などの一次産品が主要輸出品目であることに着目する。GDP（国内総生産）は世界第 9 位，**南米**最大である。

B　**インド**である。高い成長率と，主要産業に **IT 産業**があることに着目する。GDP は世界第 5 位，人口は 2023 年に中国を抜いて世界第 1 位となった。

C　**南アフリカ**である。**ダイヤモンド・金**などの鉱物資源に着目する。**プラチナ**などの白金族の生産量は，世界第 1 位である。**サブサハラ・アフリカ**地域では，**ナイジェリア**に次ぐ第 2 の経済大国となっている。

D　**中国**である。**米国に次ぐ経済大国**であることに着目する。最大の輸出相手国である**米国**にとって，**中国**は最大の輸入相手国となっている。

E　**ロシア**である。**石油・天然ガス**などの天然資源が豊富であることに着目する。2021 年の**原油**の生産量は，世界第 3 位，**天然ガス**の生産量は米国に次いで世界第 2 位，埋蔵量は世界第 1 位である。

なお，2024 年にはイランやアラブ首長国連邦（UAE）などが加わり，加盟国は 9 か国に拡大している。

解答　4

プラス知識

BRICS の共通点

いずれも国土および資源大国である。国土面積はロシアが世界 1 位，中国が世界 4 位，ブラジルが世界 5 位，インドが世界 7 位，南アフリカが 24 位。面積は 5 か国で世界の約 32％を占める。また，天然資源にも富んでおり，5 か国とも資源大国である。資源としては石炭・鉄鉱石が 5 か国に共通しており，レアメタルなども産出している。

さらに，人口大国であるといえる。2023 年にはインドが中国を抜いて約 14 億 4,170 万人（世界 1 位），中国が約 14 億 2,520 万人（世界 2 位），ブラジルが約 2 億 1,760 万人（世界 7 位），ロシアが約 1 億 4,400 万人（世界 9 位），南アフリカが約 6,100 万人（世界 24 位）となっており，5 か国合計で 32 億人以上，世界の人口の約 41％を占める。

経 済

No. 109 開発途上国の経済

開発途上国の経済に関する記述として最も妥当なのはどれか。

1 1960年代，開発途上国は経済的自立に必要な条件を確保するために国連の関税及び貿易に関する一般協定（GATT）のケネディラウンドに結集し，一次産品価格の引き下げ，先進国製品に対する関税の撤廃，先進各国からの援助目標をその国のGNP比1％に設定することなどを要求した。

2 1970年代，開発途上国は自国の天然資源の管理・開発を主張する資源ナショナリズムの動きを強め，石油輸出国機構（OPEC）に加盟する産油国が二度にわたって原油減産の措置をとるなど，鉱物を産出する資源国の影響力が強くなった。

3 1980年代，中南米諸国などで多国籍企業を誘致するために先進国から借りた短期資金の返済が困難になる累積債務問題が表面化したため，経済協力開発機構（OECD）が緊急の短期融資を行い，先進国が協調して債務返済の繰り延べ（リスケジューリング）の措置をとった。

4 1990年代，鉱物や木材などの豊富な資源の開発で成長をとげたアジアの新興工業経済地域（NIES）と，天然資源に恵まれず，貧困に悩むアフリカの後発途上国（LDC）との間で資源の確保をめぐり，南南問題と呼ばれる新たな経済対立が浮上した。

5 1990年代から，開発途上国の間で地域的な経済連携協定を締結する動きがみられたが，東南アジアにASEAN自由貿易地域（AFTA），南米に南米南部共同市場（MERCOSUR）が発足した後は，開発途上国を含む二国間や多国間で自由貿易協定締結の動きがみられなくなった。

解答欄

プラス知識

開発途上国の現状

1 南北問題の原因

・モノカルチャー経済：第一次産品の割合が高い経済構造→不安定な国際価格
・高い人口増加率　　：経済成長率が人口増加率に追いつかない

解説 109

1× **ケネディラウンド**は 1964 ～ 1967 年に開催された多国間交渉であるが，選択肢の記述は**国連貿易開発会議（UNCTAD）**に関するものである。なお，ニューデリーで開催された第２回**国連貿易開発会議**では，一次産品の価格を支持するための商品協定の締結，特恵関税制度の導入推進，先進国の援助目標を国民総生産（GNP）の１％にすることにつき合意した。

2○ **資源ナショナリズム**の主張は，自国による国内資源の管理・開発である。資源ナショナリズムが端的に現れたのは，第四次中東戦争を契機に，**石油輸出国機構（OPEC）**がアラブ石油輸出国機構（OAPEC）に次いで，**原油生産削減と原油価格の引き上げ**を決定したことである。国際政治・国際経済の両面にわたり，大きな影響力を与えた。

3× 1980 年代に発生した中南米諸国の**累積債務**問題は，主に大胆な工業化を推進するために**資金が必要だったからであり，多国籍企業の誘致を目標としたものではない**。なお，経済立て直しのために緊急融資を行ったのは，**国際通貨基金（IMF）**である。

4× アジアの**新興工業経済地域（NIES）**の経済発展の要因は，安い人件費と先進国から導入した工業技術力の活用にある。また，**南南問題**は経済的自立ができる国とできない国に二分化されるという問題であり，**開発途上国間における資源確保の争いの問題ではない**。

5× 1993 年の**ASEAN 自由貿易地域（AFTA）**，1995 年の**南米南部共同市場（MERCOSUR）**の発足後も，二国間協定や多国間協定締結に向けた**動きは活発である**。

解答　2

2　開発途上国の現状と課題
- 累積債務問題の発生：中南米諸国を中心に，先進国の融資に対する返済が滞る
- 通貨危機の発生：投資先の国から資金が引き上げられると，通貨危機に陥る
- 開発独裁の問題：政府の腐敗などにより，援助が必要な人々に援助の手が届かない

経　済

No. 110 第二次世界大戦後の我が国の経済

第二次世界大戦後の我が国の経済に関する次のＡ～Ｄの記述のうち，妥当なものの組合せはどれか。

Ａ　GHQによる財閥解体，農地改革，独占禁止法の制定，労働組合法の制定などにより，戦後日本経済の民主化政策が進められたが，ハイパーインフレやドッジ不況など，経済的に不安定な状況が続き，1950年に勃発した朝鮮戦争に伴う特需でようやく好景気を迎えることができた。

Ｂ　1955年から1973年までを高度経済成長期と呼び，その間は不況知らずの上昇を続け，神武景気，岩戸景気，いざなぎ景気と名付けられた。

Ｃ　1973年のオイルショックにより，翌年には実質経済成長率はマイナスとなり，高度経済成長期は終焉を迎えた。

Ｄ　1985年のプラザ合意によって急激な円安が生じ，我が国の経済は株価や地価の高騰により，バブル景気と呼ばれる好景気になった。

1　A，C

2　A，D

3　B，C

4　B，D

5　C，D

解答欄

解説 110

A ○　戦後の GHQ による民主化政策のもとで，財閥解体や独占禁止法の制定などの経済改革が進められたが，戦時国債の償還や傾斜生産方式のための大幅な金融緩和などで**ハイパーインフレ**が生じた。インフレ抑制のため，**ドッジ・ライン**による財政・金融引き締め政策がとられたが，逆にデフレが発生し，**ドッジ不況**に陥った。

B ×　高度経済成長期には，実質経済成長率は平均 10％を超えたが，神武景気後の 1958 年には内需不振による「**なべ底不況**」が，また 1964 年の東京オリンピック後には，急速な経済の冷え込みと証券市場の低迷による「**証券不況**」が起こっている。「**なべ底不況**」は公定歩合の引き下げにより，また「**証券不況**」は日銀特融と赤字国債の発行により切り抜けた。

C ○　1973 年に第四次中東戦争が勃発すると原油価格が大幅に引き上げられ，日本では**狂乱物価**と呼ばれる物価高騰が起こった。インフレ抑制策として公定歩合が**引き上げ**られ，設備投資の抑制などが行われたため，翌年には戦後初めてのマイナス成長となり，高度経済成長期は終わりを迎えた。

D ×　プラザ合意によって生じたのは急激な**円高**であり，**円高不況**を嫌って公共投資の拡大や金融緩和が行われ，株価や地価の高騰を伴うバブル景気を生み出した。

解答　1

プラス知識

高度経済成長期の好景気

・神武景気（1955 年～ 57 年）：「もはや戦後ではない」。三種の神器（冷蔵庫・洗濯機・白黒テレビ）。
・岩戸景気（1958 年～ 61 年）：神武景気をしのぐ好景気。所得倍増計画。
・いざなぎ景気（1965 年～ 70 年）：岩戸景気を上回る長期好景気。3C（マイカー・カラーテレビ・クーラー）ブーム。

経済

No. 111 日本の国際収支

近年の我が国の貿易，国際収支に関する記述として最も妥当なのはどれか。

1　2023年の我が国の貿易収支は，円安の影響で大幅な黒字となった。

2　2022年の我が国の輸出額については，自動車が約40%，高度技術で生産される機械類が約15%を占めている。一方，輸入額では石油，液化ガスなどの鉱物性燃料の割合が最も大きく，鉄鉱石などの工業用原料がこれに続く。

3　2022年の我が国の地域別の貿易額では，急速に工業化が進む中国（香港を含む）との貿易額が拡大しているが，アメリカ合衆国との貿易額には及んでいない。また，ASEANとの貿易は横ばいの状態にある。一方，EUとの貿易額が我が国の貿易額の合計に占める割合はしだいに拡大している。

4　2022年の我が国のODA総額は，OECDの開発援助委員会（DAC）加盟国のODA総額の約20%を占め，アメリカ合衆国を抜いて世界最大である。また，ODAの対GNI比は，国際的な目標である0.7%を上回り，スウェーデン，ノルウェー，デンマークなどの北欧諸国と肩を並べている。

5　2023年末現在の我が国の対外純資産残高は，約471兆円のプラスで，6年連続で増加した。

解答欄

解説 111

1 × 2023年の日本の貿易収支は，輸入額が前年比6.6% **減**の106兆8555億円，輸出額が前年比1.5% **増**の100兆3546億円で，6兆5009億円の**赤字**となった。前年と比べて赤字幅は縮小した。

2 × 2022年の輸出額の品目別構成比は，**自動車**が約13.3%，**機械類**が約36.9%となっている。また，同年の輸入額の品目構成比は，石油，液化ガスなどの**鉱物性燃料**が最も大きく，**機械類**がこれに続いている。

3 × **中国**との貿易は，2022年には輸出入とも**アメリカ**を抜いて**第1位**となっている。また，ASEANとEUとの貿易は**拡大**傾向である。

4 × 2021年の日本のODA総額は，DAC加盟国のODA総額の約**8.3%**を占め，EUも含めた23ヵ国中**第3位**となっている。また，ODAのGNI（国民総所得）比においても，国際的な目標である0.7%を大きく下回っている状態（0.39%）である。

5 ○ 2023年末現在の日本の対外純資産残高は，＋471兆3,061億円で，対前年末比12.2% **増**で，6年連続の**増加**となった。日本に次いで対外純資産残高が多いのは，ドイツ，中国で，逆に大きな**負債**を抱えているのはアメリカ合衆国である。

解答	**5**

プラス知識

国際収支の構造

国際収支
- 経常収支(内訳:貿易・サービス収支,第1次所得収支,第2次所得収支)
- 資本移転等収支（内訳：資本移転，非金融非生産資産の取得処分）
- 金融収支（内訳：直接投資，証券投資，外貨準備等）

※注　その他に誤差脱漏がある

社　会

No. 112 消費者の保護と権利

我が国の消費者問題に関連する法律及び制度に関する記述として最も妥当なのはどれか。

1　消費者基本法は 1968 年に制定され，これにより消費者保護のために国や地方公共団体の果たすべき責務が明記されたが，近年では消費者の権利及び事業者の義務についても明確にする必要が生じたため，消費者基本法の特別法として 2004 年に新たに消費者保護基本法が制定された。

2　製造物責任（PL）法は，企業の過失の有無を問わず，コンピュータのソフトウェアといった製造物や財形貯蓄などの金融商品を含む，すべての商品取引の対象物によって消費者に被害が生じたとき，企業に責任を問うことを可能にする法律で，1994 年に制定された。

3　リコール制度は，欠陥商品による事故を未然に防ぐためにメーカーが回収，修理，交換する制度で，自動車の制度は道路運送車両法，電気製品の制度は電気用品安全法，医薬品及び医療器具の制度は薬事法で定められている。リコールの実施に際しては，自主回収は認められず，法律を所管する府省に，事前に届出を行う義務がある。

4　消費者団体訴訟制度は，消費者が食料品による被害を受けた場合に，市町村長の認定を受けた適格消費者団体が，消費者の利益を守るために，消費者を代表して提訴する権利をもつとする制度である。同制度は米国や英国においては法制化されているが，我が国では法制化が遅れている。

5　特定商取引法（特定商取引に関する法律）においては，6 種類の取引態様を規制の対象としている。訪問販売・通信販売・電話勧誘販売・連鎖販売取引（マルチ商法）・特定継続的役務提供（エステサービスや外国語会話教室など）・業務提供誘引販売取引（内職商法）がその対象となる。クーリングオフは，通信販売を除く 5 種類の取引態様について，消費者が契約締結後一定期間内であれば，無条件に契約解除ができる制度である。

解答欄

解説 112

1 × 1968年に制定されたのは**消費者保護法**であり，2004年にその法律が改正・改称されて**消費者基本法**が成立した。両者は特別法と一般法の関係に立つもの**ではない**。

2 × 製造物責任法（PL法）では，製造業者等が自ら製造・加工，輸入または一定の表示をし，引き渡した**製造物**（**動産**）が対象となる（同法2条1項・3項）。不動産や著作物，金融商品など**は対象とならない**。

3 × 我が国におけるリコール制度は，メーカーが所管の官庁に事前に届出を行ったうえで，**自主回収することが認められている**。

4 × 消費者団体訴訟制度は，アメリカやEU諸国で根付いた制度であるが，**日本においても**2006年に**消費者契約法**の改正が行われて**制度が導入された**。なお，消費者団体訴訟制度の対象は，契約にまつわるトラブルであれば**食料品に限定されない**が，食料品による健康被害については対象とならない。また，消費者団体訴訟を起こすことができる適格消費者団体は，**内閣総理大臣**が認定する。

5 ○ クーリングオフは，特定商取引法だけに定められている制度ではないが，業者の強引な勧誘などから商品知識に乏しい**消費者を守る**制度である。取引態様によって，クーリングオフの**期間**が異なる。

解答　5

プラス知識

消費者保護法制

アメリカのケネディ大統領が，消費者の4つの権利（意見を反映させる権利・安全を求める権利・選択する権利・知らされる権利）を提唱し，各国の立法化を促進することになった。

1968年：消費者保護法制定（国・企業の責務）
1994年：製造物責任法制定（製造物の無過失責任）
2000年：消費者契約法制定（クーリングオフの導入）
2004年：消費者基本法成立（消費者の権利を確立）
2006年：消費者契約法改正（団体訴訟制度の導入）
2009年：消費者安全法制定（事故情報通知制度の導入）

※注　消費者基本法では，ケネディ大統領の4つの権利の他に，被害から救済される権利を定めている。

社 会

No. 113 健康問題

健康に関する記述として最も妥当なのはどれか。

1 メタボリック・シンドロームは，一定以上の腹囲に加えて，高血圧・高血糖・脂質異常症などの症状が重複した状態の内臓脂肪型肥満のことをいい，働き盛りの死亡や長期療養者が生じる原因である心疾患や脳血管疾患の発症リスクが高くなることが問題となっている。

2 睡眠時無呼吸症候群は，睡眠時に反復して発生する無呼吸発作のことで，安眠が妨げられることにより，昼間に居眠りがちになり，交通事故を起こす危険がある。過度のストレスで副交感神経の興奮が気管を塞ぐことが原因であり，痩せた人に発生しやすい。

3 結核はマイコバクテリウム属の細菌，主に結核菌により引き起こされる感染症であり，第二次世界大戦前までは，発症すると致死率の高い病気であったが，戦後は抗生物質を用いた化学療法の普及などによって激減し，もはや過去の病気になったといえる。

4 花粉症は，スギやヒノキの花粉が原因とされ，花粉の繊維状の鋭いトゲによる物理的刺激により，目・鼻の粘膜が傷つけられ，この刺激によってクシャミ・鼻水が出るものである。花粉を吸い込む量が多いほど，肺の細胞が傷つけられ，肺癌が発生することが多い。

5 認知症は，転職，引っ越し，子どもの自立など外部環境の激変が原因となって心身にさまざまな症状が現れ，社会生活に支障をきたすものをいう。近年，その原因である心理社会的ストレスが多様かつ深刻化している。

解答欄	

プラス知識

肥満度を表す指数

メタボリック・シンドロームなどにみられるように，肥満は高血圧や脂質異常症，糖尿病などの生活習慣病の高いリスクを伴う。

BMIは「Body Mass Index」の略で，身長と体重から求める体格指標の一つである。人の肥満度を表す指数とされている。従来の「標準体重」などが特に医学的根拠を

解説 113

1 ○　日本内科学会などにより，メタボリック・シンドローム（内臓脂肪症候群）の定義と診断基準が示され，社会的に関心が高まった。

2 ×　睡眠時無呼吸症候群は，**肥満の人に発生**しやすい。**肥満**で首周りに脂肪がついたり，舌の付け根が落ち込むことによって，気管が塞がれることが原因となる。

3 ×　多剤耐性結核菌の出現と途上国の結核爆発により，**今もって過去の病気になったとはいえない**。発症者の大部分は発展途上国であるが，先進国においても，免疫抑制剤を使用している患者やエイズの患者，薬物乱用者などにより**増大傾向**にある。

4 ×　花粉症は，花粉による**物理的刺激**によって**発生するのではなく**，花粉に対する抗体が体内に産み出され，**アレルギー反応を引き起こす**ことで生じるものである。また，肺癌発生との強い因果関係**は指摘されていない**。

5 ×　認知症の原因の大部分は病気によるものであり，**心理社会的ストレスではない**。脳の血管が詰まったり，出血することで生じる脳血管性認知症と，アルツハイマー病という脳が萎縮する病気で生じるアルツハイマー型認知症が代表的なものである。

解答　1

持たないのに対し，BMI は有疾患率が最も低い点を「理想体重」と設定していることが特徴。

体重（kg）÷身長（m）^{2} で計算する。18.5 以上 25.0 未満が標準範囲とされている。

社 会

No. 114 循環型社会の推進

我が国が循環型社会づくりのために取り組んでいる3R（リデュース，リユース，リサイクル）に関する記述として最も妥当なのはどれか。

1　京都議定書に掲げられた，バイオマスの利用による二酸化炭素排出量削減の数値目標に対応するため，木くずやバガス（サトウキビの絞りかす）などのバイオマスを利用した発電が導入されたが，いまだ目標数値の達成に至らず，新たなバイオ燃料の開発が急がれている。

2　医療廃棄物は特に危険なため，不法投棄を防止する目的で，平成９年度にその流通状況を把握・管理する電子マニフェストが導入された。このマニフェストへの加入者数は順調に増加し，平成30年度末現在で，全国の医療機関の約80％が加入している。

3　資源やエネルギーを効率的に回収する目的で，平成17年度から企業による自主行動計画の策定を支援する循環型社会形成推進交付金制度が導入された。この交付金を受給した各企業による施設整備の進展は企業間の連携を深め，地方公共団体の3R推進に貢献している。

4　コジェネレーションとは，内燃機関，外燃機関等の排熱を利用して動力・温熱・冷熱を取り出し，総合エネルギー効率を高める，新しいエネルギー供給システムの一つであるが，未だ事業用に限定されており，家庭用まで導入・普及していない。

5　すべての廃棄物を新たに他の分野の原料として活用するなど，廃棄物のゼロを目指す「ゼロ・エミッション構想」を基本構想として，それぞれの地域の特性に応じて地方公共団体や民間団体を総合的・多面的に支援するエコタウン事業が推進されている。

解答欄

プラス知識

循環型社会　（廃棄物の減量と再資源化を目指す）

2000年：循環型社会形成推進法制定

（関連法）

- 廃棄物処理法・自動車リサイクル法・食品リサイクル法
- パソコンリサイクル法・容器包装リサイクル法
- 家電リサイクル法・グリーン購入法

解説 114

1× 2005年に発効した京都議定書では，バイオマスの利用に限定した二酸化炭素排出量削減の数値目標**は掲げていない**。

2× 平成9年に廃棄物処理法が改正され，従来の紙のマニフェスト（管理票）に加え，電子マニフェストの仕組みが導入されたが，それは**産業廃棄物一般を対象**としたものであって，特に**医療廃棄物を対象にしたものではない**。

3× 循環型社会形成推進交付金制度は，**企業を対象としたものではなく，市町村**が広域的な地域について「循環型社会形成推進計画」を作成し，事業を実施する場合に，その費用を**国が負担**するというものである。

4× 建物内部で必要となる熱量を電力量で割った値を熱電比といい，熱電比はホテルや病院では大きく，オフィスビルやデパートなどでは小さい値をとる。コジェネレーションシステムによって供給される熱電比が，建物の熱電比と大きく異なる場合，コジェネレーションを導入してもエネルギーを有効に利用することができない。また，住宅など熱需要の大きい時間帯と電力需要の大きい時間帯がずれている建物もあり，このような場合も大きな省エネ効果を期待することはできない。そこで，従来は**事業所がメイン**だったのだが，最近では燃料電池や都市ガスを利用した**家庭用**のコジェネレーションも普及してきている。生成する熱電比をある程度変えることのできるコジェネレーションシステムが開発され，導入されたからである。

5○ エコタウン事業は，先進的な環境調和型のまちづくりを推進する国の事業である。**都道府県や政令指定都市が地域の特色を生かした計画**を作成し，**国（環境省と経済産業省）がこれを承認**した場合に，計画に基づいて実施される事業について，総合的・多面的な支援を与えるものである。

解答 5

No. 115 男女共同参画社会の推進

我が国の男女共同参画社会の推進に関する記述として最も妥当なのはどれか。なお，男女雇用機会均等法とは，「雇用の分野における男女の均等な機会及び待遇の確保等に関する法律」のことである。

1　男女共同参画社会基本法は，国に対しては，男女共同参画社会の形成の促進に関する施策を総合的に策定及び実施する責務を定めており，地方公共団体に対しては，国の施策を実施する機関として各都道府県に男女共同参画会議を設置する責務を定めている。

2　性別を理由とした差別禁止の範囲については，これまでは女性に対する差別のみを対象としていたものを，2007 年 4 月に施行された改正男女雇用機会均等法では男女双方に対する差別にまで拡大して規定した。

3　セクシュアルハラスメントの防止に関しては，これまで法律上の規定がなかったが，近年，女性勤労者からの相談件数が急増したことから，改正男女雇用機会均等法では，女性勤労者を対象とした雇用管理上必要な措置を採ることを事業主に義務付け，違反者には刑罰を科すこととした。

4　『男女共同参画白書 令和 6 年版』によれば，国会議員に占める女性割合は，衆議院のほうが参議院よりも大きい。また，地方議会における女性議員の割合は，政令指定都市の市議会が市議会全体の割合を上回っている。

5　女性の職業生活における活躍の推進に関する法律（女性活躍推進法）が2015 年 8 月に成立し，働く場面で活躍したいという希望を持つすべての女性が，その個性と能力を十分に発揮できる社会を実現するために，女性の活躍推進に向けた数値目標を盛り込んだ行動計画の策定・公表が，すべての事業主に義務付けられた。

解答欄

解説 115

1 × 1999年に制定された男女共同参画社会基本法の規定に基づき，男女共同参画会議は**内閣府**に設置されている。

2 ○ 2007年に施行された改正男女雇用機会均等法では，**男女を問わず**性差別の禁止に向けて取り組む姿勢を示している。

3 × 女性勤労者を対象とするセクシュアルハラスメントの防止に関しては，1999年に施行された改正男女雇用機会均等法ですでに規定されている。2007年4月施行の改正男女雇用機会均等法では，**男女双方に拡大された**。なお，違反した事業主に科せられるのは**刑罰ではなく，過料（秩序罰）にすぎない**。

4 × 国会議員に占める女性割合は，衆議院**9.7**%，参議院**27.4**%で**参議院**のほうが大きい。地方議会における女性議員の割合は，2023年12月末現在，政令指定都市の市議会が**22.9**%，市議会全体が**19.1**%で政令都市の市議会のほうが**大きい**。なお，都道府県議会は14.6%，町村議会は13.6%，特別区議会は36.2%で，都市部で高い傾向にある。

5 × 女性活躍推進法では，国や地方公共団体，民間事業主に対して，女性の活躍に関する状況の把握，改善すべき事情についての分析，その状況把握・分析を踏まえた定量的目標や取組内容などを内容とする「**事業主行動計画**」の策定・公表等が求められているが，常時雇用する労働者が**100人以下**の民間企業等にあっては**努力義務**となっている。

解答 2

プラス知識

男女共同参画社会

男女共同参画社会とは，男女が社会の対等な構成員として，自らの意思により社会のあらゆる分野における活動に参画する機会が確保されるべき社会のこと。男女共同参画社会実現のために，1999年，男女共同参画社会基本法が制定され，2001年には内閣府に男女共同参画局が設置された。

男女共同参画会議は，2001年，内閣府に設置された重要政策に関する会議で，男女共同参画社会実現を目指した政策提言を目的とする。

男女共同参画推進本部は，男女共同参画社会の形成の促進に関する施策の推進を図るために内閣府に設置された組織。内閣総理大臣を本部長とし，男女共同参画を推進するための施策についての方針を検討・決定している。

社会

No. 116 高齢社会

我が国の高齢化に関する記述として最も妥当なのはどれか。なお，高年齢者雇用安定法とは，「高年齢者等の雇用の安定等に関する法律」，高齢者住まい法とは，「高齢者の居住の安定確保に関する法律」のことである。

1　65 歳以上の高齢者の総人口に占める割合が 7%を超えた社会を高齢化社会，14%を超えた社会を高齢社会と呼んでいる。我が国は，1970 年に高齢化社会，2004 年に高齢社会に突入し，この間に 34 年かかっているが，先進国では，ドイツが 115 年，イギリスが 85 年かかっており，フランスが最短の 30 年で到達した。

2　急速な高齢化の背景には平均寿命の伸びや出生率の低下がある。2022 年の平均寿命は男性が 81.05 歳，女性が 87.09 歳である一方，合計特殊出生率は，1990 年以降，人口維持に必要な水準である人口置換水準（概ね 2.1）を下回る状態が続き，2023 年には全都道府県で 1.0 を下回った。

3　2030 年までの人口構造を推測すれば，2030 年における 24 歳以上の世代は，既に生まれており，今後のこの世代の人口及びその減少傾向はほぼ確定している。そこで，この間の生産年齢人口減少の影響に対処していくために，高年齢者雇用安定法は，希望者には 65 歳まで雇用を継続する制度を事業主に義務付けている。

4　介護を必要とする高齢者の増加に対処するため，2000 年に，国から支給される地方交付税交付金を財源として，都道府県が 75 歳以上の後期高齢者を対象に介護サービスを提供していく介護保険制度が導入された。

5　高齢者の単身者世帯や夫婦のみの世帯の増加を背景に，要介護度の低い高齢者の住まいの確保のため，2011 年に高齢者住まい法が改正され，サービス付き高齢者向け住宅の登録制度が開始された。

解答欄

解 説 116

1× 高齢化社会と高齢社会の定義は正しい。しかし，我が国が高齢社会に入ったのは，**1994** 年である。したがって，高齢化社会から高齢社会へは **24** 年で到達している。また，各国の高齢化社会から高齢社会への移行は，ドイツは **40** 年，イギリスは **47** 年，フランスは **115** 年かかっており，日本の **24** 年が**最短**である。なお，日本は 2007 年に高齢化率が **21**%を超え，**超高齢社会**に入った。

2× 我が国における合計特殊出生率の推移をみると，既に **1957** 年から 2.1 を下回っている時期があった。**1974** 年以降は 2.1 を下回り続け，2006 年以降は回復したが，2019 年以降再び 1.4 を下回り，2023 年には **1.2** となった。東京都は **0.99** となり，史上初めて 1.0 を下回った。平均寿命は正しい。

3× 前半部分の記述は**妥当である**。しかし，高年齢者雇用安定法は，事業主に定年の引き上げや継続雇用制度の導入を**義務付けてはいるが**，継続雇用を希望するすべての者に，65 歳までの雇用を**義務付けたものではない**。

4× 介護保険の財源の **50%は**，**被保険者の保険料**でまかなわれている。すべてが，公費によりまかなわれて**いるわけではない**。公費による負担は，**居宅給付費**の場合は，国が **25%**と都道府県・市町村がそれぞれ **12.5%**，**施設等給付費**の場合は，国が **20**%，都道府県 **17.5**%，市町村 **12.5**%となっている。また，**40** 歳以上で介護サービスの対象となりえる。

5○ **サービス付き高齢者向け住宅**は，バリアフリー構造をもち，見守りサービスなどが提供される住宅で，2024 年 5 月末現在，全国で 28 万 7,430 戸が登録されている。

解答　5

プラス知識

高齢社会

国連の定義によれば，総人口に占める 65 歳以上の割合が 7 %以上の社会を高齢化社会，14%以上を占める社会を高齢社会としている。

日本は 1970 年に高齢化社会が到来し，1994 年には高齢社会を迎えた。現在は 21%を超える超高齢社会となっている。

※注　年齢別人口構成のグラフ（人口ピラミッド）では，高齢社会は「つぼ型」となっている。

社会

No. 117 地球環境保護に関する国際条約

次のA～Dの記述は，地球環境保護に関する国際条約について述べたものである。それぞれの記述と条約名の組合せとして最も妥当なものはどれか。

A　絶滅のおそれがある野生動植物の保護を目的として，野生動植物の輸出入や持込みなどの規制を定めている。

B　有害廃棄物などの国境を越えた移動を規制する目的で，国際的な規制の枠組みや手続きを定めている。

C　水鳥の生息地である湿地と，そこに生息生育する動植物の保全を促進するため，国際的に重要な湿地の指定登録と，その適切な利用を求めている。

D　オゾン層の変化による悪影響から人の健康や環境を保護するため，国際協力の基本的な枠組みを定めている。

E　船舶の航行や事故による海洋汚染を防止することを目的として，規制物質の投棄・排出の禁止，通報義務，その手続きを定めている。

	A	B	C	D	E
1	ラムサール条約	ワシントン条約	バーゼル条約	ウィーン条約	マルポール条約
2	パリ条約	バーゼル条約	マルポール条約	オタワ条約	ワシントン条約
3	ラムサール条約	ワシントン条約	バーゼル条約	マルポール条約	パリ条約
4	ワシントン条約	バーゼル条約	ラムサール条約	ウィーン条約	マルポール条約
5	ラムサール条約	パリ条約	ジュネーブ条約	ウィーン条約	オタワ条約

解答欄

解説 117

A **ワシントン**条約である。「絶滅のおそれのある野生動植物の種の国際取引に関する条約」の通称で，1973年に**ワシントン**で採択された。種ごとに絶滅のおそれの程度が設定され，それに応じて国際取引の規制を行うことなどが，締約国に課せられている。

B **バーゼル**条約である。「有害廃棄物の国境を越える移動及びその処分の規制に関する**バーゼル**条約」の略称で，1989年にスイスの**バーゼル**で採択された。この条約に特定された有害廃棄物やその他の廃棄物を輸出する際には，輸入国の書面による同意だけではなく，廃棄物の発生を最小限に抑えるなどの規制が設けられている。

C **ラムサール**条約である。「特に水鳥の生息地として国際的に重要な湿地に関する条約」の通称で，1971年にイランの**ラムサール**で採択された。湿地の重要性を認識し，その保全を促進するため，その適正な利用計画を作成・実施するなどの規定がある。

D **ウィーン**条約である。「オゾン層の保護のための**ウィーン**条約」の略称で，1985年に**ウィーン**で採択された。その後，同条約のもとで，人の健康や環境を保護するために，オゾン層を破壊するおそれのある物質を特定し，その生産や消費，貿易を制限する「オゾン層を破壊する物質に関するモントリオール議定書」が1987年に採択された。

E **マルポール**条約である。「1973年の船舶による汚染の防止のための国際条約に関する1978年の議定書」の通称であり，船舶の航行や事故による海洋汚染を防止することを目的とした国際条約とその議定書である。海洋汚染防止条約もしくは**マルポール**73/78条約と呼ばれることもある。国際海事機関（IMO）で，それまでの「1954年の油による海水の汚濁の防止に関する国際条約」を引き継いで，1973年11月に採択された。しかし，技術面の問題から発効に至らず，その後もタンカー座礁などによる海域の汚染が多発した。そこで，1978年2月に開催された「タンカーの安全と汚染防止に係る会議」において，議定書採択の形で収拾が図られ，1983年10月に発効したものである。

以上から，最も妥当な組合せは**4**である。

解答　4

社　会

No. 118 知的財産権の保護

我が国における知的財産権等に関する記述として最も妥当なのはどれか。

1　知的財産権の保護を強化することが，企業の競争力を高めるのに有効であるという認識が国際的に高まり，2004 年に，世界貿易機関（WTO）において，各国の知的財産権保護制度が統一された。これにより，我が国は，先に出願した者に特許を付与する先願主義から，欧米先進諸国の大半が採用していた，先に発明した者に特許を付与する先発明主義へと制度の変更を行った。

2　デジタルコンテンツは，複製が容易で，しかも広範囲に頒布できるため，著作権法でコンテンツに対する権利を守っていく必要があるが，コンピュータの誤作動，または電源の急激な遮断などによるプログラムの毀損に備え，コンピュータプログラムをバックアップ用にコピーすることは，原則として著作権侵害に当たらない。また，プログラムのアルゴリズム（解法）は，著作物として著作権の対象とならない。

3　企業に雇用されている研究者が職務上行った発明を職務発明と呼ぶ。我が国の特許法制では職務発明に関する規定がなく，職務発明は企業など使用者に帰属するという取扱いが慣行となっていた。しかし，青色発光ダイオードの開発に関する訴訟において，発明は発明者に帰属するとの最高裁判所の判決が下され，特許法に職務発明に関する規定を新設する法改正が議論されている。

4　平成 14 年，ゲームソフトの中古販売は原則として著作権の侵害に当たるとの最高裁判所の判断が示されたことにより，中古ゲームソフト販売市場は大幅に縮小した。最高裁判所は，その判断の理由の一つとして，あらゆる著作権は，著作権を有する者による一次的販売だけでなく，中古品販売などの二次的販売においても保護されなければ著作権が有名無実になることを挙げた。

5　商品の販売促進のために利用される人気アニメのキャラクターや実在する人物の肖像をサービスマークという。実在する人物を用いるサービスマークはパブリシティ権が認められていないため，本人の承諾なしに，人気タレントの肖像や名前を利用した商品が市場に出回っている。そのため，近年，プロ野球選手の実名が使用されたゲームソフトについてパブリシティ権確立と販売差止めを求める訴訟が起こされた。

解答欄

解説 118

1 ×　WTOでは設立の際，知的財産権の貿易関連側面に関する協定として，TRIPS協定が結ばれているが，その理事会で各国の知的財産権保護制度を統一するための議論が行われている最中である。日本を含む大部分の国は**先願**主義を採り，アメリカが**先発明**主義を採る。日本が**先願**主義から**先発明**主義への制度変更を行った**という事実もない**。

2 ○　著作権者には複製権があるため，本来，著作物の複製行為を著作権者の許諾を得ないで複製することはできない。しかし，使用者の利便性を無視してまで，著作権を守るのも一方的にすぎる。そこで，例外がいくつか設けられ，その一つがプログラムをバックアップ用にコピーすることである。また，プログラム著作物に対する法律上の保護は，その著作物を作成するために用いるプログラム言語，規約及び**アルゴリズム（解法）には及ばない**。絵画で例えれば，**保護されるべきは絵そのもの**であり，絵の具や画材，描画技法**までは保護されない**のと同様である。

3 ×　職務発明に関しては，特許法で**従業者である発明者に帰属**することが定められている。それによると，特許権などの使用者への承継に際しては，**相当の対価（補償金）を受け取る権利が発明者にある**とされている。青色ダイオード訴訟については，控訴審において，原告大学教授と被告会社側との間で，8.4億円を会社側が支払う旨の和解がなされているので，そもそも**最高裁の判決自体が存在しない**。

4 ×　最高裁は2002（平成14）年4月25日の判決において，ゲームソフトの中古販売は**著作権の侵害に当たらない**との判断を示している。

5 ×　サービスマークとは，役務（サービス）を提供したりする場合，他の同種サービスから識別させるために，そのサービスに付せられる固有のネーミングやマークをいう。人気アニメのキャラクターや実在する人物の肖像は，著作権や肖像権に関して問題があるので，サービスマークに利用されることは**ほとんどない**。また，**パブリシティ権**とは，タレントなどの有名人の氏名・肖像を財産的に利用する権利であり，権利の性質上実在する人物を対象とするものである。

解答　2

社 会

No. 119 労働事情

我が国の労働事情に関する記述として最も妥当なのはどれか。

1　我が国では，使用者が一方的に雇用契約を解約することは，判例により確立された解雇権濫用法理によって制約されてきた。近年，解雇に関するトラブルが増大し，その防止・解決を図るためにルールの明確化が必要とされ，2003年の労働基準法改正により，解雇権濫用法理が明記された。

2　男女別の労働力率を見ると，男性では，世代の種類による差が見られず，20歳代後半から50歳代後半まで一貫して90%近くになっている。これに対し女性は，世代の種類による差が著しく見られ，欧米先進国と同様に，30歳代前半と50歳代後半を二つの頂点とするM字型曲線を描いている。

3　事業所の就業規則で定められた労働時間数を所定内労働時間と呼び，企業規模が小さいほど短くなる傾向にある。これに所定外労働時間を加えた我が国の総実労働時間は，「毎月勤労統計調査」によれば，1980年以降，一貫して増加し続けてきており，過重労働による健康障害などを引き起こしていると指摘されている。

4　労働組合を結成し，これに加入する権利は，労働組合法上，すべての労働者に認められている権利である。我が国の雇用者全体に占める労働組合員数（組合組織率）は，戦後を通して常に50%を超えているが，同一業種で比較した場合，給与水準が高い大企業ほど組合組織率が低くなる傾向にある。

5　雇用保険は，失業者に対して失業給付を行うほか，労働者の能力開発等の事業を行うものである。このうち，失業給付については，事業主が負担する保険料により政府が運営してきたが，近年，その受給者が急増し，失業給付財政が悪化したため，2008年に労働者災害保険と統合されることが国会で議決された。

解答欄

解説 119

1 ○　判例により確立されてきた解雇権濫用法理が，労働基準法 18 条の 2 に明記され，その後，**労働契約法 16 条に規定**されることになった（労働基準法 18 条の 2 は削除された）。

2 ×　我が国の女性の就労形態をグラフで表すと，**25 ～ 29 歳**と **45 ～ 49 歳**を 2 つのピークとする **M** 字型曲線を描くが，以前に比べると**なだらか**で，最初のピークは以前よりも 5 年ほど**遅く**なっている。また，労働力率も以前より**高い**率を保っている。なお，欧米の女性労働率は我が国とは異なり，なだらかな**逆 U** 字型曲線を描く。

3 ×　所定内労働時間の長さについては，企業規模による**格差はあまりみられない**。また，総実労働時間は，1980 年以降**減少**傾向にある。

4 ×　労働組合を結成し，これに加入する権利（団結権）については，現行法上，**警察職員**，**消防職員**，**自衛隊員**などについては禁止されている。また，労働組合組織率は 1949 年の 55.8% をピークに，その後**減少傾向**にあり，2022 年 6 月末における推定組織率は **16.5%**と **20%を切って**いる状態である。その原因の一つとして，大企業で組織率が**高い**反面，中小企業での組織率が相当**低く**なっていることが挙げられている。

5 ×　雇用保険と労働者災害保険（労災）が，2008 年に国会の議決で**統合されたという事実はない**。

解答　1

プラス知識

日本の雇用慣行の変化

高度経済成長期　：年功序列型賃金・終身雇用制
80 年代以降の不況：減量経営による合理化と人員削減
90 年代の平成不況：大胆なリストラと能力給の導入，女性の社会進出

⇩

日本型雇用慣行の崩壊

⇩

雇用の多様化と雇用不安
（パートタイム労働者と派遣労働者の増加）

情　報

No. 120 データ処理

5人の生徒が数学の試験を受け，点数が a_k（$k=1, 2, 3, 4, 5$）であった。点数が a_3 の生徒の順位を，次の手順1～手順6に従って求める。

ただし，点数の高い順に1位から5位まで順位を付け，点数が同じ生徒がいる場合は，同一順位であるものとする。また，指示がない限り，求める手順は手順1～手順6の順に行われるものとする。ここで，r は，手順の繰返し中に，順位に関する処理を行うため便宜的に使用される変数である。

○手順1　$r=1$ とする。
○手順2　$k=1$ とする。
○手順3　$k \leqq 5$ を満たすとき，手順4へ進む。それ以外のとき，手順6へ進む。
○手順4　点数 a_k について，［　　　］とき，r の値を1だけ増やす。
○手順5　k の値を1だけ増やし，手順3に戻る。
○手順6　このときの r の値が，点数が a_3 の生徒の順位である。

このとき，［　　　］に当てはまるものとして最も妥当なのはどれか。

1　a_k が a_3 より小さい。
2　a_k が a_3 以下となる。
3　a_k が a_3 と等しい。
4　a_k が a_3 以上となる。
5　a_k が a_3 より大きい。

解答欄

解説 120

手順 6 より，r の値が点数 a_3 の生徒の順位であり，手順 4 において「r の値を 1 だけ増やす。」とあるから，a_3 の順位は 1 つ下がることになる。［　　　］に当てはまるものは，a_3 の順位を 1 つ下げる条件となるから，a_3 の方が a_k よりも順位が低い。よって，**$a_k \geqq a_3$ か $a_k > a_3$** である。

さらに問題文より，「点数が同じ生徒が複数いる場合は，同一順位であるものとする。」とあるから，$a_k = a_3$ のときは r の値を変えてはならない。

よって，**$a_k > a_3$** すなわち「**a_k が a_3 より大きい。**」である。

《例》

$a_5 > a_4 = a_3 > a_2 > a_1$ とすると，点数 a_3 の生徒の順位 **$r = 2$** である。

このとき，手順 1：$r = 1$ →手順 2：$k = 1$ →手順 3：$k \leqq 5$ を満たす→手順 4：$a_1 < a_3$ より，$r = 1$ のまま→手順 5：$k = 2$ →手順 3：$k \leqq 5$ を満たす→手順 4：$a_2 < a_3$ より，$r = 1$ のまま→手順 5：$k = 3$ →手順 3：$k \leqq 5$ を満たす→手順 4：$a_3 = a_3$ より，$r = 1$ のまま→手順 5：$k = 4$ →手順 3：$k \leqq 5$ を満たす→手順 4：$a_4 = a_3$ より，$r = 1$ のまま→手順 5：$k = 5$ →手順 3：$k \leqq 5$ を満たす→手順 4：$a_5 > a_3$ より，**$r = 2$** となる→手順 5：$k = 6$ →手順 3：$k \leqq 5$ を満たさない→手順 6：**$r = 2$** が点数 a_3 の生徒の順位である。

解答　5

情報

No. 121 データの計算

北米には 13 年ゼミと 17 年ゼミといわれる，周期的に一斉に成虫が発生するセミがいる。これらのセミは，卵で生まれてから成虫になるまで 13 年又は 17 年を要し，それぞれ 13 年目，17 年目に成虫になる。13 年ゼミは 3 系統あり，それぞれの系統は 13 年目に成虫になるが，成虫になる年は全て異なり，13 年のうち 3 年はいずれかの系統の成虫が発生している。例えば，2021 ～ 2033 年の 13 年のうち，成虫が発生するのは 2024 年，2027 年，2028 年の 3 年だけである。同様に，17 年ゼミは 12 系統あり，17 年のうち 12 年はいずれかの系統の成虫が発生している。

2021 年以降，最初に 13 年ゼミの 3 系統，17 年ゼミの 12 系統の成虫が発生する予定の年は次のとおりであり，その後もそれぞれの系統は 13 年又は 17 年ごとに成虫が発生することが見込まれている。なお，セミは成虫となった年までしか生きることができない。

13 年ゼミ
　2024 年，2027 年，2028 年
17 年ゼミ
　2021 年，2024 年，2025 年，2029 ～ 2037 年の各年

ここで，2021 ～ 2250 年の 230 年間に，13 年ゼミの成虫のみが発生する年は何年あるかを次のようにして考えたとき，A，B，C に当てはまるものの組合せとして最も妥当なものはどれか。

「ある系統の 13 年ゼミの成虫が発生するのは 13 年に 1 回であり，2021 ～ 2250 年の間に 13 年ゼミの 3 系統のいずれかが発生している年は，□ A □回である。一方，ある系統の 13 年ゼミとある系統の 17 年ゼミの両方が発生するのは 221(＝ 13 × 17) 年に 1 回であり，2021 ～ 2250 年の間に 13 年ゼミの 3 系統合計でみると，13 年ゼミと 17 年ゼミの両方が発生する年は，□ B □回である。よって，13 年ゼミのみが発生する年は□ C □回である。」

	A	B	C
1	49	35	14
2	49	39	10
3	49	40	9
4	54	37	17
5	54	42	12

解答欄

解説 121

発生する予定の年によって，13年ゼミの3系統，2024年・2027年・2028年をそれぞれα・β・γとし，17年ゼミの系統を，2021年・2024年・2025年・2029年～2037年をそれぞれア・イ・ウ・エ～シとする。

Aについて

2021～2250年の230年間において，α系統は2024，2024＋13，2024＋13×2，……，2024＋13×17＝2245の**18回**発生する。

同様に，β系統も2027，2027＋13，……，2027＋13×17＝2248の**18回**，γ系統も2028, 2028＋13,……, 2028＋13×17＝2249の**18回**発生するから，合計**18**×3＝**54回**発生する。

Bについて

2021～2250年の230年間において，ある系統の13年ゼミとある系統の17年ゼミの両方が発生するのは**221年**に1回であり，13年ゼミは3系統で17年ゼミは12系統だから，3×12＝**36回**だが，α系統とイ系統は2024年と，2024＋221＝2245年の**2回**あるから，**36**＋1＝**37回**である。

Cについて

2021～2250年の230年間において，13年ゼミのみが発生する年は，AとBより，54－37＝**17回**である。

したがって，A＝**54**，B＝**37**，C＝**17**である。

解答　4

No. 122 プログラム

正の整数を入力すると，次の条件①～⑤に従って計算した結果を出力するプログラムがある。正の整数を入力してから結果が出力されるまでを1回の操作とし，1回目の操作では初期値を入力する。また，2回目以降の操作では，その前の操作で出力された結果を入力する。

いま，条件⑤の一部が分からなくなっているが，■には1，2，3のうちいずれかが入ることが分かっている。

このプログラムに1を初期値として入力すると，何回目かの操作で出力された数字が10となった。このプログラムに初期値として1，2，3のそれぞれを入力したとき，それぞれの初期値に対して7回目の操作で出力される数字を合計するといくらか。

ただし，条件に複数該当する場合は，最も番号の小さい条件だけが実行されるものとする。

[条件]

① 入力された数字が1の場合，1足す。
② 入力された数字が2の倍数の場合，3足す。
③ 入力された数字が3の倍数の場合，1引く。
④ 入力された数字が5の倍数の場合，2足す。
⑤ 条件①～④に該当しない場合，■引く。

1 28
2 30
3 32
4 34
5 36

解答欄

解 説 122

問題文より，初期値として 1 を入力すると何回目かの操作で 10 が出力されるから，まず■の数を求める。

$1 \xrightarrow{\text{①}} 2 \xrightarrow{\text{②}} 5 \xrightarrow{\text{④}} 7 - $■であり，

■＝1のとき

$7 - 1 = 6 \xrightarrow{\text{②}} 9 \xrightarrow{\text{③}} 8 \xrightarrow{\text{②}} 11 \xrightarrow{\text{⑤}} 10$ となり，問題文に適する。

■＝2のとき

$7 - 2 = 5 \xrightarrow{\text{④}} 7 \xrightarrow{\text{⑤}} 5$ となり，無限ループするから問題文に適さない。

■＝3のとき

$7 - 3 = 4 \xrightarrow{\text{②}} 7 \xrightarrow{\text{⑤}} 4$ となり，無限ループするから，問題文に適さない。

よって，■＝ 1 である。
このとき，初期値として 1，2，3 を入力すると，

・$1 \xrightarrow{\text{①}} 2 \xrightarrow{\text{②}} 5 \xrightarrow{\text{④}} 7 \xrightarrow{\text{⑤}} 6 \xrightarrow{\text{②}} 9 \xrightarrow{\text{③}} 8 \xrightarrow{\text{②}} \mathbf{11}$

・$2 \xrightarrow{\text{②}} 5 \xrightarrow{\text{④}} 7 \xrightarrow{\text{⑤}} 6 \xrightarrow{\text{②}} 9 \xrightarrow{\text{③}} 8 \xrightarrow{\text{②}} 11 \xrightarrow{\text{⑤}} \mathbf{10}$

・$3 \xrightarrow{\text{③}} 2 \xrightarrow{\text{②}} 5 \xrightarrow{\text{④}} 7 \xrightarrow{\text{⑤}} 6 \xrightarrow{\text{②}} 9 \xrightarrow{\text{③}} 8 \xrightarrow{\text{②}} \mathbf{11}$

したがって，7 回目の操作で出力される数字の合計は 11 ＋ 10 ＋ 11 ＝ **32** である。

解答　3

情　報

No. 123 ルール設定

　ある大学では，科学実験のイベントが開催される。科学実験は 18 種類あり，それぞれ 1 ～ 18 の番号が割り振られている。いずれの実験も午前と午後の 2 回行われ，各実験の定員は各回 50 人である。また，午前と午後に同じ実験に参加することもできる。

　イベントの参加者は，午前に参加する実験と午後に参加する実験をそれぞれ一つずつ事前登録しており，以下のルールに基づく参加者番号（5 桁の値）が個別に割り当てられている。

　このとき，参加者番号 45300 である A と，参加者番号 75799 である B の 2 人について，確実にいえるのはどれか。

［参加者番号のルール］

- ○　参加者番号を 5000 で割って小数点以下を切り捨てた整数値から 1 を引いた値である a は，午前に参加する実験の番号が a であることを意味する。
- ○　参加者番号から（$a+1$）の 5000 倍を引いた後，50 で割って小数点以下を切り捨てた整数値から 1 を引いた値である b は，午後に参加する実験の番号が b であることを意味する。
- ○　参加者番号から（$a+1$）の 5000 倍を引き，更に，（$b+1$）の 50 倍を引いて 1 を加えた値である c は，午前に参加する実験の番号が a，かつ，午後に参加する実験の番号が b である者のうち，事前登録の順番が c 番目であることを意味する。

1　A が参加する実験の番号は，午前が 8，午後が 6 である。

2　B は午前に参加する実験と午後に参加する実験が同じである。

3　B は A よりも事前登録の順番が先であった。

4　A は午前に参加する実験と午後に参加する実験が同じ者のうち，事前登録の順番が 50 番目であった。

5　B は午前に参加する実験と午後に参加する実験が同じ者のうち，事前登録の順番が 49 番目であった。

解答欄

解説 123

［参加者番号のルール］を上からア，イ，ウとおく。

アについて

Aは，$45300 \div 5000 = 9.06$より，$a = $ **8**。Bは，$75799 \div 5000 = 15.1598$より，$a = $ **14**。よって，午前に参加する実験の番号は，Aが**8**で，Bが**14**である。

イについて

Aは，$(45300 - 9 \times 5000) \div 50 = 6$より，$b = $ **5**。Bは，$(75799 - 15 \times 5000) \div 50 = 15.98$より，$b = $ **14**。よって，午後に参加する実験の番号は，Aが**5**で，Bが**14**である。

ウについて

Aは，$45300 - 9 \times 5000 - 6 \times 50 = 0$より，$c = $ **1**。Bは，$75799 - 15 \times 5000 - 15 \times 50 = 49$より，$c = $ **50**。よって，事前登録の順番は，Aが**1**で，Bが**50**である。

1× Aが参加する実兄の番号は，午前が8，午後が**5**である。
2○ Bは午前に参加する実験と午後に参加する実験が**同じ**である。
3× BはAよりも事前登録の順番が**後**であった。
4× Aは午前に参加する実験と午後に参加する実験が**同じではなかった**。
5× Bは午前に参加する実験と午後に参加する実験が同じ者のうち，事前登録の順番が**50番目**であった。

解答 2

9 公務員試験　併願で乗り切ろう

公務員試験は，1 発合格をめざしても厳しい壁が現実にあります。下段の表は国家公務員一般職と東京都特別区Ⅰ類の，公表されている受験者数と最終合格者数を表しています。どちらも厳しい内容なのがうかがえます。

そこで，受験戦争を勝ち抜く手段として一般的な方法は併願です。公務員試験の場合，最終合格者は即採用というシステムではありません。最終合格者には併願者の人数が入っており，人事院はそれを見込んで，採用予定数よりも多めに合格者を取ります。受験生はこのことを頭に入れ，1 度の失敗に落胆することなくチャレンジすることが大事です。

まずは職種，資格年齢，試験日程を調べて国家公務員，地方公務員のどの職種で働きたいかをしっかり見極め，数種類の受験をすることをお勧めします。

以下は，行政・事務区分の併願例ですが，最も一般的なものは①になります。

①同等の受験レベルで対策が立てられる併願

〈都道府県・地方上級〉〈国家一般職〉〈東京・特別区または東京都Ⅰ類〉

※過去の試験日程の例からは，このケースが最も併願に向いた内容になります。第 1 次試験日が 5 月上旬が東京都，東京特別区，6 月中旬が国家一般職，6 月下旬が都道府県地方上級と受験対策が立てやすい日程です。受験科目も同様のもので，面接試験などを考慮しても職種の方向性がはっきりしています。

ちなみに東京都Ⅰ類と特別区Ⅰ類の第 1 次試験日は同じ日なので，どちらか一方のみ受験できます。また，各都道府県の地方上級第 1 次試験日は一斉ですから，2 つの自治体受験は不可能です。したがって，①の場合は 3 個所の併願で考えられます。

②難易度を上げた併願〈国家総合職：大卒程度〉〈国家一般職〉

※このケースは，第 1 次志望を国家一般職とする受験者からみれば大変厳しいコースになります。総合職受験者が一般職試験に滑り止め的な併願をするケースですから，「一般職」の受験者には，総合職試験の専門試験（記述式）や政策論文試験では相当頑張らなければならないでしょう。

③専門機関的な分野との併願〈地方上級または国家一般職〉〈防衛省専門職員〉〈国立国会図書館一般職〉

※この場合，防衛省専門職員は対象が限定される職業分野であるだけに，その点を理解して論文試験，面接試験に臨まなければなりません。また図書館一般職は募集人員が少ないということもありますが，ともに併願パターンとしては好ましいとは言えないようです。

④専門職分野を意識した併願〈地方上級〉〈国家一般職〉〈国家専門職〉

※この場合の「専門職」とは，国家公務員「専門職試験」に該当する分野で，「国税専門官」「財務専門官」「労働基準監督官」「法務省専門職員」「皇宮護衛官」などを指します。試験日程から，このケースは対応できる併願です。

ただし，こちらも③と同じように専門府省での専門職種となりますから，自分の将来を考えた分野を決めなければなりません。専門試験ではそれぞれの区分で限定された専門科目の知識が要求されます（各区分の詳しい内容は人事院ホームページで確かめてください）。学んだ専門科目を考えながら受験先を決める必要があります。

＜表 1：国家公務員一般職（行政区分）過去 3 年：（　）内は女性＞

	申込者数	1 次合格者	最終合格者
23 年度	26,319（10,910）	11,558（4,436）	8,269（3,336）
22 年度	28,103（11,612）	11,490（4,392）	8,156（3,271）
21 年度	23,075　(9,851)	8,215（3,233）	5,642（2,408）

＜表 2：特別区Ⅰ類春試験（事務区分）過去 3 年＞

	申込者数	1 次合格者	最終合格者
23 年度	8,541	5,955	3,013
22 年度	9,374	4,246	2,308
21 年度	11,449	4,092	1,881

専門試験

（16 科目・80 題出題の中から，8 科目・40 題を選択解答）

※上記の，出題数・解答数は国家公務員一般職採用試験に準じたものです。【　】の数字は，出題数です。解答時間は３時間です。

政治学

No. 124 イデオロギー

イデオロギーに関する次の記述のうち，妥当なのはどれか。

1　普通選挙の実現によって，それまで被支配階層とされてきた多くの大衆が政治参加する大衆民主主義が広まっていったが，オルテガ・イ・ガセットは『大衆の反逆』において，大衆は自分自身の存在を指導することもできなければ，また指導すべきでもなく，ましてや社会を支配統治するなど及びもつかないとして，大衆民主主義に否定的な見解を示した。

2　J.シュンペーターは，民主主義を選挙政治の角度から形式的・手続的にとらえた上で，人民の権力は選挙期に限定されるべきであり一切の圧力活動は禁止されるべきだとした。一方，C.E.メリアムはシュンペーターの民主主義論の影響を受けつつも，それにとどまらず，制度論的にも選挙以外の参加民主主義的要素をより重視した。

3　我が国においては，急速な近代化を目指す政府がその保護の下で諸企業を発展させてきたため，政府が民間の経済活動を放任する経済的自由主義を意図的に追求するようになったのは，第二次世界大戦後のことである。特に福田内閣では，電電公社や専売公社の民営化などの自由主義的政策が推進された。

4　我が国において「55年体制」が形成された際，共産党を除く革新勢力は社会党に結集したが，その後，昭和35（1960）年に社会党から離脱した議員を中心に公明党が結成されるなど，革新勢力の多党化が見られるようになった。また，1960年代後半から1970年代前半にかけては，東京・大阪の両知事を始め革新首長が多く誕生した。

5　ナショナリズムは，ヨーロッパにおいてドイツやイタリアの統一，オーストリア・ハンガリー帝国の解体を導くとともに，植民地においても解放闘争の正当化原理として作用するなど，19世紀から20世紀中頃にかけて国民国家の形成に大きな影響を及ぼす政治理念であった。しかし，植民地がほぼ独立を果たした冷戦終結後は，こうした影響力を失っている。

解答欄

解説 124

1○ **オルテガ・イ・ガセット**は大衆民主主義が実現したことで，国家・民族・文化が危機に直面していると説いた。

2× 前半部分のJ.シュンペーターに関する記述は**正しい**。しかし，後半部分の記述は**R.ダール**の見解である。**ダール**は公的異議申し立てと政治参加の度合いが高い政治体制（**ポリアーキー**）こそが，実現可能な民主的政治体制だとした。なお，**メリアム**は権力の神秘性，非合理的側面（**ミランダ**）と，合理化・正当化の側面（**クレデンダ**）を対比して，政治権力が社会的統制の過程において，いかなる役割を演ずるのか分析した学者である。

3× 電電公社や専売公社の民営化などの自由主義的政策が推進されたのは，**中曽根**内閣のときである。この内閣は「増税なき財政再建」を掲げ，3公社（電電公社・専売公社・国鉄）の民営化が推進された。その背景には，1970年代の二度にわたる石油危機の中で，政府財政の守備範囲を見直す必要があったからである。

4× 昭和35（1960）年に社会党から分裂したのは，**民主社会党**（後に**民社党**と改称）である。公明党は宗教団体の創価学会を母体として，昭和39（1964）年に結成された政党である。なお，1960年代後半から1970年代前半にかけて，革新首長が多く誕生したのは事実である。背景には，高度経済成長政策に起因する地域社会に生じた歪みを，革新勢力によって是正しようとする住民の期待があったからである。

5× ナショナリズムは**冷戦終結後**においても，**大きな影響力**を持ち続けている。世界各地で頻発している**民族紛争**の要因となっている。

解答　1

プラス知識

イデオロギー

人間の存在に根底的な意味を与え，社会の諸現象について評価する基準を与える。人々はそれによって自己の行動を正当化する。

政治に対する無関心さが目立つ現代において，イデオロギーの政治的機能は低下しつつある。

政治学

No. 125 議会と立法過程

議会と立法過程に関する次の記述のうち，妥当なのはどれか。

1　我が国の法案作成過程においては，与党による事前審査が重要な役割を果たしてきた。自由民主党内では，各省庁が作成した法案はいわゆる族議員の活躍の場である政務調査会の部会の審議を経た上で，政務調査会審議会において党としての最終的な決定に付され，ここで了承されない法案は国会に提出させないというのが自由民主党結党時からの慣例であった。

2　我が国の国会については，官僚による法案の策定，また与党内審査の影響力の強さから，とりわけ野党の役割が長く疑問視されてきた。しかし，M. モチヅキは，野党が審議を長引かせることによって内閣提出法案の成立を妨害したり廃案に追い込んだりすることに着目し，我が国の国会には，「ヴィスコシティ（粘着力）」があると指摘した。

3　第二次世界大戦後の我が国の国会は，英国型とアメリカ型の制度を採り入れた混血型の議会という性格を持つといえるが，近年，与野党の論戦を活性化させるために導入された党首討論の制度と，国会議員の政策形成能力を高めて議員立法を活性化させるために導入された政策担当秘書の制度は，いずれもアメリカ議会をモデルに求めたものである。

4　アメリカ合衆国の連邦議会における立法過程の特徴の一つは，重要法案のほとんどが実質的に議員によって立案・提出されていることにある。また，党議拘束が強いことから，議員間で法案の相互支持に関する取引，いわゆる「丸太転がし（ログ・ローリング）」や「交差投票（クロス・ヴォーティング）」などが行われやすい傾向にある。

5　N. ポルスビーは，議会を「変換型議会」と「アリーナ型議会」に類型化した。前者は，社会の要求を実質的に法律に変換する機能を果たすものであり，後者は，与野党が争点を明確にして自らの政策の優劣を争う討論の場としての機能を果たすものである。委員会や公聴会の制度が発達したアメリカ議会は，アリーナ型議会の典型とされている。

解答欄

解説 125

1 × 政務調査会の部門の審査を通過した法案は，政務調査会を経て**総務会**に送付され，自由民主党としての最終的な決定に付せられる。こうした**事前審査は結党時からの慣行ではなく**，1960 年代前半の池田内閣の頃からその原型が生まれたとされている。

2 ○ M. モチヅキらの研究によって，55 年体制における自民党一党優位の下においても，法案の成立過程における**ヴィスコシティ（粘着力）**が強く，野党勢力が一定の役割を果たしていることが示された。

3 × 政策担当秘書の制度は**アメリカ**議会の**立法担当秘書**制度を参考にしたものだが，党首討論の制度は**イギリス**の**クエスチョン・タイム**制を参考にして導入したものである。

4 × 法律の制定は形式的には全て議員立法であるが，実際には**大統領が教書送付権を利用して法案を提示**しており，その法案の多くを可決・成立させている。また，政党規律が柔軟であることから，一部の重要法案を除き，党議拘束は他国に比べて**弱い**という特徴がある。

5 × N. ポルスビーによれば，**アメリカ**議会は「**変換型**議会」であり，**イギリス**議会は「**アリーナ型**議会」に分類される。

解答 2

プラス知識

議会と立法過程

基本的には，議会は社会の要求を法律に変換する機能を有する。

政治システムがその社会経済的要因の変動と，そこから生じたまたは生じえる新しい政治課題の発生を認知したとき，既成の政策の修正・転換・廃止，ないしは新規の政策決定を議会が行うことになる。

〈政策策定の働きかけと政策の決定・実施〉

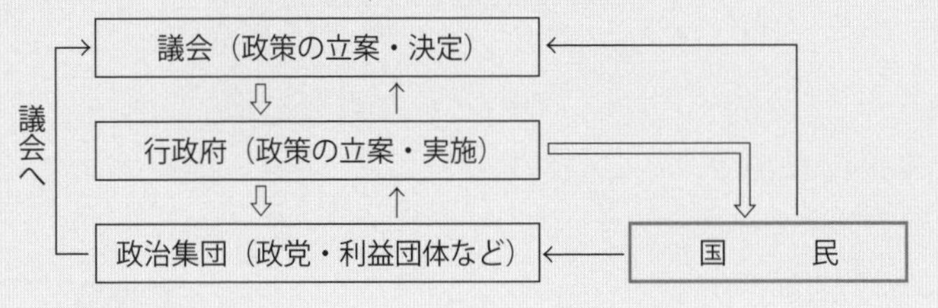

No. 126 政党制と選挙制度

政党と政党制に関する次の記述のうち，妥当なのはどれか。

1　M. ウェーバーは，政党を階級政党と国民政党の２つに類型化した。前者は，特定の社会階級に支持基盤を置く政党で，後者は，特定の社会階級や地域，職業，宗教などに基盤を置かず，広範囲の有権者層から支持を取り付けようとする政党であり，ウェーバーは，政党は階級政党から国民政党へと変化してきたと主張した。

2　M. デュベルジェは，小選挙区制は二大政党制をもたらし，比例代表制は多党制をもたらすという法則を提示した。その上で彼は，安定した民主政治は，小選挙区制の下での二大政党制によってだけではなく，比例代表制の下での多党制によっても実現されているとして，そうした民主政治の姿を「多極共存型民主主義」と名付けた。

3　G. サルトーリの分類による「穏健な多党システム」とは，イデオロギーの差がそれほど大きくない３～５の政党が存在し，単独政権又は連立政権を形成する政党制を指す。また，「分極的な多党システム」とは，特に優位な政党が存在せず，多数の政党が競合し，独裁政権を生みやすい政党制を指す。

4　G. サルトーリの類型によれば，一党優位政党制は，優位政党以外の政党が合法的な存在として認められているにもかかわらず，優位政党が選挙において一貫して多数派を獲得し続け，政権交代が事実上生じないというシステムである。もっとも，優位政党の勝利は制度的に保障されたものではないため，選挙の結果によっては二大政党制にも多党制にも変化し得る。

5　A. ダウンズは，合理的選択論の立場から二大政党制の特質を分析した。彼は，伝統的な保守－革新のイデオロギー的な一次元の軸上において，有権者のイデオロギー的な選好の分布がどのようになっていても，２つの政党はともにイデオロギー上の立場を中央に寄せてくる傾向があるため，二大政党制は安定した政治をもたらすと主張した。

解答欄

解説 126

1× M. ウェーバーは**制限**選挙制の下では名望家政党が主だったが，**普通**選挙制の下では近代組織政党へと移行すると主張した。**階級政党から国民政党への変化を主張したのではない**。

2× M. デュベルジェは選挙制度と政党制との関係を研究し，**小選挙区**制が二大政党制を，**比例代表**制が多党制をもたらすという法則を提示した。しかし，デュベルジェは比例代表制の下では，民主政治は不安定になると主張した。比例代表制の下でも安定した政権運営をしている欧州の国々を「**多極共存型民主主義**」と呼んだのは，**レイプハルト**である。

3× G. サルトーリにより類型化された「**分極的な多党システム**」では，多党制の下で中道政党が万年与党化することが指摘されている。したがって，特に優位な政党が存在せず，独裁政権を生み出すという**記述は誤り**である。

4○ 野党も合法的に活動できるため，選挙結果によっては**二大政党制**や**多党制**に変化することもありえる。

5× A. ダウンズの二大政党制の分析によれば，２つの政党がともにイデオロギー上の立場を中央に寄せてくるのは，中央の立場にいる有権者の数が，左右に分布する有権者の数より多いときに限られるとしている。

解答　4

プラス知識

政党制と選挙制度

民主的選挙の原則が確立されていても，特定の政党や候補に有利なように設定されていたのでは，国民世論を正確に議会に反映することはできない。それゆえ，政党制と選挙制度は深く結びついているのである。

選挙制度	特　徴	政党制
小選挙区制	大政党に有利だが，小政党には不利に働く	二大政党制
比例代表制	政党の大小に関わらず議席獲得の機会がある	多党制

大政党に有利な小選挙区制と小政党にも議席獲得のチャンスがある比例代表制の組合せが，多くの国々で採用されている。

No. 127 利益団体

利益団体に関する次の記述のうち，妥当なのはどれか。

1　現代政治において利益団体が台頭してきたのは，社会の各分野に対する政府の統制が拡大され，その結果，企業をはじめとする各種の職能団体も，それぞれの集団目的を達成するために，政策決定過程に働きかけていく必要性があったからである。

2　利益団体の分類方法には種々あるが，経済的利益の追求に基づく「セクター団体」と特定の価値や主義の普及を目指す「価値推進団体」とに分ける方法はその一例である。さらに，この二つのカテゴリーに収まらない団体を「市場団体」と呼ぶことがあり，その例として，福祉団体，教育団体，行政関連団体が挙げられる。

3　利益団体が相互に対抗・競争する中から政策が生まれる仕組みを多元主義的政治システムという。こうした市場原理に任せるシステムは，実際には強力な組織力を持つ団体の利益だけが過剰に代表されるという点で「ネオ・コーポラティズム」的であるとして，批判されている。

4　アメリカ合衆国の社会学者E. フロムは，その著書『統治の過程』の中で，南北戦争後の急速な経済発展，労働階級の台頭，都市部への人口集中，移民の増加といった社会的潮流を背景として，さまざまな集団が自己利益の増進のためにロビイストを使って連邦議会に圧力をかけ，それを連邦議会が調整するという点がアメリカ合衆国の政治過程の特徴であると指摘した。

5　現在の我が国の利益団体は，政党別に系列化されていることから，専ら政党や議員に働きかけ，行政機構には働きかけないといった特徴がある。また，各分野の頂上団体は下位組織が自発的に参加することによって形成されている。

解答欄	

解説 127

1○　社会の隅々まで政府の規制が及んでいる状態を**行政国家化**と呼んでいるが，利益団体はその状況の中で台頭してきたのである。利益団体と政党との違いは，政党は政権を獲得・担当することが目的であるが，利益団体には政権獲得の目的がない点にある。

2×　利益団体を「セクター団体」と「価値推進団体」と分ける記述は妥当である。しかし，福祉団体や教育団体を例とする団体は，「**政策受益団体**」と呼んでいる。

3×　多元主義的政治システムの説明としては妥当であるが，「ネオ・コーポラティズム」的であるとする批判は**誤り**である。ネオ・コーポラティズムにおいては，非市場的な協調・調整を通して政策決定が行われるからである。

4×　『統治の過程』を著したのは，**A.F. ベントレー**である。彼は多元主義的な集団理論を構築し，旧来の静態的・制度論的政治学を批判した。

5×　我が国の利益団体は，従来政党別に系列化されていたが，近年は**流動的に**なってきている。また，利益団体の働きかけは，行政機構に**向かう場合が多い**。

解答　1

プラス知識

利益団体

社会の利害関係が複雑化・多様化するにつれ，政党の利益集約機能は低下してくる。そこで，特定集団の特殊利益を実現するために，資金提供や票のとりまとめ等を行って政治権力に働きかけるのが利益団体（圧力団体）である。

利益団体は政治に関与する点において，政党と同じである。しかし，自身が政権獲得を目的としていない点で決定的に異なる。政党との関係では推薦候補者の擁立・資金の提供・票のとりまとめ等を行って，政党に影響力を行使し，その目的とする利益を実現しようとする。つまり，自身の職能的な利益を追求することに特色がある。主な利益団体としては，企業・経営者を基盤とする日本経済団体連合会，労働組合を基盤とする日本労働組合総連合会（連合），その他日本医師会などがある。

政治学

No. 128 選挙制度

選挙制度に関する次の記述のうち，妥当なのはどれか。

1　選挙制度は，選挙区の面積や有権者数に着目して，小選挙区制，中選挙区制，大選挙区制に分類される。小選挙区制は，当落を左右するに当たって１票の価値が低く，相対的に死票が多い選挙制度であるといわれる。

2　選挙制度は，得票の多い候補者を当選者とする多数代表制と，得票数に比例して議席を配分する比例代表制とに分類することができる。我が国の衆議院選挙で現在採用されている小選挙区比例代表並立制は両者を同一選挙区において適用する選挙制度であり，以前採用されていた中選挙区制は比例代表制の１つである。

3　比例代表制における議席配分方式としては，得票数を奇数で除するドント式と偶数で除するサン・ラグ式がある。サン・ラグ式は，ドント式が大政党を相対的に有利にする点を改善するものであり，我が国の衆議院選挙において，有権者が候補者個人を選べる非拘束名簿方式に変更されるとともに導入されている。

4　選挙制度は投票方式によっても分類することができる。投票用紙に候補者名１名だけを書く方式を単記投票制，複数名を書くものを連記投票制という。また，不在者投票が認められるか否かに着目すると移譲式と非移譲式とに分類され，我が国の衆議院選挙で採用されている小選挙区制は単記移譲式とされる。

5　多数代表制の選挙では，当選する見込みのある候補者数は選挙区定数プラス１になると論じられている。これは，当選の見込みのない候補者が立候補を見合わせ，有権者も当選の見込みのない候補者に投票しなくなると考えられるからである。

解答欄

プラス知識

民主的選挙の原則

国民世論が正確に議会に反映されなければ，代表民主主義が機能しないことになる。そのために，民主的選挙の原則が確立されたのである。

民主的な選挙原則とは，普通選挙・平等選挙・秘密選挙の原則である。

※注　直接選挙と間接選挙では，直接選挙の方がより民主的であるといえる。しかし，間接選挙であっても，有権者から選出された選挙人が候補者を選ぶ点において，民主性は担保されている。

解説 128

1 × 選挙区制は，その選挙区で選出される**議員の数**（**定数**）で区別される。したがって，選挙区の面積や有権者数によって区分された**ものではない**。なお，小選挙区制の記述に関しては**妥当**である。

2 × 我が国の衆議院選挙で採用されている小選挙区比例代表並立制とは，衆議院議員定数 480 議席のうち，300 議席を小選挙区から，残りの 180 議席を小選挙区とは別に分けられた全国 11 ブロックから比例代表で選出する選挙制度である。両者を同一選挙区において適用する選挙制度**ではない**。また，以前採用されていた中選挙区制は，**大選挙区**制の 1 つである。

3 × ドント式は各政党の得票数を整数で割っていき，その商が大きい順に議席を配分していく方法である。これに対し，サン・ラグ式は得票数を奇数で割って議席を配分していく方法である。我が国においては，衆参いずれにおいても**ドント式**を採用している。また，**非拘束名簿方式**を採用しているのは**参議院**であり，**衆議院**では**拘束名簿方式**を採っている。

4 × 移譲式と非移譲式の区別は，ある候補者に投票した票を別の候補者の票に回せるかというものである。不在者投票制度**とは関連性がない**。また，現在の衆議院議員選挙の小選挙区制において，単記移譲式は**認められていない**。

5 ○ **M. デュベルジェ**が提唱した法則である。

解答 5

〈民主的選挙と非民主的選挙の対応関係〉

普通選挙の原則⇔制限選挙
平等選挙の原則⇔不平等（等級）選挙
秘密選挙の原則⇔公開選挙

※注 平等選挙の原則に関しては，議員定数の不均衡（選挙区ごとの一票の重さ）が，憲法上の平等権を侵害していると問題視されている。

行政学

No. 129 日本の地方自治

我が国の中央地方関係に関する次の記述のうち，妥当なのはどれか。

1　知事や市町村長などの地方自治体の執行機関を国の大臣の指揮監督下に置いて国の事務の執行を委任する仕組みであった機関委任事務の制度は，いわゆる地方分権一括法により原則として廃止されたが，国政選挙の執行事務など一部の事務は例外的に機関委任事務として存続している。

2　いわゆる地方分権一括法により，地方自治体に対する国の関与について，その標準類型や手続ルールが定められた。また，新たに設けられた国地方係争処理委員会は，地方自治体からの国の関与に関する審査の申出があった場合，審査を行い，国の関与が違法等であると認めたときは，国の行政庁に対して必要な措置を講ずべき旨の勧告等を行うこととなっている。

3　いわゆる地方分権一括法により，介護保険事務を始めとする多数の国の事務事業が地方自治体へ移譲された。これによって，多くの地方自治体では事務量と歳出額が急増したが，同時に国から地方への税源の移譲が行われたため，ほとんどの地方自治体では地方税収が大幅に増え，歳入額も拡大した。

4　従来，地方自治体の課税自主権は著しく制約されており，地方自治体は地方税法が定める税目以外の税を独自に課すことが一切認められていなかったが，いわゆる地方分権一括法により，独自に法定外の普通税及び目的税を創設することが可能になった。これにより，現在ではすべての都道府県及びほとんどの市町村が法定外の税を設けている。

5　地方交付税交付金は，個々の地方自治において実際に歳入不足が生じた場合に，国が，国税の一定割合をプールした中から当該不足額を穴埋めするものであり，地方公共団体間の財政格差を解消する役割を果たしている。

解答欄

プラス知識

日本の地方自治

1　地方公共団体の仕事と問題点

1999年，地方分権一括法の制定により，従来問題のあった機関委任事務が廃止され，自治体の自治事務と国の事務を代行する法定受託事務に再編成されることになった。このことは，国と自治体の関係が真に対等な関係に立つことを意味する。

解説 129

1× 地方分権一括法(1999年制定)によって,機関委任事務は全て廃止された。地方自治体の事務としてみれば,自治事務と法定受託事務に振り分けられた。国政選挙事務は法定受託事務である。したがって,一部の機関委任事務が例外的に存続しているとする**記述は誤り**である。

2○ 国地方係争処理委員会は,地方自治法250条の7以下に規定されている。

3× まず,前半部分の記述「介護保険事務を始めとする多数の国の事務事業が地方自治体へ移譲された」とする**事実はない**。また,「同時に国から地方への税源の移譲が行われたため,ほとんどの地方自治体では地方税収が大幅に増え,歳入額も拡大した」という**事実もない**。

4× 地方分権一括法によって創設されたのは法定外**目的**税である。地方分権一括法制定以前においても,許可制ではあったが,法定外**普通**税の新設は認められていた(現在は事前協議制)。

5× 地方交付税交付金は,地方自治体の財政格差を解消するものであるが,国の定めた行政需要に満たなければ,**歳入不足が生じてなくても一般**財源として交付される。

解答 2

2 地方公共団体の独自課税

法定外目的税は,地方分権一括法により特定の費用に充てるために条例で設けることを認められた地方税。東京都杉並区のレジ袋税や各地の産業廃棄物税などがある。

他に,地方分権一括法制定以前に認められていた法定外普通税がある。近年,財政難から独自課税を推進する地方自治体の動きが増している。

No. 130 情報管理

情報管理に関する次の記述のうち，妥当なのはどれか。

1　電子政府・電子自治体の推進のために制定された行政手続オンライン化法は，行政機関が，他の法令により，書面によって作成・保存するとされているものについて，当該法令の規定にかかわらず，書面に代えて電磁的記録によって作成・保存することができる旨を定めている。

2　個人情報の保護に関しては，公益通報者保護法案に関する国会審議の過程で，そのための法制整備の必要性が指摘され，これを受けて政府・与党において検討が進められた結果，個人情報の取扱いに関する官民を通じた基本的枠組みなどを定める個人情報保護法案が国会に提出され，成立した。

3　行政機関情報公開法は，国の行政機関を包括的に対象としているが，国の安全や公共の秩序の維持に支障を及ぼすおそれがあることから国家公安委員会，防衛省を，また，内閣から独立した機関であることから会計検査院を，それぞれ適用除外としている。

4　官僚制組織のヒエラルキー構造は上下双方向に機能しており，下降方向の情報流と上昇方向の情報流の複雑な絡み合いの中で意思決定を行っている。我が国の行政機関に特徴的な意思決定方式といわれる稟議制は，最高管理者が発案し決定した政策や行動方針が中間管理者たちを経由して行き，最終的な執行命令が組織の末端に伝達されることによって執行活動に変換されるという，決裁型の意思決定の典型である。

5　2001年9月11日のアメリカ合衆国における同時多発テロ事件を契機に，日本においても，24時間体制で情報収集にあたる内閣情報集約センターが首相官邸に設けられたり，内閣官房に内閣危機管理監が設置されたりするなど，内閣が危機管理を効果的に行うための体制の整備が進められた。

解答欄

プラス知識

情報管理

行政機関における情報管理には，①情報を一元化する必要性，②国民の利便性の向上と個人情報の保護を図っていく側面がある。

1　行政手続オンライン化法

国民の利便性の向上を図ることと，行政運営の簡素化及び効率化に役立てることにある。利益処分だけではなく，不利益処分についても，オンラインで処分通知することができる。

解説 130

1○　行政手続オンライン化法（行政手続等における情報通信の技術の利用に関する法律）6条1項により，**このように定められている**。

2×　個人情報保護法が制定された背景には，インターネットを代表とする情報社会の発展に伴い，個人情報が本人の知らないところで流出し，悪用されてしまう事態を防止することにある。内部告発者を守るための公益通報者保護法案の国会審議の過程で，その必要性が認識**されたわけではない**。

3×　問題文中で挙げられたこれらの機関にも，行政機関情報公開法は**適用される**（同法2条1項2号・6号）。

4×　我が国の行政機関に特徴的な意思決定方式といわれる**稟議**制は，末端職員の起案した稟議書が中間管理者を経由して最高管理者まで上げられ，決裁を得るという**ボトムアップ**型である。これに対し，欧米諸国に見られる意思決定方式の典型は，最高管理者が発案・決定した事項を末端まで伝達していく**トップダウン**型である。

5×　内閣情報集約センターが設けられたのは**平成8（1996）**年であり，内閣危機管理監が設けられたのは**平成10（1998）**年である。どちらも，2001年に起きた米国同時多発テロ**以前に設置**されている。

解答　1

2　行政機関個人情報保護法
個人情報保護法の特別法である。不開示情報が含まれている場合でも，不開示情報に該当する部分を容易に区別して除くことができるときには，開示する義務がある（部分開示）。また，個人の権利利益を保護するため特に必要があると認めたときにも，開示することができる（裁量開示）。

行政学

No. 131 近代官僚制

官僚制や官僚の行動に関する次の記述のうち，妥当なのはどれか。

1 M. ウェーバーは，支配の正統性が，伝統的支配，カリスマ的支配，合法的支配の３段階を経て発展していくものとし，合法的支配を支える合理的な官僚制として近代官僚制をとらえた。彼によれば，近代官僚制は，20 世紀初頭にアメリカ合衆国に誕生したとされる。

2 W. ウィルソンは，行政活動を政党政治に従属させることによって，有能にして効率的な官僚制を育成するべきだと論じた。ウィルソンがモデルとしていたのは，スポイルズ・システムが定着していたジャクソン大統領の時代のアメリカ官僚制であった。

3 R. マートンによれば，官僚は行動を規則の支配に委ねており役割にこたえるため規律を重んじるが，これが，必要な変化にも反対する集団規範を作り出し，柔軟な行動を制約するとされる。このような手段の目的化現象は，官僚制の逆機能の一つとされる。

4 辻清明は，1950 年前後の我が国の官僚制を研究し，『日本官僚制の研究』を著した。彼によれば，第二次世界大戦後，我が国の官僚制は，民主化が徹底されたことにより，戦前のそれと一線を画し，家産官僚制の性格を払拭して近代官僚制に生まれ変わったとする。

5 官僚は公共の利益のために働いているものと一般にはみなされるが，A. ダウンズは，現実には，自己利益を追求しているとの前提に立って官僚の行動を分析した。彼によれば，官僚は，権力や政策との一体感などについては自己利益とはみなしておらず，不正な手段によるものを含めた収入を自己利益とみなしている。

解答欄	

解説 131

1× **M. ウェーバー**によれば，近代官僚制が誕生したのは 20 世紀初頭の近代**ヨーロッパ社会**である。

2× **W. ウィルソン**は政治・行政分離論の提唱者であり，行政府の政党支配を排除すべきことを主張した。**スポイルズ・システム**を批判の対象としている。

3○ **R. マートン**は，近代官僚制における**機能障害**を指摘した学者である。

4× **辻清明**は特権的官僚制を改革し，官僚制を民主化することが日本の民主化のための最大の課題であると論じている。戦前の官僚制の特徴であった**割拠主義（セクショナリズム）**は，戦後になっても温存していると指摘している。

5× 前半部分の **A. ダウンズ**の見解については**正しい**。だが，ダウンズは権力や政策との一体感を自己利益とみなしているので，後半部分の記述は**誤り**である。

解答　3

プラス知識

官僚制

官僚制に関する研究には，大別すると 2 つの方向性がある。1 つは官僚制の機能的側面に注目した概念であり，他は病理的側面に注目した概念である。

1　官僚制の機能的側面

M. ウェーバーによれば，合理的な近代資本主義社会の要求に沿った組織が官僚制であるとする。つまり，近代社会の目的達成のための合理的支配形態を意味する。

2　官僚制の病理的側面

権力論的批判からは，官僚制を特殊集団である官吏の特殊利益に基づく支配とみて，官吏の権力癒着を批判する。これに対し，心理学的批判からは，組織内部の個人の心理に着目し，責任感の喪失・自己中心的考え・権勢欲の増大などの現象を指摘する。

行政学

No. 132 市民参加

重要度

行政活動への市民参加に関する次の記述のうち，妥当なのはどれか。

1　我が国の行政手続法には，規制制定に当たっての事前手続は定められていないが，平成11（1999）年3月に閣議決定された「規制の設定又は改廃に係る意見提出手続」に基づき，各省庁が規制を伴う政令，省令等を制定する際には意見の募集が行われている。この制度は，「パブリック・コメント手続」と呼ばれている。

2　オンブズマンは，主に議会に設置され，行政機関又は行政官・行政職員の決定又は行動が権力の濫用や不当な権利侵害に当たるとする市民の苦情を受け付け，それについて職権調査や是正措置の勧告を行い，議会に報告する権限を有する。この制度は第二次世界大戦後の英国で生まれ，1960年代以降，北欧諸国，英国連邦諸国，アメリカ合衆国諸州へと急速に普及したが，我が国では地方自治体も含めていまだ導入には至っていない。

3　「脱福祉国家」，「小さな政府」という新保守主義の潮流を背景に，市民と行政の関係についても新しい関係が見られるようになっており，近年ではボランティア，NGO，NPOなどが公共システムの一部として注目されている。我が国では，これらの市民の自由な社会貢献活動を促進するため，平成10(1998)年に簡易な手続で法人格を付与することなどを目的とした特定非営利活動促進法が施行された。

4　政府の広報・広聴活動は各省庁においても行われているが，内閣府が政府全体の立場から政府の重要施策について各省庁との連携を図りつつ，各種の媒体を活用した政府広報を行うとともに，政府施策に対する国民の意見，要望を把握するための広聴活動を実施している。細川内閣が始めた「タウンミーティング」はその一例である。

5　我が国では，地方自治体が所有する公共施設については，直営又は公益法人への委託によって運営されていたが，平成15年（2003年）の地方自治法の改正により指定管理者制度が新設され，その運営業務を非営利法人（NPO）に委託しなければならないこととされた。この制度の導入により，行政コストの削減とともにNPOの財政的な基盤の強化が図られることが期待されている。

解答欄

解説 132

1 × 現在の**パブリック・コメント手続**は，閣議決定に基づいて導入されていたパブリック・コメント手続が，平成 17（2005）年に**行政手続法**が改正され，制度化された**意見公募手続**である。

2 × **オンブズマン（行政監察官）制度**は，**スウェーデン**で生まれた制度である。また，日本において国レベルでは未だ採用されていないが，川崎市をはじめ一部の地方自治体で採用されている。

3 ○ 近年において，政府・自治体とボランティア，NGO，NPO などが協力して，国民・住民にサービスを提供する**官民パートナーシップ**が様々な形態で行われている。特定非営利活動促進法が施行された背景についても，妥当な記述である。

4 × **タウンミーティング**は，**小泉**内閣のときに実施されたものである。

5 × **指定管理者制度**は地方自治体の公共施設の管理委託において，民間団体のノウハウを活用し，住民サービスの向上を目的としている。委託の条件は，NPO（非営利組織）に**限定されない**。

解答 3

プラス知識

市民参加

行政の意思決定過程に市民参加を図ることにより，行政の意思決定に至る過程が透明化され，国民の監視が行き届くようにするのが狙いである。

1 オンブズマン（行政監察官）制度の導入

スウェーデンで生まれたこの制度は，行政活動を調査し，必要に応じて改善を勧告する制度である。本来は公的機関として設けられたものをいうが，日本で公的に設置しているのは川崎市など未だ少ないのが現状である。

2 パブリック・コメント制度

国の行政機関が規制の設定や改廃をするにあたり，広く国民から意見や情報提供を募集することを義務付け，それを参考に政策などを最終決定する制度である。

No. 133 日本の政策立案と決定

我が国における政策立案・決定に関する次の記述のうち，妥当なのはどれか。

1　行政需要の増大に対する政府の対応策としては，行政サービスの供給量を増大させるほか，行政需要そのものを制御することが考えられる。例えば，廃棄物処理行政で，分別・リサイクルを徹底させることで回収・処理すべきゴミを減量化するのは，後者の例である。

2　H. サイモンが提示した課題解決情報とは，業務が適切に遂行され，行政課題が解決されているかを点検し確認するための情報であるが，我が国におけるこれらの情報収集においては，通常の業務の記録から副次的に得られる業務統計を転用するケースが多く，独自の調査研究が新規に行われることはまれである。

3　我が国では，行政機関によって何らかの対応を要する新しい課題の存在が認識された場合，学識経験者で構成された研究会が組織されることがあるが，中立性，客観性を担保するため，行政官は研究会での議論には公式にも非公式にも関与しないのが通例である。

4　行政需要は，顕在行政需要と潜在行政需要とに分けられる。顕在行政需要とは，陳情などによって行政機関がその存在を把握した需要であり，把握された時点で行政ニーズとして認知される。しかし，潜在行政需要は社会的にも存在が把握されていないものであるため，行政ニーズとして認知されることはない。

5　人々が政府に充足を期待する行政需要は，階層・集団・個人ごとに多種多様で，相互に矛盾対立したり，明確に定式化されず流動的であったりする。そのため，我が国では，政府は行政需要のうち計量的測定が可能なもののみを行政ニーズとして認定し，政策立案の対象とする。

解答欄

プラス知識

政策立案と決定

行政国家における行政活動は，たんに政策を実施するだけではなく，政策を立案し実施していく活動である。つまり，政府が経済社会的条件またはその対象集団に何らかの変更を加えようとする意図の下に，これに向けて働きかけていくことになる。

解説 133

1 ○　**行政需要の制御**には，①法規制や行政指導による予防方策，②補助金などによる助成や振興による民間活力を利用した方策，③価格操作による減量政策がある。

2 ×　**H. サイモン**は，業務統計情報の活用を①成績評価情報，②注意喚起情報，③課題解決情報の３種類に分類した。業務が適切に遂行され，行政課題が解決されているかを点検し確認するための情報は，**成績評価情報**である。課題解決情報においては，当面の課題に対して独自の新規調査が行われる場合が多い。

3 ×　行政官庁が調査委託の形をとって民間シンクタンクなどに研究会を組織させることがあるが，こうした研究会には**担当行政官が出席**し，**非公式に議論に参加することは通例**となっている。

4 ×　**行政サービス**とは，国民・住民の要求や要望としての顕在的・潜在的な行政需要を政策決定部門が行政ニーズとして認定し，それに政策的に対応すること。たとえ顕在行政需要であったとしても，それを充足する技術的方法がない等の理由で，行政ニーズとして認定されないものがある。逆に，潜在行政需要であっても，政策決定部門がそれを掘り起こして，行政ニーズに認定する**こともある**。

5 ×　**行政需要**は計量的に測定が困難なものが多い。もし，計量的測定が困難であるがために，政策立案の対象から外してしまうと，政府は国民の負託に応えられなくなる。

解答　1

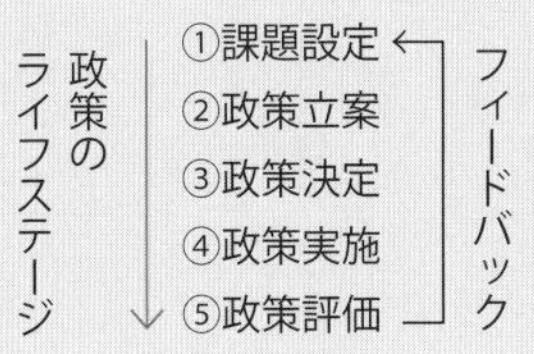

憲　法

No. 134 内　閣

内閣総理大臣及び国務大臣に関するア～オの記述のうち，妥当なもののみをすべて挙げているのはどれか。

ア　内閣総理大臣は国会議員の中から国会の議決によって指名されるが，衆議院議員の場合には，衆議院解散の時点で内閣総理大臣は当然に失職する。それに伴い内閣も総辞職するが，解散後の衆議院議員総選挙の後の最初の国会において新たに内閣総理大臣が任命されるまで引き続きその職務を行う。

イ　内閣総理大臣を指名する必要が生じた場合，国会は他のすべての案件に先立ってこれを行うものとされているが，議長の選挙や会期の議決等のいわゆる院の構成に関する事項については，内閣総理大臣の指名の前に行うことができる。

ウ　内閣総理大臣は，国務大臣の中から，行政事務を分担管理する主任の大臣を命じる。また，主任の大臣の間における権限についての疑義がある場合には，内閣総理大臣は，閣議にかけて，これを裁定する。

エ　国務大臣のうち主任の大臣に任命された者は，各省の大臣として行政事務を分担管理するから，閣議への議案提出はその分担管理する行政事務の範囲に限られる。

オ　内閣総理大臣は，裁判所による行政処分の執行停止の決定に対し異議を述べることができるが，行政各部の処分又は命令を中止させることはできない。

1　ア，イ

2　ア，ウ

3　イ，ウ

4　イ，ウ，エ

5　ウ，エ，オ

解答欄

解説 134

ア×　**内閣総理大臣**が衆議院議員であっても，衆議院解散の時点で，内閣が総辞職**するわけではない**。内閣が総辞職するのは，衆議院の解散後の衆議院議員総選挙の後の最初の**国会が召集されたとき**である（憲法70条）。なお，内閣は，新たに内閣総理大臣が任命されるまで引き続きその職務を行う（同71条）。国政の空白を避けるための規定である。

イ○　**内閣総理大臣の指名**は，他のすべての案件に先立って，行わなければならないとされている（憲法67条1項）。しかし，総選挙後に初めて召集された衆議院においては，議長などの役員が存在せず，院としての活動ができない。そのため，院の構成に関する事項については，内閣総理大臣の指名の**前**に行われるのが慣例となっている。

ウ○　前半部分の記述は国家行政組織法5条2項，後半部分の記述は内閣法7条に規定されている。

エ×　国務大臣は案件のいかんを問わず，内閣総理大臣に提出して，**閣議を求めることができる**（内閣法4条3項）。これは各省の国務大臣であっても同様である。

オ×　前半部分の記述は，行政事件訴訟法27条1項に規定されており**正しい**。しかし，後半部分の記述については，内閣法8条により内閣総理大臣が行政各部の処分または命令を**中止することができる**。内閣の一体性と行政の統一性を確保するための規定である。

以上から，妥当なもののみをすべて挙げているのは，**イ・ウ**の肢**3**である。

解答　3

プラス知識

内閣の総辞職

内閣総理大臣が欠けたとき，または衆議院議員総選挙の後にはじめて国会の召集があったときには，内閣は総辞職しなければならない。前者は内閣の一体性が失われるからであり，後者は内閣の信任の根拠を失うから，総選挙の結果いかんに関係なくいったん総辞職することになる（憲法70条）。どちらも，議院内閣制の表れである。

ただし，総辞職した内閣が直ちに職務を離れることは，国政運営上重大な支障をきたすので，新たな内閣総理大臣が任命されるまでは職務続行義務を負うものとされている（同71条）。

憲法

No. 135 表現の自由

表現の自由に関する次の記述のうち，妥当なのはどれか。

1　憲法第 21 条に規定される表現の自由はもとより絶対的なものではなく，憲法上の他の要請により制約される場合もある。したがって，政治的な勢力からの独立及び地位の中立・公正が憲法上要請される裁判官に対して積極的な政治運動を禁止することは，裁判官の表現の自由を一定範囲で制約することにはなるが，この制約が合理的で必要やむを得ない限度を超えたとしても，憲法上許容される。

2　憲法第 21 条第 2 項にいう検閲とは，行政権が主体となって，思想内容等の表現物を対象とし，その全部又は一部の発表の禁止を目的として，対象とされる一定の表現物につき網羅的一般的に，発表前にその内容を審査した上，不適当と認めるものの発表を禁止することを，その特質として備えるものを指し，その性質上表現の自由に対する最も厳しい制約となるものであるから，公共の福祉を理由とする場合を除き絶対的に禁止されるとするのが判例である。

3　A 政党が B 新聞社の発行する日刊新聞紙に C 政党を批判する内容の意見広告を掲載したのに対し，C 政党が B 新聞社に反論広告の無料掲載を求めることは，当該意見広告の掲載により名誉毀損の不法行為が成立するかどうかとは無関係に，人格権又は条理を根拠として認められるとするのが判例である。

4　条例により，青少年の健全な育成を阻害するおそれがある図書を「有害図書」と指定した上で自動販売機への収納を禁止し処罰することは，青少年に対する関係において，憲法第 21 条第 1 項に違反しないことはもとより，成人に対する関係においても，有害図書の流通を幾分制約することにはなるものの，青少年の健全な育成を阻害する有害環境を浄化するための規制に伴う必要やむを得ない制約であるから，憲法第 21 条第 1 項に違反するものではないとするのが判例である。

5　表現の自由に対する規制の合憲性を判断するに当たっては，当該規制手段の根拠法令の内容が一義的に明白であること，表現行為によって発生する害悪が時間的に切迫していること，害悪を避けるのに必要不可欠であること，の 3 つの要件が認められる場合に当該規制手段を合憲とする，いわゆる明白性の原則が確立されており，判例も公職選挙法の戸別訪問禁止規定に関してこの原則を採用した。

解答欄 | |

(参考) 日本国憲法
第21条　集会，結社及び言論，出版その他一切の表現の自由は，これを保障する。
② 検閲は，これをしてはならない。通信の秘密は，これを侵してはならない。

解説 135

1× 判例は裁判官の独立及び中立・公正を確保するために，**表現の自由**を一定範囲で制約することになっても，制約が合理的で必要やむを得ない限度にとどまるものである限り，**憲法の許容**するところであると判示している（最大決平 10.12.1)。

2× **検閲**の定義について述べた記述は，判例の見解と**合致しているので正しい**（最大判昭 59.12.12)。しかし，同判例は**検閲の禁止**について，公共の福祉による例外を認めない旨判示しているので，その点に関しては**誤り**である。

3× 判例は私人間において，情報の発信・収集等につき強い影響力をもつ日刊新聞紙を全国的に発行するものである場合でも，憲法 21 条の規定から直接に**反論文掲載請求権**が他の当事者に生じるものではないと判示している（最判昭 62.4.24)。しかし，不法行為が成立する場合には，反論文掲載請求権が認められる余地はあると考えられている。

4○ 判例は，青少年の健全な育成目的達成のために，自販機への**有害な図書収納を禁ずる**のは必要かつ合理的な手段であり，成人に対しても目的達成のために必要やむを得ない制約であると判示している（最判平元.9.19)。

5× 「**明白性の原則**」は，経済的自由権について用いられる合憲性判定基準であるから，まずこの点において**誤り**である。また，「**明白かつ現在の危険**」の基準だとしても，「当該規制手段の根拠法令の内容が一義的に明白であること」ではなく，「ある表現行為が近い将来，ある実質的害悪を引き起こす蓋然性が明白であること」が要件となる。次に，判例は**戸別訪問の禁止**について，「**明白かつ現在の危険**」の基準を適用していない（最判昭 55.6.6)。同判例は，①買収，利益誘導，私生活の平穏の侵害などの弊害を防止し，選挙の自由と公正を確保するという正当な目的を有し，②その目的と一律禁止の間には合理的関連性があり，③この一律的な禁止により失われる利益よりも，選挙の公正さから得られる利益の方が大きいとした上で，この規定は合理的で必要やむを得ない限度を超えていないと判示している。

解答　4

No. 136 財産権の保障

財産権の保障に関するア～オの記述のうち，判例に照らし，妥当なもののみをすべて挙げているのはどれか。

ア 憲法第 29 条第 1 項は，「財産権は，これを侵してはならない。」と規定し，私有財産制度を保障しているのみではなく，社会的経済的活動の基礎をなす国民の個々の財産権につき，これを基本的人権として保障している。

イ 憲法第 29 条第 2 項は，「財産権の内容は，公共の福祉に適合するやうに，法律でこれを定める。」と規定しており，私有地に対する個人の権利の内容を法律によらずに条例で規制することは同項に違反する。

ウ 土地収用法上の収用における損失の補償については，収用の前後を通じて被収用者の財産価値を等しくならしめるような補償をなすべきであり，金銭をもって補償する場合には，被収用者が近傍において被収用地と同等の代替地等を取得することを得るに足りる金額の補償を要する。

エ 「正当な補償」とは，被収用財産のもつ客観的な貨幣価値，つまり自由な市場取引において成立し得る価格と常に一致することを要する。

オ ある法令が財産権の制限を認める場合に，その法令に損失補償に関する規定がないからといって，その制限によって損失を被った者が，当該損失を具体的に主張立証して，直接，憲法第 29 条第 3 項を根拠にして補償を請求する余地が全くないとはいえない。

1 ア，イ

2 ア，ウ，オ

3 ア，オ

4 イ，ウ，エ

5 ウ，エ

解答欄

解説 136

ア○　判例は，現に有している国民の個別的・具体的財産権を保障するとともに，**私有財産制**を制度的に保障するものであると判示している（最判昭 62.4.22）。

イ×　判例は奈良県ため池条例事件において，条例による**財産権行使の制限を認めている**（最判昭 38.6.26）。地方の実情に応じた行政の執行には，財産権の制約が必要となるからである。

ウ○　判例は「**正当な補償**」について，相当補償説を採っていると思われるが，既存の財産法秩序の枠内での**個別的財産権侵害行為**については，完全な補償を**認めている**（最判昭 48.10.18）。

エ×　判例は「**正当な補償**」について，農地改革問題との関連性で，「その当時の経済状態において成立すると考えられる価格に基づき，合理的に算出された相当な額をいい，自由な市場取引において成立し得る価格と常に一致することを要するものではない」と判示している（最判昭 28.12.23）。つまり，完全な補償を下回る場合があることを，社会国家的観点から**是認している**。

オ○　判例は内在的制約原理に基づく制限について，**原則として補償を要しないが**，それが特定人に対する特別の犠牲を課する結果となるときは，法律に補償規定がなくても，憲法 29 条 3 項を根拠として，**国に補償を請求する余地**があると判示している（最判昭 43.11.27）。

以上から，妥当なもののみをすべて挙げているのは，**ア・ウ・オ**の肢**2**である。

解答　2

プラス知識

財産権の保障

人は生計を営むために財産を所有し，経済活動を行う。したがって，個々の財産権とそれを保障する私有財産制度が保障される必要性がある（憲法 29 条 1 項）。その一方で，公共の見地から財産権の制約を認めたのは（同 29 条 2 項），財産権に内在する制約を超えて，社会国家理念 (同 25 条) に立脚した政策による制約を可能とすることにある。だが，個々の財産価値を無償で奪う行為は，社会国家的見地から見ても許されることではない。社会公共のための「特別の犠牲」に当たるときには，「正当な補償」を行わなければならない（同 29 条 3 項）。

※注　「正当な補償」は社会国家的政策による個々の財産権に対する制約から，必ずしも被収用財産のもつ客観的な貨幣価値で補償される必要はない。社会経済状況に照らして合理的と認められる相当な額で足りると考えられている（相当補償説）。

憲法

No. 137 法の下の平等

法の下の平等に関するア～オの記述のうち，判例に照らし，妥当なもののみをすべて挙げているのはどれか。

ア　尊属を卑属又はその配偶者が殺害することは，通常の殺人の場合に比して一般に高度の社会的道義的非難を受けてしかるべきであるとして，法律上，普通殺のほかに尊属殺という特別の罪を設け，その刑を加重することは，かかる差別的取扱いをもって直ちに合理的な根拠を欠くものと断ずることができ，憲法第 14 条第 1 項に違反する。

イ　法律婚主義の下においても，嫡出子と非嫡出子の相続分を定めるにおいては，父母が婚姻関係になかったという，子にとっては自ら選択ないし修正する余地のない事柄を理由としてその子に不利益を及ぼすことは許されず，子を個人として尊重し，その権利を保障すべきであり，非嫡出子の相続分を嫡出子の相続分の 2 分の 1 とする民法の規定は，憲法第 14 条第 1 項に違反する。

ウ　会社がその就業規則中に定年年齢を男性 60 歳，女性 55 歳と定めた場合において，会社における女性従業員の担当職種，男女従業員の勤続年数，高齢女性労働者の労働能力等諸般の事情を検討した上で，会社の企業経営上定年年齢において女性を差別しなければならない合理的理由が認められないときは，当該就業規則中女性の定年年齢を男性より低く定めた部分は，性別のみによる不合理な差別を定めたものとして憲法第 14 条第 1 項に違反する。

エ　憲法第 94 条が各地方公共団体の条例制定権を認める以上，地域によって差別を生ずることは当然に予期されることではあるが，売春の取締りに関する条例については，善良の風俗と清浄な風俗環境の保持を図る要請からその内容を全国的に一律にする必要があるため，地方公共団体が売春の取締りについて各別に条例を制定する結果，その規制内容に差別を生ずることは，憲法第 14 条第 1 項に違反する。

オ　国籍法 3 条 1 項の規定によれば，「父母の婚姻及びその認知により嫡出子たる身分を取得した子」は，法務大臣に届け出ることによって日本国籍を取得することができると定め，婚姻関係にない外国人の母と日本国民の父との間に生まれた非嫡出子は，生後に父から認知を受けるだけでなく，父母の婚姻により準正が生じなければ，日本国籍を取得することができない。確かに，国籍法 3 条 1 項が設けられた当時は，当時の社会通念や準正があった場合に限り国籍取得を認める国が多かったこともあり，立法目的との間に合理的関連性があったといえる。しかし，その後の非嫡出子の割合の増加，国際結婚の増加に伴う家族生活の実態の多様化，多くの国で準正を要件から外し父子関係の存在だけで国籍取得を認める法改正がされたことなどを踏まえると，現在においては，もはや立法目的との間の合理的関連性は見いだせず，不合理な差別的取扱いとして憲法 14 条 1 項に違反する。

1　ア，エ　　**2**　ア，オ　　**3**　イ，ウ
4　イ，オ　　**5**　ウ，エ

解答欄

解説 137

ア×　**尊属殺人罪の違憲判決**（多数意見）では，普通殺人の他に尊属殺人という特別の罪を設けること自体は合理性を有するが，法定刑がその立法目的を達する手段としては相当とはいえず，**不合理な差別に当たる**と判示している（最大判昭 48.4.4）。

イ○　**違憲**判断を下している（最大決平 25.9.4）。この判決を受け，同年 12 月 11 日に民法が改正され，第 900 条第 4 号ただし書中の「嫡出でない子の相続分は，嫡出である子の相続分の **2 分の 1**」とする規定は削除された。

ウ×　判例は私人間における不合理な差別的取扱いについて，憲法 14 条 1 項を直接適用するのではなく，民法 90 条の**公序良俗違反**として，本件就業規則を**無効**とした（最判昭 56.3.24）。**男女平等の原理**はすべての法律関係を貫く基本原理であり，それは私法においても公序良俗として反映されているからである。

エ×　判例は憲法が地方公共団体に条例制定権を認めている以上，売春取締条例の規制内容に地域差が生じても，**違憲ではない**と判示している（最大判昭 33.10.15）。

オ○　**違憲**判断を下している（最大判平 20.6.4）。この判決を受け，法務省では国籍法の改正の検討を開始し，当分の間は非嫡出子からの国籍取得届の扱いは留保することを明らかにした。その後，政府は父母の婚姻を国籍取得要件から外し，日本人の親に認知されることだけを要件とするとともに，偽装認知に 1 年以下の懲役又は 20 万円以下の罰金を科すことを骨子とする国籍法改正案を第 170 回国会に提出し，同年 12 月 5 日，**改正国籍法が成立**した。

以上から，妥当なもののみをすべて挙げているのは，**イ・オ**の肢**4**である。

解答　4

No. 138 違憲審査権

違憲審査権に関するア～オの記述のうち，判例に照らし，妥当なもののみをすべて挙げているのはどれか。

ア　我が国の法制度の下においては，具体的事件を離れて抽象的に法令等の合憲性を判断する権限を裁判所に付与したものと解することはできず，特定の者の具体的な法律関係について紛争が存する場合にのみ，裁判所は違憲審査権を行使することができると解される。

イ　国会議員の立法行為が国家賠償法上違法の評価を受けるか否かという問題は，当該立法の内容の違憲性の問題とは区別されるべきであり，仮に当該立法の内容が憲法の規定に違反する廉（かど）があるとしても，そのことをもって国会議員の立法行為が直ちに違法の評価を受けるものではない。

ウ　条約は，国家間の合意という特質を持ち，しかも極めて政治的な内容を含むものであるから，その内容が違憲となるか否かについての判断は，純司法的機能をその使命とする司法裁判所の審査にはおよそなじまない性質のものであって，裁判所の司法審査権の範囲外にあるというべきである。

エ　違憲審査権は，具体的な訴訟の解決に必要な限りにおいてのみ行使されるのが原則であるから，裁判所が違憲判断をする場合は，法令そのものを違憲と判断する方法によることはできず，当該事件における具体的な適用だけを違憲と判断する方法によらなければならない。

オ　違憲審査権は最高裁判所のみならず下級裁判所も行使できるものであるが，裁判所によってなされた法令違憲の判断は，その裁判の当事者のみならず，一般人に対しても効力を有する。

1　ア，イ

2　ア，イ，オ

3　ア，エ

4　イ，ウ，エ

5　ウ，オ

解答欄

解説 138

ア○　判例では，我が国の違憲審査制は**私権保障**型の**付随審査**制を採るものとしている（最大判昭 27.10.8）。

イ○　判例の見解である（最判昭 62.11.21）。国会議員の立法行為そのものは，未だ具体的な訴訟事件として熟しているとはいえないからである。

ウ×　判例では，条約の締結は国家の高度な政治性を有する行為であることから（いわゆる**統治行為**），たとえ条約の内容について法的判断が可能であっても，原則として司法審査の対象とはならないとしている（最大判昭 34.12.16）。しかし，同判例は「**一見極めて明白に違憲無効**」である場合には，条約にも審査権が及ぶ旨判示している。

エ×　判例では，違憲判断の方法について，**適用違憲**だけではなく**法令違憲**も認めている。尊属殺人重罰事件（最大判昭 48.4.4）から非嫡出子の国籍取得制限事件（最大判平 20.6.4）まで，合計 8 件の**法令違憲**の判断を下している。

オ×　判例では，最高裁判所のみならず下級裁判所も**違憲審査権**を行使できると判示している（最大判昭 25.2.1）。だが，法令違憲と判断した場合の違憲判決の効力は，**当該事件への法令適用が排除されるにとどまり**，法令そのものが一般的・確定的に無効とされるわけではない。裁判実務上も，そのように取り扱っている。

以上から，妥当なもののみをすべて挙げているのは，**ア・イ**の肢**1**である。

解答　1

プラス知識

違憲審査権

日本の違憲審査制度は，米国型の私権保障型の付随審査制をとるものと解釈され，運用がなされてきた。しかし，日本国憲法においても，最高裁判所が抽象的に法令自体を審査する憲法裁判所（憲法保障型の抽象的審査制）とする考え方もできる。

以下は，最高裁判所の機能と違憲判決の効力の関係をまとめたものである。

〈最高裁判所の機能〉　〈違憲判決の効力〉

付随審査制 → 個別的効力説（当該事件のみ法令適用が排除）

付随審査制 → 一般的効力説

抽象的審査制 → 一般的効力説（法令は一般的・確定的に無効）

行政法

No. 139 行政行為の効力

行政行為の効力に関するア～エの記述のうち，妥当なもののみをすべて挙げているのはどれか。

ア　行政行為には，私法上の法律行為とは異なり公定力や不可変更力，執行力等の特別な効力が認められているが，これらの効力は，すべての行政行為に一律に付与されるわけではない。

イ　行政行為の効力に関し，行政処分は，たとえ違法であっても，その違法が重大かつ明白で当該処分を当然無効ならしめるものと認められる場合を除いては，適法に取り消されない限りその効力を有するとするのが判例である。

ウ　行政行為には一般に不可変更力があるから，行政庁は，いったん行政行為を行った以上，当該行政行為に取り消し得べき瑕疵があったとしても，原則として，当該行政行為を取り消すことはできない。

エ　義務を課す行政行為には，行政目的の早期実現を図る観点から，法律の根拠がなくても執行力が認められており，相手方が義務を履行しない場合には，即時強制の手段をもって強制的に履行させることができる。

1　ア，イ

2　ア，イ，エ

3　ア，ウ，エ

4　ウ

5　ウ，エ

解答欄

プラス知識

行政行為の特色と効力

1　法適合性

法治行政の原理により，行政庁の恣意的な行政活動は許されない。

2　公定性

行政行為が法適合性を有する以上，その相手方である国民のみならず行政庁自身もその内容に拘束される（拘束力）。また，重大かつ明白な瑕疵があって無効とされる他は，取り消されるまで尊重されなければならない。このように，行政行為が拘束力を有することの承認を要求する力を公定力という。

解説 139

ア○　行政行為の効力には，**拘束力・公定力・不可争力・不可変更力・執行力**があるとされている。まず，**不可変更力**は法的安定性が特に要請される争訟裁断的行為について認めら**れている**が，一般の行政行為には認め**られない**。また，**執行力**についても，それを認める根拠法が必要であるから，根拠法の**ない行政行為には認められない**。

イ○　**公定力**について，判例は**そのように解する**（最判昭30.12.26）。

ウ×　不可変更力は一般の行政行為には**認められないので誤り**である。また，一般の行政行為に取り消し得べき瑕疵がある場合には，原則として行政庁が取り消すことが**できる**。法規違反または公益違反の**是正を図るべき**だからである。

エ×　国民に義務を課す行政行為といえども，執行力を付与する根拠法がなければ執行力は**認められない**。また，**即時強制**は行政法上の義務の不履行を前提としない行政強制であり，相手方である国民が義務を履行しない場合，それを履行させるのは行政上の**強制執行**である。

以上から，妥当なもののみをすべて挙げているのは，**ア・イ**の肢**1**である。

解答　1

3　実効性
　行政行為が原則として有効である以上，相手方の意思に反しても，その内容を実現する力を持っている（執行力）。ただし，法律の根拠が必要である。

4　不可争性と不可変更性
法的安定性の見地から，争訟手続の期間が徒過した場合には，相手方は争うことができない（不可争力）。また，法的安定性を害する場合には，行政庁自身も自由に取り消すことはできなくなる（不可変更力）。

行政法

No. 140 情報公開法

行政機関の保有する情報の公開に関する法律（以下「情報公開法」という。）に関するア～オの記述のうち，妥当なもののみをすべて挙げているのはどれか。

ア　情報公開法においては，何人に対しても，請求の理由や目的のいかんを問わず，また，開示請求者と開示請求対象文書との関係を問うことなく開示請求権が認められているが，行政機関が統計をとる目的で，開示請求者に対して任意に開示請求の理由や目的の記載を求めることまでは禁じられていない。

イ　情報公開法において開示請求の対象となるのは，開示請求時点において行政機関が保有している行政文書であり，請求を受けた行政機関は，請求時点において保有していない行政文書を開示請求に応ずるために新たに作成する義務はない。

ウ　情報公開法第５条各号に規定する不開示情報は，不開示にすることが私人の権利利益の保護のために必要なものであるから，行政機関の長は，開示請求に係る行政文書に不開示情報が記録されている場合には，公益上特に必要があると認めるときであっても裁量的開示を行うことはできない。

エ　文書の開示請求に対して，不開示決定又は一部不開示決定の処分が行われた場合には，その処分を不服として取消訴訟を提起することができるが，この場合に，当該処分に対する行政不服審査法に基づく不服申立てを経ることなく，直接，取消訴訟を提起することはできない。

オ　情報公開・個人情報保護審査会は，開示請求の対象となっている行政文書を諮問庁に提示させ，実際に当該行政文書を見分して審理するいわゆるインカメラ審理の権限を有しており，情報公開・個人情報保護審査会から当該行政文書の提示を求められた場合には，諮問庁は拒否することができない。

1　ア，イ，オ

2　ア，ウ，エ

3　ア，ウ，オ

4　イ，ウ，エ

5　イ，エ，オ

解答欄

解 説 140

ア○　前半部分の記述は，情報公開法３条と４条に規定されている。また，行政機関が統計目的で，任意に開示請求者に対して開示請求の理由や目的の記載を求めることまで禁じて**はいない**。

イ○　請求の時点で行政機関が行政文書を保有していない以上，開示請求に応ずるために新たに作成する義務**を負うものではない**（法２条２項）。

ウ×　法５条に開示義務の原則とその例外として不開示原則を採る文書が列挙されている。しかし，開示請求に係る行政文書に不開示情報が記録されている場合であっても，行政機関の長が公益上特に必要があると認めるときは，開示請求権者に対し，その行政文書を開示することができる（法７条の裁量的開示）。

エ×　情報公開法においては，不開示決定や一部不開示決定が行われた場合の不服申立**前置**に関する規定が設けられてい**ない**。したがって，処分の相手方である国民は，不服申立てと取消訴訟のいずれについても，**自由に選択できる**（行政事件訴訟法８条１項）。

オ○　前半部分の記述は情報公開・個人情報保護審査会設置法９条１項，後半部分の記述は同法同条２項に規定**されている**。

以上から，妥当なもののみをすべて挙げているのは，**ア・イ・オ**の肢**1**である。

解答　1

プラス知識

情報公開制度と個人情報保護制度

情報公開制度と個人情報保護制度は，健全な民主主義社会の存立と基本的人権の尊重のために，欠くことのできない車の両輪である。

1　開示情報と不開示情報：不開示となる個人情報とは，①個人識別情報，②公にすることにより個人の権利利益を害するおそれがある情報である（情報公開法５条１号）。

2　情報公開・個人情報保護審査会：行政機関の長の不開示決定等について，不服申立てがあった場合には，その不服申立てに対する裁決または決定をすべき行政機関の長は，情報公開・個人情報保護審査会に諮問しなければならない（同法 18 条）。

No. 141 行政不服審査法

行政不服審査法に関するア～オの記述のうち，妥当なもののみをすべて挙げているのはどれか。

ア　行政庁の処分についての審査請求は，原則として，処分があったことを知った日の翌日から起算して60日を経過したときは，することができない。

イ　行政庁の処分について審査請求が行われても当該処分の効力，処分の執行又は手続の続行を妨げないが，処分庁の上級行政庁である審査庁は，必要があると認めるときは，審査請求人の申立てがなくとも，職権により，当該処分の効力，処分の執行又は手続の続行を停止することができる。

ウ　審査庁は，審理員意見書の提出を受けたときは，行政不服審査会等に諮問しなければならないが，審査請求人から当該諮問を希望しない旨の申出がされている場合であっても，この手続は除くことができない。

エ　再審査請求がされた場合において，審査請求を却下し又は棄却した裁決が違法又は不当であるときは，当該審査請求に係る処分が違法又は不当でなくても，再審査庁は，当該裁決の全部若しくは一部を取り消し，又は変更する。

オ　処分庁が当該処分の理由となった事実を証する書類その他の物件を審査庁に提出した場合において，審査請求人又は参加人からそれらの閲覧の求めがあったときは，審査庁は，第三者の利益を害するおそれがあると認めるとき，その他正当な理由があるときでなければ，閲覧を拒むことができない。

1　ア，エ

2　ア，オ

3　イ，ウ

4　イ，オ

5　ウ，エ

解答欄

解説 141

ア×　処分についての審査請求は，処分があったことを知った日の翌日から起算して**3か月**を経過したときは，することができない（行政不服審査法18条1項）。また，処分があったことを知らない場合でも，処分があった日の翌日から起算して**1年**を経過したときは，審査請求をすることができない（同条2項）。ただし，いずれの場合も，正当な理由があるときは，例外とされる。

イ○　上級行政庁は監督権の行使として，自らの判断により，法規違反または公益違反の是正を図るために処分の執行停止等の措置を講ずることが**できる**（法25条2項）。

ウ×　審査庁は，審理員意見書の提出を受けたときは，行政不服審査会等に諮問しなければならないが，審査請求人が行政不服審査会の諮問を希望しない旨の申出をした場合には，原則として，諮問を**要しない**とされている（法43条1項4号）。

エ×　再審査請求がされた場合においては，審査請求を却下し又は棄却した裁決が違法又は不当である場合であっても，当該審査請求に係る処分が違法又は不当でないときは，再審査庁は当該再審査請求を**棄却**する（法64条3項）。

オ○　法38条1項に規定されている。

以上から，妥当なもののみをすべて挙げているのは，**イ・オ**の肢**4**である。

解答　4

プラス知識

行政不服審査法

行政不服審査法は，行政庁の違法または不当な処分その他公権力の行使に当たる行為に関し，国民が簡易迅速かつ公正な手続の下で広く行政庁に対する不服申立てをすることができるための制度を定めている。

2014年に全面改正され，2016年4月に施行された。主な改正点は，以下の通りである。

1　審理員による審理手続，第三者機関への諮問手続の導入

2　不服申立ての手続を「審査請求」に一元化

3　審査請求をすることのできる期間を3箇月に延長

行政法

No. 142 行政事件訴訟

行政事件訴訟に関する次の記述のうち，妥当なのはどれか。

1　処分の取消しの訴えは，処分があったことを知った日から6箇月を経過したとき又は処分の日から1年を経過したときは，原則として提起することができないが，処分について審査請求があったときは，審査請求に対する裁決があったことを知った日から6箇月又は当該裁決の日から1年を経過するまで，処分の相手方は，自ら審査請求をしたか否かを問わず，処分の取消しの訴えを提起することができる。

2　国又は公共団体に所属する行政庁が行った処分又は裁決に対して取消訴訟を提起する場合，処分の取消しの訴えについては当該処分をした行政庁を，裁決の取消しの訴えについては当該裁決をした行政庁を被告として提起しなければならない。

3　当該処分又は裁決に続く処分により損害を受けるおそれのある者その他当該処分又は裁決の無効等の確認を求めるにつき法律上の利益を有する者であれば，当該処分若しくは裁決の存否又はその効力の有無を前提とする現在の法律関係に関する訴えによって目的を達することができるか否かにかかわらず，当該処分又は裁決の無効等確認の訴えを提起することができる。

4　裁判所は，当事者の主張する事実について職権で証拠調べを行う必要があると認める場合には，これを行わなければならず，さらに，裁判所は，当事者の意見をきいた上で，当事者が主張しない事実をも探索して，判断の資料とすることもできる。

5　義務付けの訴えは，行政庁が一定の処分をすべきであるにかかわらずこれがされないとき（行政庁に対し一定の処分又は裁決を求める旨の法令に基づく申請又は審査請求がされた場合において，当該行政庁がその処分又は裁決をすべきであるにかかわらずこれがされないときを除く。）において，一定の処分がされないことにより重大な損害が生ずるおそれがあり，かつ，その損害を避けるため他に適当な方法がないときに限り，提起することができる。

解答欄

解説 142

1× 行政事件訴訟法において，取消訴訟は処分又は裁決があることを知った日から**6**箇月以内に提起しなければならず（法 14 条 1 項），処分又は裁決の日から**1**年を経過したときは提起することができない（法 14 条 2 項）。だが，処分の取消しの訴えと審査請求の双方ができるときに，審査請求をした者については，これに対する裁決があったことを知った日から**6**箇月を経過したとき又は当該裁決の日から**1**年以内であれば，提起することができる（法 14 条 3 項）。

2× どちらの場合でも，処分又は裁決を行った**行政庁の所属する国又は公共団体**が被告となる（法 11 条 1 項）。訴えを求める国民が，処分庁・裁決庁を正確に判断できないことがあるので，訴訟提起を容易にする趣旨である。

3× 無効等確認訴訟は，当該処分又は裁決の無効等の確認を求めるにつき法律上の利益を有する者で，当該処分若しくは裁決の存否またはその有無を前提とする現在の法律関係に関する訴えによって**目的を達することができないものに限り，提起することができる**（法 36 条）。したがって，現在の法律関係に関する訴えによって**目的を達することができれば提起できない。**

4× 行政事件訴訟法において，職権証拠調べは採用しているが（法 24 条），当事者の主張してない**事実まで探索して，判断の資料とすることはない。**

5○ 明文の規定のなかった義務付け訴訟を，2004 年の**法改正で明文化した**ものである（法 3 条 6 項）。

解答 5

プラス知識

法定抗告訴訟の類型：行政庁の公権力の行使に関する不服の訴訟

①取消訴訟：処分又は裁決に対する取消を求める
②無効等確認訴訟：出訴期間の制限がない
③不作為違法確認訴訟：許認可等の申請を認めたものではない
④義務付け訴訟：何らかの処分又は裁決を求める
⑤差止め訴訟：処分又は裁決を行わないことを求める

No. 143 国家賠償法

国家賠償に関するア～オの記述のうち，判例に照らし，妥当なもののみをすべて挙げているのはどれか。

ア　国道に面する山地から落石や崩土が起こり得る状況であったにもかかわらず，防護柵又は防護覆を設置したり，事前に通行止めをするなどの措置をとらなかった場合には，道路の通行の安全性の確保に欠け，その管理に瑕疵があったものというべきであって，たとえ防護柵を設置するための費用が相当の多額に上り，予算措置に困却するであろう事情があったとしても，道路管理者は，それにより直ちに当該瑕疵により生じた損害に対する賠償責任を免れ得るものではない。

イ　故障した大型貨物自動車が87時間にわたって国道に放置され，これに原動機付自転車が衝突する事故が発生した場合において，道路管理者は，道路を常時良好な状態に保つように維持し，一般交通に支障を及ぼさないように努める義務を負っているものの，事故の発生は何人においても予測不可能なものであり，たまたま事故の発生に気付かずに道路の安全性を確保するための措置を何ら講ずることができなかったとしても，そのことをもって道路管理に瑕疵があったということはできない。

ウ　河川は，通常数度の治水事業を経て，逐次その安全性を高めていくことが予定されているものであるから，洪水対策のために改修，整備がされた河川は，その改修，整備後に起こり得る規模の洪水から発生する水害を未然に防止するに足りる安全性を備えるものでなければならず，改修，整備後に起こった洪水により水害が発生した場合には，その水害発生の予測可能性の程度にかかわらず，河川管理者は水害により生じた損害に対する賠償責任を負う。

エ　非番中の警察官が，制服制帽を着用の上で，職務行為を装い強盗殺人を犯した場合において，当該警察官に職務執行の意思がなく，当該行為がもっぱら自己の利益をはかる目的で行われたものであるときは，国又は公共団体が損害賠償責任を負うことはない。

オ　税務署長による所得税の更正が国会賠償法第1条第1項の適用上違法となるのは，税務署長が資料を収集し，これに基づき課税要件事実を認定，判断する上において，職務上通常尽くすべき注意義務を尽くすことなく漫然と更正をしたと認め得るような事情がある場合に限られ，所得金額を過大に認定していたとしても，直ちに国家賠償法第1条第1項にいう違法があったとの評価を受けるわけではない。

1 ア，エ

2 ア，オ

3 イ，ウ

4 イ，エ

5 ウ，オ

解答欄

解説 143

ア○ 判例は同様の事案において，道路が通常有すべき安全性を欠いているとして，予算制約による免責を否定し，道路管理者に**賠償責任を認めた**（最判昭 45.8.20）。

イ× 判例は大型貨物自動車が国道に 87 時間放置されたままの状態で事故が発生した事案で，道路管理者が常時応急の事態に**対処できる体制をとらなかったとして**，道路管理の**瑕疵を認定した**（最判昭 50.7.25）。

ウ× 判例は改修・整備完了後に起こった洪水により水害が発生した事案において，予測される災害の発生を防止するに足りる安全性を具備しなければならないとしている（最判昭 59.1.26）。したがって，予測可能性の程度は，河川管理の**瑕疵を認定する**重要な判断要素となる。

エ× 判例は同様の事案において，客観的に職務執行行為の外形を備えていれば，主観的な意図にかかわらず，**国又は公共団体の賠償責任を認めている**（最判昭 31.11.30）。

オ○ 判例は同様の事案において，国家賠償法の適用を**否定**している（最判平 5.3.11）。賠償責任が認められるためには，公務員の**故意・過失の認定**が必要だからである。

以上から，妥当なもののみをすべて挙げているのは，**ア・オ**の肢**2**である。

解答 2

民法（総則）

No. 144 代　理

代理に関するア～オの記述のうち，妥当なもののみをすべて挙げているのはどれか。ただし，争いのあるものは判例の見解による。

ア　代理人が直接本人の名において権限外の行為をした場合，相手方がその行為を本人自身の行為と信じたとき，その信じたことについて正当事由がある限り，本人はその責任を負うことになる。

イ　無権代理人の責任の要件と表見代理の成立の要件が共に満たされる場合において，相手方が無権代理人の責任追及をしたときは，無権代理人は，表見代理が成立することを主張してその責任を免れることができる。

ウ　法定代理人は，自己の責任で復代理人を選任することができるが，復代理人は，本人及び第三者に対して，無条件で，代理人と同一の権利を有し，義務を負う。

エ　無権代理人が死亡し本人が無権代理人を相続しても，無権代理行為は当然に有効となるものではないが，本人が死亡し無権代理人が単独で本人の地位を相続したときは，本人自ら法律行為をしたのと同一の地位を生じ，当該無権代理行為は有効となる。

オ　代理人は，行為能力者であることを要せず，制限行為能力者が代理人としてした行為は，いかなる場合でも取り消すことができない。

1　ア，イ，ウ

2　ア，ウ，エ

3　ア，エ

4　イ，ウ

5　イ，エ，オ

解答欄

プラス知識

無権代理と表見代理の関係

各々の制度が，相手方保護の立場であることを重視すれば，相手方は両者の責任を選択的に主張できると考えることになる。判例も同様に解する。つまり，両制度は互いに独立した関係にあると捉える。

これに対して，表見代理の要件が満たされていれば，相手方は本人との間で当初

解説 144

ア○　代理人が自分の名を示さずに本人の名だけを示して行為をした場合にも，有効な代理とみるべきである。判例は**代理権がなければ無権代理となり，表見代理の規定が類推適用されるとする**（最判昭 44.12.19）。したがって，相手方が行為者を過失なく本人と信じていれば，**法律行為の効果は本人に帰属**する。

イ×　判例は無権代理人の責任の要件と表見代理の成立の要件がともに満たされている場合に，相手方が無権代理人の責任追及をしたときは，無権代理人は表見代理が成立することを主張して，その**責任追及を免れることはできない**と判示した（最判昭 62.7.7）。

ウ×　法定代理人は，自己の責任で復代理人を選任することができる（民法 105 条）。そして復代理人は，本人及び第三者に対して，**その権限の範囲内**において，代理人と同一の権利を有し，義務を負う（同法 106 条 2 項）。

エ○　判例は本人が無権代理人を相続した場合について当然に有効となるものではないとし（最判昭 37.4.20），無権代理人が本人を単独相続した場合については**有効になる**と判示している（最判昭 40.6.18）。つまり，前者は本人の追認拒絶権を**行使できる**のに対し，後者では信義則により追認拒絶権を**行使できない**のである。

オ×　制限行為能力者が代理人としてした行為は，**行為能力の制限**によっては取り消すことができない。ただし，制限行為能力者が他の制限行為能力者の**法定代理人**としてした行為については，取り消すことができる（民法 102 条）。

以上から，妥当なもののみをすべて挙げているのは，**ア・エ**の肢**3**である。

解答　3

に意図したとおりの法律効果が生じるのであるから，あえて無権代理人の責任を追及する必要はないと考えることもできる。つまり，この見解によれば，両制度は補充関係にあり，無権代理人の責任を追及するには，表見代理に該当しないことが必要になる。

No. 145 共　有

共有に関するア〜オの記述のうち，妥当なもののみをすべて挙げているのはどれか。ただし，争いのあるものは判例の見解による。

ア　共有物である土地を不法に占有する者に対して，各共有者は，単独で，その共有物全部の返還を請求することができる。

イ　共有物である土地を不法に占有する者に対して，各共有者は，単独で，各自の共有持分の割合に応じた額を限度として損害賠償を請求することができる。

ウ　不動産の共有者の１人が相続人なくして死亡したときは，その持分は他の共有者に帰属するので，特別縁故者が存在する場合であっても，他の共有者は死亡した共有者から自己に持分移転登記をすることができる。

エ　共有物である建物の賃借人が賃料の支払を遅滞したときは，各共有者は，単独で，賃貸借契約を解除することができる。

オ　譲渡されたものと仮装して共有不動産の登記簿上の所有名義者となっている者に対し，各共有者は単独で当該不動産に対する所有権移転登記の全部抹消を請求することができる。

1　ア，イ

2　ア，ウ

3　イ，ウ

4　ア，イ，オ

5　エ，オ

解答欄

プラス知識

共有物の管理

共有物の管理は，その行為の性質に応じて行われる。

1　保存行為……共有物の現状を維持する行為。各共有者が単独で行使できる。
共有物の修理，返還請求など。

2　管理行為……共有物を利用・改良する行為。持分の価格の過半数の賛成で決する費用は持分に応じて各共有者が負担する。
共有物の一時的な賃貸，賃貸の解除など。

解説 145

ア○　判例は同様の事案で，各共有者は単独で，共有物全部の返還を**請求できる**と判示している（最判平 15.7.10）。

イ○　判例は同様の事案で，各共有者は単独で，各自の共有持分の割合に応じた額を限度として損害**賠償を請求できる**と判示している（最判昭 41.3.3）。

ウ×　共有者の 1 人が相続人なくして死亡した場合，その持分は他の共有者に帰属するが（民法 255 条），そこに特別縁故者が存在する場合，判例は特別縁故者に対する財産分与がなされた事案について，当該持分は**他の共有者に帰属しない**と判示した（最判平元.11.24）。

エ×　共有物である建物の賃貸借は**管理**行為に当たる。賃貸借契約の解除も**管理**行為の一環であるから，各共有者の持分価格の過半数で決せられる（民法 252 条本文）。なお，共有物の賃貸借契約の解除について，解除不可分の原則（同法 544 条 1 項）の**適用はない**。判例も同様に解する（最判昭 39.2.25）。

オ○　判例は同様の事案において，共有物の**保存**行為（民法 252 条 5 項）に当たるとして，各共有者は単独で，所有権移転登記の**全部抹消を請求できる**と判示している（最判昭 31.5.10）。

以上から，妥当なもののみをすべて挙げているのは，**ア・イ・オ**の肢**4**である。

解答　4

3　変更行為……共有物の形や性質に変更を加える行為。共有者全員の同意が必要となる。
共有物の売却，共有物の増改築など。

※注　共有物の処分は全員の同意が必要だが，持分の処分は自己の持分のみの処分になる。したがって，他の共有者の持分には影響を与えないので，自由に処分できる。

No. 146 転得者の保護

転得者に関するア～オの記述のうち，妥当なもののみをすべて挙げているのはどれか。

ア　民法第32条第1項によって保護される第三者からの転得者は，悪意であっても保護される。失踪宣告の取消しによって保護される第三者は善意であるか悪意であるかを問わないので，転得者も同様であるからである。

イ　民法第94条第2項によって保護されない悪意の第三者からの転得者は，善意であれば保護される。判例によれば，同項の第三者には，転得者も含まれるからである。

ウ　民法第95条によって保護される善意無過失の第三者からの転得者は，善意であっても保護されない。

エ　民法第110条によって保護されない悪意の第三者からの転得者は，善意であれば保護される。同条の第三者は，正当な権利者でないことにつき善意であれば足りるからである。

オ　民法第177条によって保護されない背信的悪意の第三者からの転得者は，善意であっても保護されない。判例によれば，権利を取得していない背信的悪意者から権利を取得することはできないからである。

1　ア，イ

2　イ

3　ウ，エ

4　エ，オ

5　ア，イ，オ

解答欄

解 説 146

ア× 失踪宣告の取消しがなされたときは，失踪宣告後その取消し前に善意でした行為の効力に影響を及ぼさない（民法32条1項）。したがって，第三者は**善意であることを要する**。さらに，失踪宣告により財産を譲り受けた者（第三者）から譲渡された者（転得者）についても，**善意であることを要する**（大判昭13.2.7）。

イ○ **虚偽表示**により，権利が存在するかのような外観を作出した者に，責を負わせるべきである。判例も同様に解する（最判昭45.7.24）。

ウ× 民法改正により，**錯誤**による意思表示の取消しは，**善意**でかつ**過失がない**第三者に対抗することができない（民法95条4項）とされた。

エ× 本人に民法110条の表見代理責任を認めるには，代理人の権限内の行為であると信ずべき正当な理由が存在しなければならない。その信ずべき正当な理由がある者は，**無権代理人の相手方（本人から見て第三者）に限られる**。判例も同様に解する（最判昭36.12.12）。

オ× 判例は背信的悪意者からの転得者であっても，対抗関係に立つ者から見て，背信的悪意者と評価されるものでない限り，当該不動産の所有権取得をもって**対抗できる**と判示している（最判平8.10.29）。

以上から，妥当なもののみをすべて挙げているのは，**イ**の肢**2**である。

解答　2

プラス知識

転得者の保護

当事者以外の第三者から，さらに権利を譲り受けた転得者の主観的範囲が問題となる。

通謀虚偽表示と表見代理の判例の結論は，以下のとおりである。

1　通謀虚偽表示と転得者

①第三者が悪意で，転得者が善意の場合→94条2項の第三者として保護される。

②第三者が善意で，転得者が悪意の場合→善意を承継することで保護される。

2　表見代理（110条）と転得者

原則：代理行為の直接の相手方からの転得者は，民法110条の第三者に当たらない。

例外：直接の相手方において表見代理が成立する場合→相手方の地位を承継する。

No. 147 不動産物権変動

不動産物権変動に関するア～オの記述のうち，妥当なもののみをすべて挙げているのはどれか。

ア　A所有の不動産をBが買い受けたが，登記未了の間に，同一不動産をCが買い受け登記も移転した。Bは「AがCの詐欺を理由にAC間の売買を取消した」ことを理由に，登記なくしてCに所有権を主張できる。

イ　Aの土地をBとCが相続したが，Bは土地の登記を自己の単独名義にしてDに当該土地を売却した。Dは民法第177条の第三者に当たるので，CがDに自己の持分権を主張するには登記が必要である。

ウ　Aの土地について，Bが自己に所有権がないことを知りながら20年間占有を続けた。その間の14年が経過した時点でAはCに当該土地を売却していた。Cは民法第177条の第三者に当たるので，BがCに当該土地の時効取得を主張するには登記が必要である。

エ　AがBに土地を売却したが，Aは未成年者であったことを理由に契約を取り消した。その後，BがCに当該土地を売却した場合，Cは民法第177条の第三者に当たるので，AがCに土地所有権を主張するには登記が必要である。

オ　AがBに土地を売却したが，Bの債務不履行を理由にAは契約を解除した。その後，BがCに当該土地を売却した場合，Cは民法第545条第1項によって保護されるので，CがAに土地所有権を主張するには登記は不要である。

1　ア，エ

2　ア，オ

3　ウ，エ

4　ア，イ，エ

5　イ，ウ，オ

解答欄

プラス知識

177条の「第三者」の範囲

登記がないと対抗できない「第三者」とは，登記の欠缺を主張する正当の利益を有する者をいう。つまり，互いに主張しうる権利が真っ向から衝突するところに，対抗問題が生ずる。しかし，無権利者や不法行為者などは，本来主張できる権利は

解説 147

ア○　民法177条の「第三者」は，登記の欠缺を主張する正当の利益を有する者に限られる（大連判明41.12.15）。同条が公示を要求したのは不動産取引の安全を図るためであるから，無権利者に対してまで登記の具備を要求するものではない。したがって，AC間の売買が取り消されたならCは**無権利者となる**から（同法121条），Bは登記なくしてCに所有権を**主張できる**。

イ×　Cの共有持分に関し，Bは**無権利者である**。したがって，Cの共有持分に関しBから譲り受けたDも**無権利者である**から，CはDに登記なくして自己の持分権を**主張できる**（最判昭38.2.22）。

ウ×　Bは悪意でAの土地を占有しているから，時効取得するには**20**年を要する（民法162条1項）。時効完成の時点で所有者であったのはAから当該土地を譲り受けたCであるから，Cは時効による物権変動の当事者であり，Bとは対抗関係に立たない。したがって，BはCに対し登記なくして自己の所有権を**主張できる**。判例も同様に解する（大判大7.3.2）。

エ○　Aの取消しにより，AB間の法律関係は遡及的に消滅する（民法121条）。そうするとBからAへの復帰的物権変動と，無権利者となったBからCへの譲渡が二重譲渡類似の関係になり，ACは対抗関係に立つ。したがって，AがCに土地所有権を主張するには**登記が必要である**。判例も同様に解する（大判昭17.9.30）。

オ×　民法545条1項の規定は，契約が解除されるまでに取引関係に入った第三者を保護するものである。解除後の法律関係は，エで述べた取消しと同じであるから，CがAに土地所有権を主張するには**登記が必要**である。判例も同様に解する（最判昭35.11.29）。

以上から，妥当なもののみをすべて挙げているのは，**ア・エ**の肢**1**である。

解答　1

有していないので，対抗関係に立たない。
なお，背信的悪意者の場合には，取引社会のルールを逸脱した者であるから，たとえ登記を具備していても，その利益を保護する必要性はない。

民法（総則）

No. 148 物権の性質

物権の性質に関する次の記述のうち，判例に照らし，妥当なのはどれか。

1　動産の物権変動における対抗要件は引渡しであるが，外観上変更を伴わない意思表示のみによる簡易な引渡方法である占有改定は，取引の安全を害するおそれがあり，公示上問題があるため，対抗要件としての引渡しには当たらない。

2　不動産賃借権は債権であるため，物権的請求権を主張することができないから，不動産賃借人は，賃借権の登記がなされていても，これを妨害する第三者に対して，妨害排除請求権を有しない。

3　留置権はその物に関して生じた債権の弁済を受けるまで留置できる担保物権であるから，Ａの依頼を受けＡの時計を修理したＢは，Ａが修理代金を支払うまでその時計を留置できる。その後，Ａがその時計をＣに譲渡した場合でも，ＢはＣに対して時計の引渡しを拒むことができる。

4　登記は物権変動の過程を正確に表すべきであるから，Ａが自己の所有する土地をＢに売却し，Ｂはその土地をＣに転売した場合，Ａ，Ｂ，Ｃの三者間で合意したとしても，Ａから直接Ｃに対して移転をする旨の登記は無効である。

5　抵当権は，抵当不動産の交換価値から優先的に弁済を受けることを目的とする物権であるから，抵当権者はその抵当不動産を不法に占有する第三者に対して，明渡しを請求する余地はない。

解答欄	

プラス知識

物権の性質

1　物権は物を直接的に（他人の行為を介さずに）支配する権利である。したがって，主体と物との直接的関係に第三者が割り込むことを許さず，物に対する直接的支配を保障している。

2　物に対する支配的状態を侵害する者があれば，それが何人であれ，その侵害行為は違法とされ，法的保護が与えられる（物権的請求権）。

3　物権は物に対する直接的な支配であるから一つの物権が存する物の上には，同じ内容の物権は成立し得ない（一物一権主義）。そこで，取引の安全のため公示の原則が要求されている。

解説 148

1 × **占有改定による引渡し**（民法183条）**も**，動産物権変動における対抗要件としての**引渡し**（同法178条）**に当たる**。判例も同様に解する（最判昭30.6.22）。

2 × 登記や引渡しの対抗要件を備えた不動産賃借権には，物権的請求権が認められる。それゆえ，賃借権に基づく妨害排除請求権**も認められる**。判例も同様に解する（最判昭28.12.18）。

3 ○ BはAに対する修理代金債権を被担保債権とする留置権を有するが（民法295条1項），これは債務者Aに対してだけではなく，債務者Aから目的物を譲り受けた**Cに対しても主張できる**。譲受人は留置権の付着した物を買い受けたことになるからである。判例も同様に解する（最判昭47.11.16）。

4 × いわゆる中間省略登記の効力について，判例は実体的な変利変動の過程と異なることから，原則として**無効**としている。しかし，本肢のように**三者間で合意**があった場合には，例外的にかかる登記の効力も**認めている**（最判昭40.9.21）。

5 × 従来の判例は，抵当権が物に対する所有者（設定者）の使用収益権まで奪うものでないことから，抵当権者が当該不動産の不法占有者に対して物権的請求権を行使することはもちろん，所有者の妨害排除請求権を**代位**行使（民法423条）して，抵当権者に明渡しを求めることも否定してきた（最判平3.3.22）。しかし，これでは抵当権設定者等の抵当権執行妨害行為に対し，抵当権者には対抗手段が与えられず，債権回収が著しく阻害される。そこで，最高裁判所は判例変更を行って，不法占有によって抵当権者の優先弁済請求権の行使が**困難であることを認め**，所有者の権利を代わりに行使して，不法占有者に対し抵当権者に明渡しを求めることが**できる**と判示したのである（最大判平11.11.24）。

解答　3

民法（債権）

No. 149 相　続

相続に関する次の記述のうち，妥当なのはどれか。

1　相続人は，自己のために相続の開始があったことを知ったときから３か月以内に，相続について単純若しくは限定の承認又は放棄をしなければならず，当該期間を伸長することはできない。

2　嫡出でない子の相続分は，嫡出である子の相続分の２分の１とされている。

3　相続人が不存在であり，特別縁故者が存在する場合であっても，当該特別縁故者に清算後残存すべき相続財産の全部が分与されることはない。

4　被相続人の子が相続を放棄した場合には，その者の子に代襲相続が認められる。

5　被相続人の支配の中にあった物は，原則として当然に相続人の支配の中に承継されるので，その結果として，占有権は相続の対象となる。

解答欄

解 説 149

1×　前半部分の相続の承認・放棄の期間に関する記述は妥当であるが（民法915条１項本文），その期間は利害関係人または検察官の請求により，家庭裁判所で**伸長することができる**（同法同条同項ただし書）。

2×　嫡出でない子の相続分を嫡出である子の相続分の２分の１と定めた民法900条４項ただし書中の規定は，**違憲判決**を受けて削除された。現在，嫡出でない子と嫡出である子の法定相続分に**差異はない**。

3×　相続人が不存在であり特別縁故者が存在する場合，家庭裁判所は特別縁故者からの請求によって，この者に相続財産の**全部又は一部を与えることができる**（民法958条の２第１項）。

4×　代襲相続の要件は，相続開始以前の**相続人の死亡，欠格，廃除**の３つに限られており（民法887条２項），相続開始後の**相続放棄は含まれない**と解されている。

5○　相続人は相続開始の時から，被相続人の財産に属した**一切の権利義務を承継する**（民法896条）。これは相続が**包括**承継であることから，相続人が相続の開始を知らなくても，または相続財産を現実に所持・管理してなくても同様である。したがって，相続人は被相続人の**占有権も承継する**。

解答　5

民法（債権）

No. 150 売買契約

重要度 C

売買契約に関するア～オの記述のうち，妥当なもののみをすべて挙げているのはどれか。ただし，争いのあるものは判例の見解による。

ア　売買契約に関する費用は，当事者双方が等しい割合で負担する。

イ　他人の権利を売買の目的としたときは，売主は，その権利を取得して買主に移転する義務を負う。

ウ　売買契約に買戻しの特約を付す場合には，必ず，買戻しの期間を定めなければならない。

エ　売買契約の締結にあたり，解約手付が交付されている場合において，双方が履行に着手する前に売主からの申し出により買主との間で売買契約が合意解除されたときでも，原則として，売主は手付を倍返しする必要がある。

オ　売買契約に際して買主から手付が交付されている場合は，買主が代金を直ちに支払えるように準備をして，売主に履行の催促をしたときでも，売主は，手付の倍額を償還して契約を解除することができる。

1　ア，イ　**2**　ア，ウ　**3**　イ，エ　**4**　ウ，オ　**5**　エ，オ

解答欄

解説 150

ア○　民法 558 条に規定されている。

イ○　民法 561 条に規定されている。

ウ×　買戻しの特約上は，必ず期間の定めが**必要なわけではない**。買戻しについて期間を**定めなかったとき**は，その期間は **5** 年以内となる（民法 580 条 3 項）。

エ×　しかし，手付とは無関係に合意解除された場合には，特約がない限り，売主は手付を**返還すれば足りる**。判例も同様に解する（大判昭 11.8.10）。

オ×　買主が直ちに代金を支払えるように準備し，売主に履行の催告をしていれば，履行に着手したと認定できる。したがって，売主は契約を**解除することができない**（民法 557 条 1 項ただし書き）。この場合，売主が履行に着手していなければ，買主が契約を**解除することはできる**（最判昭 40.11.24）。

以上から，妥当なもののみをすべて挙げているのは，**ア・イ**の肢 **1** である。

解答　1

民法（債権）

No. 151 受領遅滞の性質

受領遅滞の性質について，次の 2 説があるとする。ア～カの記述のうち，B 説の立場からの記述の組合せとして妥当なのはどれか。

(A 説) 債権者は給付を受領する権利を有するが義務を負うものではなく，受領遅滞の責任は法が特に公平の観点から認めたものである。

(B 説) 債権者が協力しなければ債務を履行できない場合もあるので，債権者には受領義務があり，受領遅滞は債権者の債務不履行である。

ア　受領しない債権者に対して，受領遅滞に基づき債務者の損害賠償請求を認めるべきである。

イ　受領遅滞の要件として，債権者の帰責事由は不要である。

ウ　受領遅滞の効果と弁済の提供の効果が同じならば，受領遅滞の規定を設ける必要はない。

エ　債務者の利益は，反対債務の不履行に基づき契約の解除や損害賠償請求が可能であることで十分である。

オ　遅滞のために，債務の履行や目的物の保管の費用が増加したときは，これを債権者に対して請求できる。

カ　受領しない債権者に対して，受領遅滞に基づき債務者の契約解除を認めるべきである。

1　ア，ウ，エ

2　ア，ウ，カ

3　イ，エ，オ

4　イ，オ，カ

5　ウ，エ，オ

解答欄

プラス知識

受領遅滞のまとめ

法的性質	債権者の故意・過失	効　果
法定責任	不要	弁済提供と同じ
債務不履行責任	必要	損害賠償請求権・契約解除権の発生

解説 151

債権者に債務の履行について協力義務を認めるのか議論がある。それが受領遅滞の本質論であり，受領遅滞は法律上の義務違反ではなく，法が特に公平の観点から定めた債権者の責任にすぎないとするのがA説（**法定責任説**）である。**判例もA説**の立場である。これに対し，受領遅滞は法律上の義務違反として，債務不履行の一種と考えるのがB説（**債務不履行責任説**）である。

以下，各別に検討していく。

ア○　**B**説の立場である。債権者の損害賠償請求が認められるのは，**債権者に受領義務違反がある**ことを前提にしていることから，**B**説の立場からの記述である。

イ×　**A**説の立場である。法が特に公平の観点から定めた債権者の責任にすぎないと考えるならば，**債権者の帰責事由は必要がない**ので，**A**説の立場からの記述である。

ウ○　**B**説の立場である。受領遅滞の効果と弁済提供の効果が同じなのは**A**説である。これに対し，受領遅滞の効果と弁済提供の効果が同じであれば，あえて**受領遅滞の規定を設ける必要がない**とするのが**B**説の立場である。

エ×　**A**説の立場である。債務者の利益は，反対債務の不履行による契約の解除や損害賠償請求で十分とすることは，受領遅滞の**法律上の義務違反を前提にしていない**ことから，**A**説の立場からの記述である。

オ×　**A**説の立場である。受領遅滞による直接の不利益であって，これを**債権者の負担とすることが妥当**だからである（民法485条ただし書）。

カ○　**B**説の立場である。受領遅滞に基づく債務者の契約解除を認めるのは，受領遅滞の**法律上の義務違反を前提としている**ことから，**B**説の立場からの記述である。

以上から，B説の立場からの記述の組合せとして妥当なのは，**ア・ウ・カの肢2**である。

解答　2

No. 152 不法行為

不法行為に関する次の記述のうち，妥当なのはどれか。

1　医療事故における過失の認定においては，医師の注意義務の基準は診療当時のいわゆる臨床医学の実践における医療水準であり，医師には業務の性質に照らし，危険防止のために経験上必要とされる最善の注意義務が要求されるとするのが判例である。

2　家屋の賃借人Aの失火により，賃貸家屋が滅失したことから，賃貸人Bが債務不履行を理由にAに損害賠償請求を行ったが，Aには失火ノ責任ニ関スル法律に規定されている「重大ナル過失」が認められない場合には，Aは損害賠償責任を負わないとするのが判例である。

3　法人の代表者が職務権限外の行為により第三者に損害を与え，その行為が外形から見て職務権限内の行為であると認められる場合は，当該第三者が職務権限外の行為であることを知らないことについて重大な過失があるときであっても，当該法人は当該第三者に対して損害賠償責任を負うとするのが判例である。

4　Aタクシー会社に雇われている運転手Bが，仕事を終えて私用で某所に立ち寄る途中，Cの所有し運転する貨物自動車と双方の過失で衝突した結果，両自動車とも破損し，Cの自動車に積載していたD所有の貨物を損傷した。この場合，AはDに対して損害賠償責任を負わないとするのが判例である。

5　不法行為による損害賠償請求権の除斥期間は，不法行為時から20年とされており，この期間を経過した場合には，訴え提起が遅れたことについて被害者側にやむを得ない事情があるときであっても，除斥期間である以上，損害賠償請求権は消滅するとするのが判例である。

（参考）失火ノ責任ニ関スル法律
民法第709条ノ規定ハ失火ノ場合ニハ之ヲ適用セス但シ失火者ニ重大ナル過失アリタルトキハ此ノ限ニ在ラス

解答欄

解説 152

1○　判例は医師の注意義務が診療当時の臨床医学の実践における**医療水準を基準**に判断され（最判平 7.69），医師個人に対しては危険防止のために経験上必要とされる**最善の注意義務**を要求している（最判昭 36.2.16）。

2×　判例は失火法において，失火が重大な過失でなければ不法行為責任（民法 709 条）を負わないが，債務不履行に基づく損害賠償請求については，失火法の適用が**ない**と判示している（最判昭 30.3.25）。

3×　判例は法人の代表者の行為が外形から見て職務権限内であると認められる場合であっても，第三者が職務権限外の行為であることを知らないことについて重大な過失があるときには，第三者が損害を被ったとしても法人は損害賠償責任を**負わない**と判示している（最判昭 50.7.14）。

4×　判例は勤務時間終了後，私用中の事故につき民法 715 条の使用者責任を**認めている**（最判昭 37.11.8）。行為の外形上「業務の執行につき」なされたものといえるからである。

5×　不法行為による損害賠償請求権の除斥期間が，不法行為時から 20 年とされている記述は正しい（民法 724 条 2 号）。したがって，その期間内に訴えを提起しなければ，損害賠償請求権は消滅するはずである。しかし，判例は訴えの提起が遅れたことについて，被害者側にやむを得ない事情がある場合には，除斥期間が適用**されないことを認めている**（最判平 10.6.12）。

解答　1

プラス知識

失火責任法と債務不履行責任

失火責任法により，軽過失の借家人が不法行為責任を免れる場合であっても，そのことは借家契約に基づく契約責任に影響を及ぼさないとするのが判例の見解である。これは，不法行為責任と契約（債務不履行）責任が，それぞれ別個に要件と効果が定められた異なる制度であることを根拠にしている。これが請求権競合の問題へと発展していく。

民法（債権）

No. 153 債権者代位権

債権者代位権に関する次の記述のうち，判例に照らし，妥当なのはどれか。

1 遺留分減殺請求権は財産的権利であるから，権利放棄の確定的意思を表示するなどの特段の事情のない限り，債権者代位権の対象となる。

2 離婚の際の財産分与請求権は，協議あるいは審判等によって具体的内容が形成されるまでは，その範囲及び内容が不確定・不明確であるから，債権者代位権の対象とならない。

3 債務者が他の債権者に対して負担する債務の消滅時効の援用権は，その行使を債務者の意思にゆだねるべき一身専属的権利であるから，債権者代位権の対象とならない。

4 AがBに対して有する債権をCに譲渡したが，AはCへ譲渡したことをBに通知しなかったので，CはAに代位して，Bに債権譲渡の通知をすることができる。

5 名誉毀損による慰謝料請求権は，金銭債権なので債権者代位権の対象となるが，被害者が死亡したときは，権利の性質上相続の対象とならないから，債権者代位権の対象とならない。

解答欄

プラス知識

債権者代位権

1　意義

債務者が責任財産の減少を放置している場合に，債務者に代わって債権者がその減少を防止する措置をとる制度。

2　要件

①債権者の債権を保全する必要があること。

原則：債務者の無資力。

例外：無資力を要件としない債権者代位制度の転用（判例）

・登記請求権

・妨害排除請求権

②債務者が自らその有する権利を行使しないこと。

③原則：債権が履行期にあること。

解説 153

1 × 遺留分減殺請求権については，行使上の一身専属権と考えられている。したがって，権利行使の確定的意思を有することを外部に表明したと認められる特段の事情がない限り，債権者代位権の対象と**はならない**。判例も同様に解する（最判平 13.11.22）。

2 ○ 離婚の際の財産分与請求権は，行使上の一身専属権である。しかし，財産権的性格が強いことから，協議・審判等により具体的内容が形成された後は，一身専属性を失い債権者代位権の**対象となる**。判例も同様に解する（最判昭 55.7.11）。

3 × 消滅時効の援用権の行使は，それを行使するか否かは本来債務者の意思に委ねられるべきであるが，債務者が無資力の場合には，資力保全の必要性を考慮すべきである。したがって，消滅時効の援用権も債権者代位権の**対象となる**。判例も同様に解する（最判昭 43.9.26）。

4 × 債権譲渡の通知（民法 467 条）を譲受人が譲渡人に代位して**行うことはできない**。もしこれを認めてしまうと，譲渡が有効でない場合にも通知がなされることになり，債務者を通じて公示機能を果たす法の趣旨が没却されるからである。判例も同様に解する（大判昭 5.10.10）。

5 × 慰謝料請求権は行使上の一身専属権である。しかし，慰謝料請求権であっても，当事者間で具体的金額が確定した場合には，一身専属性を失い債権者代位権の**対象となる**。判例も同様に解する（最判昭 58.10.6）。

解答　2

例外：履行期になくても行使できる要件
・裁判上の代位（裁判所の許可を得てする代位行為）
・保存行為（時効の中断，未登記の権利の登記など）
④ 債務者の権利が行使上の一身専属権ではないこと。

3 効果
代位権行使の結果として得られたものは，直接に債務者に帰属し，総債権者の共同担保となる。

※注 債権者代位権の対象とならないものには，行使上の一身専属権の他に，債権の譲受人が譲渡人に代位してする債権譲渡の通知，差押えを許さない権利などがある。

ミクロ経済学

No. 154 所得効果と価格効果

X財とY財の2財について，所得変化及び価格変化が需要量に与える効果に関する次の記述のうち，妥当なのはどれか。

1　X財が下級財の場合には，その財の需要の所得弾力性は1より小さくなり，X財を横軸，Y財を縦軸にとったときに，X財とY財の間に描くことのできる所得・消費曲線は右上がりとなる。

2　X財，Y財ともに上級財であり，両財が代替財の関係にある場合，X財の価格が低下するとY財は代替効果によっても所得効果によっても需要量が減少するので，Y財の全部効果はマイナスとなる。

3　X財が下級財の場合，その財の価格が低下すると，代替効果により需要量が減少するが，所得効果によって需要量が増加するので，X財の全部効果は二つの効果の大きさに応じてプラスの場合もマイナスの場合もある。

4　X財とY財が連関財の関係にある場合，X財の価格が変化するときY財の交差弾力性がプラスの値をとるとすれば，両財は粗補完財の関係にあるといえる。

5　X財がギッフェン財であるとき，その財の価格が低下すると，所得効果による需要量の減少が代替効果による需要量の増加を上回るので，X財の全部効果はマイナスになる。

解答欄

プラス知識

価格効果

X財，Y財2財の場合でX財の価格が下落したとき，それぞれの財の性質と，所得効果と代替効果の大小関係によって，需要量の変化はそれぞれ次の表のようになる。

	当該財の性質と場合	X財の需要量	Y財の需要量
上級財	代替効果＞所得効果	増加	減少
	代替効果＜所得効果	増加	増加
下級財	代替効果＞所得効果	増加	減少
	代替効果＜所得効果	減少	減少

解説 154

1× 所得の増加とともに需要量が減少する財は下級財と呼ばれ，その所得弾力性は**負**となる。また，横軸に**上級財**の需要量，縦軸に**下級財**の需要量をとった時の所得－消費曲線は**右上がり**となるが，横軸に**下級財**の需要量，縦軸に**上級財**の需要量をとった時の所得－消費曲線は**左上がり**となる。

2× 2財がともに上級財（正常財）で代替関係にあるとき，X財の価格低下によりX財の需要量は増加するが，Y財に及ぼす代替効果はマイナスに働きY財の需要量は減少する。一方，X財の価格低下に伴う実質所得の増加は，Y財にもプラスの所得効果をもたらしY財の需要量を増加させる。したがって，Y財に関しては両効果が相殺されるため，需要量に及ぼす影響は特定できない。

3× X財が下級財である場合，その財の価格低下は代替効果によりその財の需要量を**増加**させるが，所得効果により需要量を**減少**させるため，全部効果で，需要量の変化の方向は特定できない。

4× X財の価格**低下**によりY財の需要量が**減少**しX財の価格が上昇すればY財の需要量が増加するとき，Y財はX財の**粗代替財**と呼ばれる。このとき，需要の交差弾力性の値は**プラス**となる。

5○ **ギッフェン財**とは**極めて劣等な下級財**で，所得効果が代替効果よりも**強く働く**。その財の価格が低下した場合，マイナスの所得効果がプラスの代替効果を上回るため，全部効果がマイナスに働き，需要量はかえって減少してしまう（需要曲線は左下がりとなる）。

解答 5

X財の価格が下落するとき，代替効果のみで，Y財が正の値をとれば補完財，負の値をとれば代替財である。また，全部効果で，正の値をとれば粗補完財，負の値をとれば粗代替財となる。なお，X財が非常に劣等な下級財で負の所得効果が大きく働くため正の代替効果を上回るときには，価格下落に対して需要量はかえって減少する。このような財をギッフェン財という。

ミクロ経済学

No. 155 消費者の最適化行動（消費の無差別曲線）

所得のすべてをＸ財とＹ財に支出する，ある消費者の効用関数が次のように与えられている。

$u(x,\ y) = x(2 + y)$

ここで x はＸ財の消費量，y はＹ財の消費量を表す。Ｘ財の価格が 12，Ｙ財の価格が 6，貨幣所得が 420 であるとき，この消費者の貨幣 1 単位当たりの限界効用はいくらか。

1 3　　**2** 6　　**3** 9　　**4** 12　　**5** 15

解答欄

解 説 155

貨幣 1 単位当たりの限界効用は，限界効用を価格で割ることで求められる。この場合Ｘ財に関しては，

$$\frac{\partial u/\partial x}{12} = \frac{2 + y}{12} \cdots ①$$

となる。均衡ではＹ財の関しても同じ値をとるから，この値を求めればよい。

予算制約式は，

$12x + 6y = 420 \quad 2x + y = 70 \cdots ②$

である。消費者の効用最大化させるのは，無差別曲線と予算線が接する点で，2 財間の限界代替率＝価格比　が成立する。

2 財間の限界代替率は両財の限界効用の比であるから，$\dfrac{\partial u/\partial x}{\partial u/\partial y} = \dfrac{2 + y}{x}$ であり，

効用最大化条件は，

$$\frac{2 + y}{x} = \frac{12}{6} = 2$$

$y = 2x - 2 \cdots ③$

となり，②，③式から x，y を求め①式に代入すればよい。

$2x + 2x - 2 = 70 \quad 4x = 72 \quad x = 18$

$y = 2 \times 18 - 2 = 34$

したがって，貨幣 1 単位当たりの限界効用は，

$$\frac{2 + 34}{12} = 3$$

となる。

解答　1

ミクロ経済学

No. 156 需要の価格弾力性と生産者余剰

重要度 A

完全競争市場において，X 財の需要曲線と供給曲線がそれぞれ次のように表されるとする。

D ＝ 110 － 2P　　　　S ＝－ 10 ＋ 2P

（D：需要量，S：供給量，P：価格）

このとき，均衡における X 財の需要の価格弾力性と生産者余剰はそれぞれいくらになるか。

	価格弾力性	生産者余剰
1	0.6	575
2	1.2	600
3	1.2	625
4	1.5	650
5	1.5	675

解答欄

解 説 156

X 財の需要曲線と供給曲線はそれぞれ次のように書きなおすことができる。

D ＝ 110 － 2P　　$P = -\frac{1}{2}D + 55$

S ＝－ 10 ＋ 2P　　$P = \frac{1}{2}S + 5$

完全競争均衡では D ＝ S なので，均衡需要量と均衡価格は両式から，

$$-\frac{1}{2}x + 55 = \frac{1}{2}x + 5$$

$$x^* = 50$$

P ＝－ 25 ＋ 55　　　$P^* = 30$

となり，これらを図示すると右のようになる。

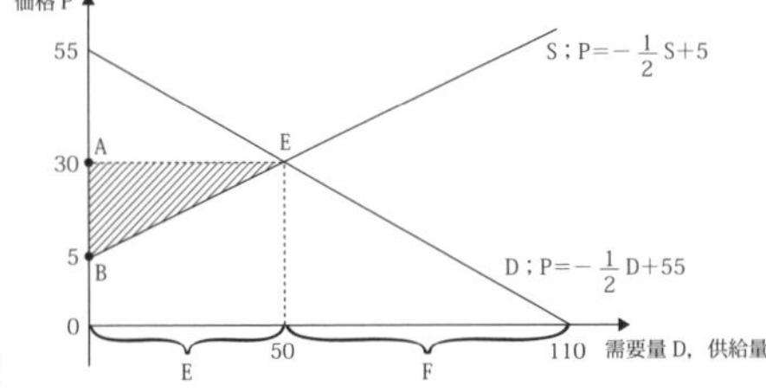

この需要曲線は線形なので，均衡における需要の価格弾力性 ε は線分 E と線分 F の比で求めることができるので，

$$\varepsilon = \frac{F}{E} = \frac{110 - 50}{50} = \frac{60}{50} = 1.2$$　となる。

生産者余剰は，図の斜線部分三角形 ABE の面積だから，

$$\frac{25 \times 50}{2} = 625$$　となる。

解答　3

ミクロ経済学

No. 157 複占市場

市場に 2 つの企業（企業 1，企業 2）が存在し，単位コスト c（$c > 0$）で財 X を生産している。ここで，財 X の需要関数は，

$P = a - 2bx$（P：財 X の価格，x：財 X の数量，a，b：正の定数）

である。

この 2 つの企業が，拘束力のない数量カルテルを結び，それぞれの利潤の総和である

$\pi_1(x_1, x_2) + \pi_2(x_1, x_2)$（$\pi_i$：企業 i の利潤，$x_i$：企業 i の財 X の生産量，i：1，2）

を最大にするように，各企業の市場占有率を 50%ずつとすることで合意したとする。ただし，市場への新規参入はないものとする。

このとき，企業がカルテルを守って「協調的」に行動した場合，及びカルテルを破り「非協調的」に行動した場合（相手企業の生産量を所与として利潤最大化を図った場合）の生産量に関する次の記述のうち，正しいのはどれか。

1 両企業が「協調的」に行動する場合，市場全体の生産量は $\dfrac{a-c}{3b}$ である。

2 両企業が「協調的」に行動する場合，各企業の生産量は $\dfrac{a-c}{4b}$ である。

3 両企業が「非協調的」に行動する場合，市場全体の生産量は $\dfrac{a-c}{8b}$ である。

4 両企業が「非協調的」に行動する場合，各企業の生産量は $\dfrac{a-c}{6b}$ である。

5 両企業が「非協調的」に行動する場合，各企業の生産量は $\dfrac{a-c}{4b}$ である。

解答欄

プラス知識

クールノーの複占モデル

同質の財を供給する 2 つの企業が相互に競争しながら利潤を最大化するように自らの生産量を決定するモデルであり，このモデルのもっとも顕著な特徴は，相手はこちらの数量をいろいろ変化させてもまったく影響を受けず，従来の生産を実行していると仮定して，互いに生産数量を決定することにある。これをゼロの推測的変動と呼ぶ。

解 説 157

2つの企業が数量カルテルを結び，**「協調的」に行動した場合**は，両企業が合同で独占企業と同様に行動することになる。両企業を合わせた逆需要関数は，

$P = a - 2b\,(x_1 + x_2)$

で，限界収入はこの関数の傾きを2倍にすれば求められるから，

$\mathrm{MR} = a - 4b\,(x_1 + x_2)$

となる。

各企業の限界費用はc（$c > 0$）だから，利潤最大化条件は

$a - 4b\,(x_1 + x_2) = c$　で

$x_1 = x_2$

だから，

$$x_1 = x_2 = \frac{a - c}{8b}$$

となる。

一方，カルテルを破って**「非協調的」に行動した場合**は，「クールノーの複占」のケースである。

それぞれの企業の限界収入は，逆需要関数の各企業の生産量の傾きを2倍にすればよいから，

$\mathrm{MR}_1 = a - 4bx_1 - 2bx_2$

$\mathrm{MR}_2 = a - 2bx_1 - 4bx_2$

となる。利潤最大化条件から，

$a - 4bx_1 - 2bx_2 = c$

$a - 2bx_1 - 4bx_2 = c$

となり，両式から

$$x_1 = x_2 = \frac{a - c}{6b}$$

が求められる。

解答　4

No. 158 独占市場

独占市場における価格と生産量に関する次の記述のうち，妥当なのはどれか。

1　ラーナーの独占度は，独占企業の需要の所得弾力性の逆数に等しい。

2　クールノーの点とは，独占市場における価格水準を示すものであり，限界収入と限界費用の一致する需要曲線上の点のことである。

3　独占企業の生産する財に対する需要曲線は右下がりであり，限界収入曲線は平均収入曲線と等しくなる。

4　需要曲線と限界費用曲線が一致する点に対応するところで生産を行うと，独占企業の利潤は最大になる。

5　独占企業は完全競争市場の企業と異なり，コストの増大により価格を引き上げたとしてもすべての需要を失うことはないので，利潤は常に正となる。

解答欄

プラス知識

企業の利潤最大化条件は，限界収入＝限界費用である。完全競争市場では，企業は価格所与として行動するから，常に限界収入＝価格である。従ってこの場合，利潤最大化条件は価格＝限界費用となり，限界費用曲線の右上がり部分が短期供給曲線となる。

一方，独占企業は，市場の需要曲線が自らの需要曲線となり，右下がりの需要曲線と直面する。このとき，利潤最大化条件に従い，限界収入＝限界費用が成り立つ産出量に対応する需要曲線上の点(クールノー点)で価格を決定し，これが独占価格となる。需要の価格弾力性が大きいときには，わずかな価格引き上げでも大きく需要量を失ってしまうので，高い価格は設定しにくい。一方，弾力性が小さいときには，価格を引き上げても需要量はさほど失わないので，高い価格が設定しやすい。ラーナーの独占度は，需要の価格弾力性の逆数で，弾力性が小さいほど独占度は高く，価格はより大きく限界費用から乖離し，高い独占利潤が獲得される。

解説 158

1× **A.P. ラーナー**は，価格 P が限界費用 MC から乖離する度合いが大きければ大きいほど独占的利潤を獲得する余地が高くなると考え，独占度 μ を次のように表す。

$$\mu = \frac{P - \mathrm{MC}}{P}$$

利潤最大化条件 MR = MC より，この式は，$\mu = \frac{P - \mathrm{MR}}{P}$ と表せる。

$\mathrm{MR} = \frac{d(\mathrm{R})}{dQ} = \frac{d(P \cdot Q)}{dQ} = P + \frac{dP}{dQ} \cdot Q$　となるからこれを代入すれば，

$\mu = \frac{P - P - \frac{dP}{dQ} \cdot Q}{P} = -\frac{dP}{dQ} \cdot \frac{Q}{P}$　となり，これは**需要の価格弾力性**

$\boldsymbol{\varepsilon = -\frac{dQ}{dP} \cdot \frac{P}{Q}}$　**の逆数**である。

2○ **正しい。**

3× 独占企業にとっては，市場の需要曲線がそのままその企業の需要曲線となり，通常は**右下がり**である。限界収入曲線は，**右下がり**の需要曲線に対して**2倍の傾き**をもつ曲線として示される。また，総収入は TR = $P(Q) \cdot Q$ なので，平均収入 (生産物単位当たりの収入) は常に TR/Q = P (Q) に等しく，平均収入曲線は需要曲線に他ならないことになる。したがって，限界収入曲線と平均収入曲線は**一致しない**。

4× 独占企業にとって，**限界収入曲線**と**限界費用曲線**が一致するところで生産を行えば利潤は最大化される。なお，完全競争市場の場合，所与の価格のもとで水平に与えられた**需要曲線**と**限界費用曲線**が一致したところで生産を行えば，企業は利潤を最大化することができる。

5× 費用の増加に伴い，平均費用曲線が需要曲線と接するまで上昇すると，その接点が利潤を最大化させる価格と生産量の組み合わせとなる。この場合，価格と平均費用が一致しているから，独占企業であっても**利潤は発生しない**ことになる。

解答　2

マクロ経済学

No. 159 GDP（国内総生産）

GDP（国内総生産）に関する次の記述のうち，妥当なのはどれか。

1　GDP は，国内のあらゆる生産高（売上高）を各種経済統計から推計し，これらを合計したものである。例えば，農家が小麦を生産してこれを 1 億円で製造業者に販売し，製造業者がこれを材料にパンを製造して 3 億円で消費者に販売すれば，これらの取引での GDP は 4 億円となる。

2　GDP は「国内」での経済活動を示すものであるのに対し，GNI（国民総所得）（注）は「国民」の経済活動を示すものである。GDP（GDE）では消費，投資，政府支出等の国内需要が集計され，輸出，輸入は考慮されないのに対して，GNI は GDP（GDE）に輸出を加え，輸入を控除したものとして算出される。

3　GDP は原則として，市場でのあらゆる取引を対象とするものであるが，中古品の売買は新たな価値の増加ではないから GDP に計上されない。ただし，その仲介手数料は GDP に計上される。一方，株式会社が新規に株式を発行したような場合のその株式は GDP に計上されない。

4　GDP に対して NDP（国内純生産）という概念がある。市場で取引される価格には生産・輸入品に課せられる税（間接税）を含み補助金が控除されているので，GDP が，間接税を含み補助金を除いた価格で推計した総生産高であるのに対し，NDP は GDP に補助金を加えて間接税を控除したものとして算出される。

5　市場取引のない活動は原則として GDP には計上されない。例えば，家の掃除を業者に有償で頼めばその取引は GDP に計上されるが，家族の誰かが無償で掃除をしても GDP には関係しない。さらに，持ち家のサービスについても，同様にその家賃は GDP に計上されない。

（注）GNI（国民総所得）は 93SNA 上の概念であり，68SNA での GNP（国民総生産）に該当する。

解答欄

解説 159

1 × GDPは，国内における一年間の最終生産物（資本財，消費財）の生産総額であると同時に，**各生産者の粗付加価値**（それぞれの生産者によって新たに付け加えられた価値）の**合計**でもある。各生産者の粗付加価値は，その総販売額から総仕入れ額を差し引いて求められる。したがって，農家の粗付加価値は　1－0＝1（億円），（パン）製造業者の粗付加価値は　3－1＝2（億円）だから，GDPは**3億円**となる。

2 × 支出面から求めたGDP（GDE：国内総支出）は，消費＋投資＋政府支出＋（輸出－輸入）で，**純輸出（輸出－輸入）も含めて**求められる。なお，GNI＝GDP＋海外からの所得の純受け取り　となる。

3 ○ GDPも含めた国民所得（広義）はフロー・データで，株式はストック・データである。

4 × NDP（国内純生産）は，GDPから**固定資本減耗**（その生産に伴って発生した固定資本の価値の減耗部分）を**差し引いたもの**である。なお，生産面からとらえた国民所得（GDP，NDPなど）は，市場価格で金額表示したものであり，分配面からの国民所得（賃金や利潤等）は，生産国民所得－（生産・輸出品に課せられる税－補助金）となる。

5 × 農家による作物の自家消費や持ち家のサービスへの家賃などは，実際には市場で取引されていないが，**市場で取引されたもの**とみなしてGDPに計上される（帰属計算）。

解答　3

プラス知識

93SNA

国民経済計算体系（System of National Accounts:SNA）の原型は，J.R,ヒックスによって示され「社会会計」と名づけられた。そこでは，ストックとしての資源とフローとしての生産物・所得の両者の構造が明確に示された。現在は，国際連合が示した基準に従って各国がそれぞれの国のSNAを算出している。現在使われている基準は1993年に改訂されたもので，日本も2000年にこの93SNAへの移行を終えている。93SNAは居住者主義を採っており，従来のGNP（国民総生産）に換わって，GNI（国民総所得）が使われている。

マクロ経済学

No. 160 デフレ・ギャップと財政収支

ある国のマクロ経済が次のように示されている。

Y = C + I + G + X − M

C = 0.8（Y − T）+ 30

I = 30

G = 50

T = 0.2Y

X = 20

M = 0.04Y + 40

〔Y：国民所得，C：消費，I：投資，G：政府支出，X：輸出，M：輸入，T：税収〕

この経済の完全雇用国民所得が 250 であるとき，デフレギャップはいくらか。また，政府支出の増加によって完全雇用を達成するとき，その結果として財政収支はどうなるか。

1 デフレギャップは 5 である。また，5 の財政赤字となる。

2 デフレギャップは 5 である。また，5 の財政黒字となる。

3 デフレギャップは 10 である。また，10 の財政赤字となる。

4 デフレギャップは 10 である。また，10 の財政黒字となる。

5 デフレギャップは 20 である。また，財政は均衡する。

解答欄

解 説 160

完全雇用国民所得 250 の時の総供給と総需要の差がデフレ・ギャップとなる。
総需要は　消費＋投資＋政府支出＋輸出－輸入　だから，

$Yd = 0.8\,(Y - 0.2Y) + 30 + 30 + 50 + 20 - 0.04Y - 40$

$\quad = 0.6Y + 90$

完全雇用国民所得は 250 だから，このときの総需要は

$0.6 \times 250 + 90 = 240$

したがって，デフレ・ギャップは，**250 − 240 = 10** となる。

このギャップを埋め合わせるための政府支出の増加も 10 であるから，結果的に政府支出は **50 + 10 = 60** となる。

完全雇用国民所得 250 のときの租税収入は，**0.2 × 250 = 50**　だから，
財政収支は　**50 − 60 =− 10**　すなわち **10 の赤字**となる。

したがって，**3** が正しい。

解答　3

マクロ経済学

No. 161 開放マクロ経済モデルと貿易収支

B 重要度

開放マクロ経済モデルが次のように与えられている。

$C = 32 + 0.8Y$　　$I = 150 - 16i$

$G = 50$　　$X = 60$

$M = 0.1Y$　　$L = 0.3Y + 248 - 8i$

$Ms = 300$

〔Y：国民所得，C：消費，I：投資，i：利子率，G：政府支出，X：輸出，M：輸入，L：貨幣需要，Ms：貨幣供給量〕

このとき，このモデルにおける貿易収支に関する次の記述のうち，正しいのはどれか。

1　8の黒字である。　**2**　16の黒字である。

3　均衡している。　**4**　8の赤字である。

5　16の赤字である。

解答欄

解説 161

生産物市場の均衡は，$Y = C + I + G + X - M$ である。したがって，

$Y = 32 + 0.8Y + 150 - 16i + 50 + 60 - 0.1Y$

これを整理すると，

$0.3Y = 292 - 16i$ …①

となる。

一方，**貨幣市場の均衡**は，$L = Ms$ だから，

$0.3Y + 248 - 8i = 300$

これを整理すると，

$0.3Y = 52 + 8i$ …②

となる。

両市場を均衡させるYは，①+②×2で求められる。

$0.9Y = 396$　∴ $Y = 440$

貿易収支は，$X - M$ で求められるから。

$60 - 0.1 \times 440 = 16$　したがって，貿易収支は**16の黒字**となり，

正答は**2**である。

解答　2

マクロ経済学

No. 162 貨幣乗数とマネー・サプライ（マネー・ストック） B 重要度

現金預金比率が6.5%，支払準備率が1%，通貨当局によるハイパワード・マネーの供給量が50であるとき，マネー・サプライ（マネー・ストック）はいくらになるか。

1 710
2 750
3 800
4 810
5 850

解答欄

解 説 162

貨幣総量 M（現在，日本銀行はマネー・ストック統計として発表している）は，民間の非金融部門（家計と企業）が所有する現金 C と預金の総和 D の合計である。

$$M = C + D$$

一方，ハイパワード・マネー H は，C と支払準備金 R の合計である。

$$H = C + R$$

この両者から，

$$\frac{M}{H} = \frac{C + D}{C + R}$$

となる。右辺の分母・分子を D で割って，現金預金比率（C/D）を c，支払準備率（R/D）を r とおくと，

$$M = \frac{c + 1}{c + r} H \cdots ①$$

が得られ， $\frac{c + 1}{c + r}$ は貨幣乗数または信用乗数と呼ばれる。

①式に数値を当てはめると，

$$M = \frac{0.065 + 1}{0.065 + 0.01} H = 14.2H$$

となる。したがって，ハイパワード・マネーが 50 供給されると貨幣総量 M は，

$M = 14.2 \times 50 = 710$

となり，正答は **1** である。

解答　1

マクロ経済学

No.163 財政・金融政策の効果（IS–LM モデル）

重要度 A

IS-LM モデルにおける財政・金融政策の効果に関する次の記述のうち，妥当なものはどれか。

1　投資が利子率に対して完全に非弾力的な場合，IS 曲線は水平になる。このとき，貨幣供給量を増加させても，国民所得を増加させることはできない。

2　貨幣需要が利子率に対して完全に非弾力的な場合，LM 曲線は垂直になる。このとき，政府支出を増加させても，クラウディング・アウト効果は発生しない。

3　LM 曲線が右上りの部分では，政府支出を増加させてもクラウディング・アウト効果は発生しない。

4　貨幣需要が利子率に対して完全に非弾力的な場合，LM 曲線は水平になる。このとき，国民所得を増加させるには，政府支出の増加が必要となる。

5　貨幣市場が流動性のわなに陥っている場合，LM 曲線は水平になる。このとき，政府支出の増加は，国民所得を増加させる。

解答欄

解説 163

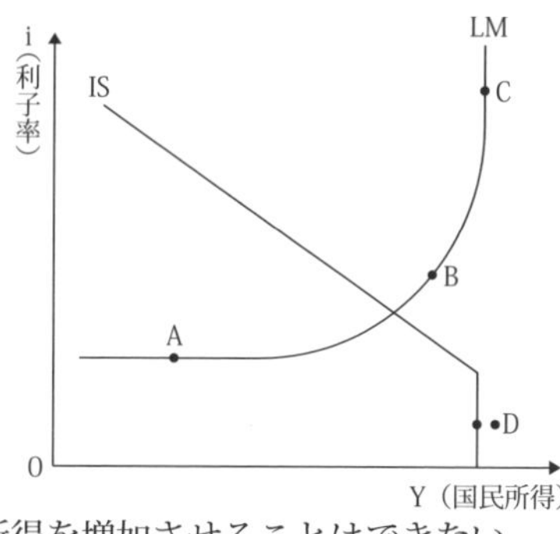

1×　**投資が利子率**に対して**完全に非弾力的**な場合は，**IS 曲線は垂直**になる（点 D)。このとき貨幣供給を増加させても（LM 曲線の右へのシフト）国民所得は増加しない。

2×　**貨幣需要が利子率**に対して**完全に非弾力的**な場合，**LM 曲線は垂直**になる（点 C)。このとき政府支出を増加させても（IS 曲線の右へのシフト)，完全な**クラウディング・アウト**効果によって国民所得を増加させることはできない。

3×　**LM 曲線が右上がりの部分**では（点 B)，政府支出の増加による**クラウディング・アウト効果**は働くが**不完全**であるため，政府支出の増加は，国民所得を増やすことができる。

4×　解説 **2** で説明したように，貨幣需要が利子率に対して完全に非弾力的な場合，LM 曲線は垂直になる。

5○　**正しい**。「**流動性のわな**」に陥るのは，**貨幣需要が利子率**に対して**完全に弾力的**（弾力性は無限大）な場合で，**LM 曲線は水平**となる（点 A)。このときは，政府支出の増加によって国民所得を増加させることができる。

解答　5

財政・経済

No. 164 日本の財政制度

我が国の財政制度に関する次の記述のうち，妥当なのはどれか。

1　暫定予算とは，本予算が年度開始までに成立しない場合に，国政の停滞を防ぐ目的で，政府に対し前年度予算を執行することを許す応急措置であるが，第二次世界大戦後は本予算が年度開始までに成立しなかった例がないため，この措置が用いられたことはない。

2　地方交付税は，税源の偏在に起因する地方公共団体間の財政力格差を調整し，財政力の弱い自治体であってもナショナルミニマムとしての行政サービスを行うことができるよう，必要な財源を保障する機能を有している。そして，地方交付税は決定された国税の一定割合を原資として，すべての地方公共団体に交付されている。

3　赤字国債の発行は，財政法第 4 条により原則禁止されているが，実際には 1965 年以降，毎年特例法を制定して特例国債（赤字国債）を発行している。

4　国が行う契約に関し，我が国においては一般競争及び随意契約の二方式が認められているが，談合排除の必要性，随意契約における不透明性・非効率性についての指摘などを受けて，随意契約によらざるをえない場合を除いて，原則として一般競争入札（総合評価方式を含む）で契約を行うものとされている。

5　税制の役割の一つとして所得再分配機能が挙げられる。これは，好況期には税収が増加して総需要を刺激する方向に作用し，不況期には逆に税収が減少して総需要を抑制する方向に作用することにより，自動的に景気を安定させるものである。

解答欄

解説 164

1× 暫定予算は，本予算が何らかの理由で年度開始までに成立しない場合に，国政の停滞を防ぐため**本予算成立までの間一時的に組まれる**もので，前年度予算の執行を**許すものではない**。また，第二次大戦後，昭和 20 年代に 4 回，昭和 40 年代に 1 回さらに昭和 50 年代以降も何度か暫定予算は組まれており，最近では，平成 25 年度の安倍内閣の時の例がある。

2× この地方交付税の機能を**財源保障機能**という。地方交付税は，国税の内の定められた比率を財源として地方公共団体に交付されるが，**平成 25 年度**で都道府県では東京都，市町村では，大規模の事務所が立地する小規模自治体，観光地・保養地を擁する自治体など **56 の不交付団体**がある。

3× 赤字国債は，1965 年に戦後初めて発行され，その後 **10 年間**は発行されなかったが，1975 年には 1 年限りの特例公債法を制定して再び赤字国債を発行し，それを毎年繰り返した。**1990 ～ 93 年**には赤字国債の発行はなかったが，1994 年からは再び発行され，現在に至っている。

4○ **正しい。**

5× この記述は，財政制度そのものが景気変動を自動的に安定させるという**ビルトイン・スタビライザー**に関するものである。

解答 4

プラス知識

国家予算と財政の機能

元来ひとつであることが望ましいが，財政の範囲が多岐にわたり内容も多様化しているため，財政法第１３条で一般会計と特別会計に区分している。予算というと通常一般会計予算をさす。特別会計には，一般会計の歳入・歳出と区別して経理する必要があるものが計上されており，国が特定の事業を営む場合や特定の資金を保有して運用する場合があげられる。

なお，財政には資源配分の調整，所得の再分配，景気調整（＝経済安定化）という３つの機能がある。景気調整機能は，財政支出を伸縮させることによって経済を安定化させるものであるが，景気過熱期には累進課税によって不況期には社会保障制度によって，政策当局の裁量を待たずに景気に対する安定化を自動的に促す財政上の仕組みをビルト・イン・スタビライザー（景気の自動安定化装置）という。

財政・経済

No. 165 公債負担の理論

公債の負担に関する次の記述のうち，妥当なのはどれか。

1 J.M. ブキャナンによれば，内国債を発行する場合は，一国全体で利用可能な資源は減少しないので世代間の負担の転嫁は生じないが，外国債を発行する場合は，一国全体で利用可能な資源は減少し，世代間の負担の転嫁が生じる。

2 W.G. ボーエンらによれば，公債発行時に年長世代と年少世代が共存する場合において，公債を発行しても年長世代の消費支出能力は低下せず，公費は将来の課税によってまかなうことを十分認識しているので，年少世代の消費支出能力も低下しない。したがって，世代間の負担の転嫁は生じない。

3 F. モディリアーニによれば，完全雇用状態の下で政府支出の財源を公債発行で賄う場合，クラウディング・アウトが生じ民間投資が抑制されるものの，その減少分を政府支出で補う限りにおいて一国全体での投資量は減少しないので，世代間の負担の転嫁は生じない。

4 A. スミスは，公債発行がそれだけ生産的な民間部門の資本を非生産的な政府部門に移転させ，また利払費に向けるための増税もあって，民間の資本蓄積を阻害して国民経済の発展を鈍化させる，として反対している。

5 D. リカードによれば，消費者が合理的な期待形成を行い，政府支出の財源を公債で賄う場合，公債償還が公債発行時世代の生存期間中に行われれば公債発行は消費者の消費計画に影響を与えないが，政府支出の財源を課税で賄う場合は消費者の可処分所得が減少するので，消費者の消費計画も変化する。

解答欄

プラス知識

特例国債（赤字国債）

政府が行う事業の中には，公共事業などの投資的経費が含まれており，その収益の回収が長期に及ぶ場合が少なくないから，債券を発行するなどして資金を調達している。道路や空港は一度つくれば数十年は活用できるから，その建設にかかる莫大な経費を１年分の税金でまかなう必要は無いという考えの下に，こうした目的で発行される債券は，建設国債として財政法で認められている。しかし，近年になっ

解説 165

1× **J.M. ブキャナン**は，**投資的経費**については，政府支出による便益の享受と費用の負担との時間的一致を可能にするという理由から，**公債発行**には**賛成**するが，**経常的経費**については，将来の納税者が公債の利払いや償還費調達のための増税によってその負担がさせられ，世代間の負担の転嫁が生じるとして**公債発行**による経費の調達に**反対**している。

2× **ボーエン，デービス，コップ**らは，各世代の消費機会に注目し，現在世代は公債発行時の消費機会の減少を保有する公債の将来世代への売却によって回復できるが，将来世代は償還時の課税によって消費機会が減少するから，**負担が将来世代に転嫁**されると考える。

3× **F. モディリアーニ**は，民間の資本蓄積そして将来所得に与える影響という観点から，租税に比べて，公債は**クラウディング・アウト効果**を通じて民間の資本蓄積を妨げる効果が大きい。したがって，将来所得を大きく減少させ民間資源を政府に移転させるので，世代間の負担の転嫁が**生じる**とする。

4○ **正しい**。

5× **リカード**によれば，公債の利子率と民間資金の割引率が同じであれば，生涯所得は変わらない。人々は将来の増税を見越して現在の消費を少なくするであろう。そうすれば，現在世代は税負担と同じ効果を節約という形で受けているわけで，将来世代の負担が重くなるということはなく，世代間の負担の転嫁は**生じない**。

解答　4

て公共事業費に関して種々の弊害が指摘されるようになり，この建設国債に替わって，使途を特に投資的経費に限定しない赤字国債が，財政法上の特例として特例国債の名称で発行されるようになって来た。この特例国債は，40 年不況のときおよび第一次オイル・ショック後に発行され，一時途切れていたが，バブル崩壊後の数年その発行額が多額になってきており，後の世代の負担増が懸念されている。

財政・経済

No. 166 課税の効果（比例所得税課税と定額税課税）

次のグラフは比例所得税課税及び定額税課税を行ったときの個人の効用水準や予算制約線の変化を表したものである。このグラフに関する次のア～ウの記述のうち，妥当なもののみをすべて挙げているのはどれか。

ただし，AB と LL は平行である。

X：一日の余暇時間
Y：所得
U：効用水準
AB：当初の予算制約線
AB′：比例所得税課税後の予算制約線
LL：定額税課税後の予算制約線

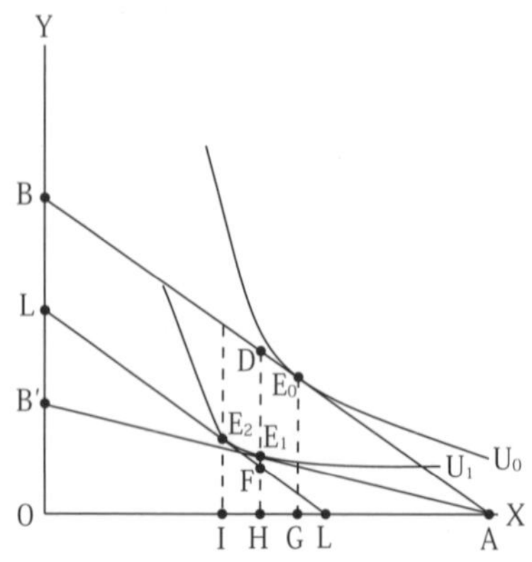

ア　比例所得税課税が行われるときの労働時間は AH で表され，所得税額は DE_1 で表される。

イ　定額税課税が行われるときの労働時間は AI で表され，定額税額は DF で表される。

ウ　所得税が資源配分を歪めることにより生じる死重的損失（定額税額と所得税額の差）は HI で表される。

1　ア
2　ア，イ
3　ア，ウ
4　イ，ウ
5　ア，イ，ウ

解答欄

解 説 166

最適労働供給点は，効用曲線と予算制約線の接点で与えられる。比例所得課税が行われると，予算制約線は，AB から AB′ にシフトし，最適労働供給点は E_0 から E_1 へと移動する。このとき労働時間は **AH** となり，所得税額は，横軸上の点 H の時の予算制約線の縦の乖離幅の **DE_1** となる。**アは正しい**。

定額税課税の場合，比例所得税の場合と同じ効用 U_1 となるように定額税が課せられたとすると，予算制約線は，AB と平行で U_1 と接する LL となる。このときの最適労働供給点は E_2 であり，労働時間は **AI**，定額税額は **DF**（＝ **BL**）であらわされる。**イは正しい**。

また，所得税が資源配分を歪めることにより生じる**死重的損失**は，DF と DE_1 の差 **E_1F** であらわされる。**ウは誤り**である。

したがって，正しい記述は**ア**，**イ**の**2**である。

解答　2

プラス知識

予算制約線のシフトと最適労働供給点の移動

題意から，一日をすべて余暇につぎ込めば所得はゼロとなる（A 点）。余暇をゼロにし，すべての時間を労働につぎ込めば B まで所得を得られる。したがって AB が課税前の予算制約線である。

比例所得税課税は，所得が高くなるほど税額も大きくなるから，予算制約線は A 点を起点にして左下方に回転する（AB′）。その結果，予算制約線と効用の無差別曲線が接する最適労働供給点は E_0 から E_1 に移動し，このときの労働時間は AH，余暇時間は 0H となる。

一方，定額税課税は所得水準に関係なく一定に課税されるので，予算制約線を垂直距離で測った税額分（DF あるいは BL）だけ原点方向に平行移動させる（LL）。その結果，最適労働供給点は E_2 に移動し，労働時間は AI，余暇時間は 0I となる。

財政・経済

No. 167 国際経済機構と国際通貨制度

国際経済に関するＡ～Ｄの記述のうち，妥当なもののみをすべて挙げているのはどれか。

Ａ　1944 年に米・英・仏を中心とする連合国側は，ブレトン・ウッズ協定を結び，翌 45 年に国際通貨基金（IMF）と国際復興開発銀行（IBRD）を設立し，戦後の貿易拡大と国際経済の安定をはかった。なお，IBRD は現在，世界銀行グループの中の 1 機関である。

Ｂ　世界貿易機関（WTO）は，特定の国・地域間の経済連携協定（EPA）の締結を促進する機関である。2001 年に開始されたドーハ・ラウンドにおける交渉の結果，2007 年には日本と韓国の間で EPA が発効した。

Ｃ　アジア太平洋経済協力（APEC）は，アジア太平洋地域の主要国・地域が参加するフォーラムでアメリカ合衆国からの提唱で設立された。2007 年 9 月にシドニーで行われた首脳会議では，気候変動とエネルギー安全保障等について議論された。

Ｄ　経済協力開発機構（OECD）は，国際経済全般について協議する機関であり，2023 年 7 月末現在，38 か国が加盟している。2020 年の我が国の一人当たり名目 GDP は，OECD 加盟国中第 23 位である。

1　A

2　A，D

3　B，C

4　B，D

5　D

解答欄

解説 167

A ○　正しい。

B ×　**世界貿易機関**（**WTO**）は，ウルグアイ・ラウンドの合意に基づき，サービスや知的所有権などを含めた新しい**国際貿易秩序**の先導役として設立されたもので，**経済連携協定**（**EPA**）の締結を促進する機関ではない。WTOの設立により，戦後の自由主義市場経済を支え，世界貿易の拡大に貢献してきたGATT体制は**WTO**体制へ移行した。なお，WTOのもとでの新ラウンド交渉は難航しているため，日本もWTO優先から，二国間または多国間の自由貿易協定や経済連携協定の締結を推進する方向へと方針を修正している。

C ×　**APEC**は，急速に進行しつつある世界経済のブロック化（EUの市場統合等）に対処するには，アジア・太平洋圏の経済関係強化が必要だとする**オーストラリアのホーク首相**の主張に基づき設立された。「開かれた地域協力」をかかげ，自由貿易の拡大，投資促進などを目指している。

D ○　正しい。

したがって，正しい記述は**A**，**D**の**2**である。

解答　2

プラス知識

ブレトンウッズ体制，WTO，地域経済統合

戦後の圧倒的なアメリカの総合力を背景に結成されたのが西側のブレトンウッズ体制であり（冷戦下の当時，ソ連，東欧諸国，中国などは含まれていない），通商面でのGATTと通貨面でのIMF，IBRDがその重要な構成要素であった。

アメリカの総合力の相対的低下は，通貨面ではドルを基軸通貨とした固定相場制から変動相場制への移行をもたらし，G5，G7やサミットの定期的な開催につながっていく。WTO結成によりGATTの不完全性は克服されるとともに，多様な地域における相互協力，地域経済統合も進展している。

冷戦後の市場拡大と経済のグローバル化のもとでの新たな地域統合は，EUやASEANに見られるように政治的統合や政治協力，安全保障軍事面における相互協力，非核化条約締結等を含む総合的なものになっている。

No. 168 第二次世界大戦後の日本経済

第二次世界大戦後の我が国の経済に関する次の記述のうち，妥当なのはどれか。

1　1949 年にアメリカ合衆国の C.S. シャウプを団長とする日本税制使節団が，消費税等の間接税を中心に据える税制改革を勧告し，50 年度から実施に移された。その税制はシャウプ税制と呼ばれ，我が国の税制の基盤となった。

2　1964 年，国際収支を理由とした為替管理を行うことができない IMF8 条国に移行し，資本の自由化が義務付けられていた OECD に加盟した。翌年には我が国の為替制度は，それまでの固定相場制から変動相場制へと移行した。

3　1965 年のいわゆる「40 年不況」を脱した後，景気は拡大を続け，4 年 9 か月にわたる長期好況が続き「神武景気」と名付けられた。そうした状況の中，国民総生産は 60 年代後半には西ドイツを抜き，資本主義国の中で第 2 位となった。

4　1970 年代に 2 度の石油危機を経験した直後，省エネルギー型経済への転換を図る過程の中で，企業の設備投資が増加した結果，戦後最長の景気拡大期間となった「いざなぎ景気」を迎えた。

5　1985 年にプラザ合意がなされ，円高が急速に進展した。円高を背景に輸出が減少し景気が後退したことから，86 年には公定歩合が数度にわたって引き下げられ，金融面では緩和政策が採られた。

解答欄

プラス知識

社会経済システムの変革

日本は，1955 年から 1970 年代初めまで，世界にもまれな高度成長による急速な経済発展を遂げる。この間，東京オリンピックのあった 1964 年には IMF8 条国へ移行するとともに，この年から貿易・為替・資本の自由化を意味する開放経済体制へ移行し本格的に先進国の仲間入りをすることになる。しかし，1971 年のニクソン・ショックおよび 2 度にわたるオイル・ショックを経て，日本の経済成長率は大きく鈍化する。さらに，バブル崩壊後の長期不況の中で，これまで高度成長期に形成されてきたさまざまな制度の見直しが進んでいる。政治における 55 年体制の終焉と同時に，高度経済成長システムも大きな変容の中にある。

解説 168

1× 1949年に，GHQの要請によりアメリカ合衆国のC.S.シャウプを団長とする**日本税制使節団**が派遣された。この使節団の2度にわたる報告に基づき，GHQから日本政府に対し，所得税，法人税などの**直接税比率が高い**アメリカ型への税制改革の勧告がなされた。そのため，この勧告は「**シャウプ勧告**」と呼ばれている。

2× 日本が固定相場制から変動相場制へ移行したのは，**1973年の2月**である。**1971年8月のニクソン・ショック**（ドル・ショック）後の混乱を収拾するため，同年12月のスミソニアン協定で大幅なレート調整（円は16.88％切り上げられ1ドル＝308円となった）を行ったが，金との結びつきを失ったドルの信用低下と各国経済力のアンバランスから，**1973年の2月から3月にかけて先進主要国は変動相場制に移行**した。日本の変動相場制への移行は，これにならったものである。

3× 「40年不況」を脱した後の好況は，その期間の長さや程度において「**神武景気**」や「**岩戸景気**」をしのぐことから,時代をさかのぼり「**いざなぎ景気**」と名付けられた。こうした経済発展により，1968年に日本のGNPは西ドイツを抜いて自由主義圏で第2位となった。なお，2002年2月から始まった景気拡大期間は，06年11月で58ヶ月となり「**いざなぎ景気**」を抜いて**戦後最長**となった。

4× 解説**3**で説明したとおり，「**いざなぎ景気**」は，40年不況後の景気拡大である。第4次中東戦争をきっかけとした1971年の原油価格引き上げおよびイラン革命をきっかけとした1979年の数度にわたる原油価格の引き上げという，いわゆる「**オイル・ショック**」により，日本の経済成長率は大きく鈍化する。省資源・省エネルギー型へと産業構造を転換し，輸出主導により景気拡大を図るが，主として1985年の「**プラザ合意**」後の円高により，「**バブル景気**」に至るまで不況に陥ることになる。

5○ **正しい。**

解答	5

経営学

No. 169 経営組織

経営組織に関する次の記述のうち，妥当なのはどれか。

1　職能部門制組織とは，企業が持つ基本的な職能を単位として編成された組織である。専門化の原則に従って，担当部門の権限と責任は部門長に集中している。それゆえ，部門間のコンフリクトは発生せず，また各事業の利益責任も明確である。

2　事業部制組織とは，事業を単位として編成された組織である。事業を多角化した企業の組織形態としては，マトリックス組織に移行するまでの中間段階の形態として位置付けられる。事業部長はその事業部の運営についての権限を持つが，利益責任を負うことはない。

3　A.D. チャンドラーは，デュポン社やゼネラル・モーターズ社の事例から，多角化が進むと組織形態が事業部制組織から職能別組織に移行する傾向があることを見いだした。事業部制組織では事業部長は全社的利益よりも自分の事業部の利益を優先しがちであり，多角化が進むほどその弊害が大きくなるためである。

4　ライン・アンド・スタッフ組織では，決定と命令の権限関係が比較的明確であるライン組織に対して，専門的な知識や技術を持つスタッフ組織が助言を与える。ただし，助言の採否を決めるのはライン組織であり，スタッフのパワーが強くなりすぎると命令一元化の原則が阻害される。

5　T. バーンズと G.M. ストーカーの研究によれば，技術変化が速い環境下では有機的組織（水平的に協働関係が発展した柔軟な組織）よりも機械的組織（いわゆるピラミッド型の官僚制組織）が有効であるとされている。

解答欄

プラス知識

経営組織

企業の経営目的を達成する経営組織の形態はよく出題されている。特に職能別組織，事業部制組織，マトリックス組織の特徴に注意したい。

1　職能別組織

企業において遂行される諸活動を購買，生産，販売，財務といった職能別に分類することによって，部門を編成する組織形態である。ライン組織，ラインアンドスタッフ組織も，この組織形態の一つである。

2　事業部制組織

製品別，顧客別，地域別などを単位として経営組織を分割し，それぞれの事業部が利益責任と業務遂行に必要な機能を持つ組織形態。

解説 169

1 × 職能部門別組織の定義は妥当であるが，事業部制組織と比較すると，部門間の**コンフリクト**が**発生しやすく**，各事業の利益責任も曖昧になる傾向があるとされる。

2 × 事業部制組織の定義は妥当であるが，事業部長は事業部の運営について権限を持つと同時に利益責任**も負う**。また，事業部制組織は**マトリックス組織**に移行するまでの中間段階に位置する**ものでもない**。

3 × **A.D. チャンドラー**は，19 世紀末から 20 世紀初頭にかけてのアメリカ大企業の成長過程を分析し，これらの大企業が事業の多角化にともない，**職能部門別**組織から**事業部制**組織に移行する経緯を論証した。

4 ○ ラインよりもスタッフの発言力が強くなりすぎると，**指揮命令系統に混乱をきたすおそれ**がある。

5 × **T. バーンズ**と **G.M. ストーカー**は，環境条件と組織の適合関係を調査した。その結果，技術変化が速い環境下では，**有機的**組織が適しており，安定した環境下では**機械的**組織が適していることを明らかにした。

解答　4

3　マトリックス組織
　事業部とプロジェクトの二つの単位に所属するといったように，二つの異なる組織単位に社員が所属する組織形態。部門間の円滑なコミュニケーションを図り柔軟に業務に対処することを目的として編成される。

4　プロジェクトチーム
　ある課題が生じたとき，複数の部門から適切な人材を集めてチームを編成する組織形態。チームへの参加には，現在所属する部門の業務を離れてプロジェクトに専念することもあれば，兼任になる場合もある。マトリックス組織と似ているが，プロジェクトが完了すれば解散する臨時的組織であることが特徴。

経営学

No. 170 生産管理

生産管理に関する次の記述のうち，妥当なのはどれか。

1　経験効果とは，製品の累積生産量が増えるに伴って，生産設備が老朽化し，労働者の慣れや疲労によるミスも増えるため，生産量１単位当たりの実質総費用が上昇することをいう。これを示す曲線は経験曲線と呼ばれ，その形状は工場や製品によって異なるとされる。

2　製品アーキテクチャは，モジュラー型とインテグラル型の２つに分類できる。前者は事前に部品の組合せのルールを決めて，それに従って作られた部品を組み合わせるものであり，後者は事前に組合せのルールを完全には決めないで，開発・製造段階で各部品間の調整を行っていくものである。一般にアメリカ合衆国の企業は前者に，日本の企業は後者に強いとされる。

3　少品種大量生産を重視する生産システムであるトヨタ生産方式は，機械や生産ラインで不良品が量産されることを防止する手段を機械のメカニズムにビルトインされており，そのような意味の「自働化」が重要な要素となっている。

4　日本の工場では昭和初期からQCサークルが組織され，現場の労働者による改善のアイデアが品質管理に活用された。それは後に輸入された統計学の手法と結び付き，一層洗練された。第１回デミング賞の授賞は1938年のことである。

5　F.W. テイラーの科学的管理法とは，平均的な労働者の作業量を計測し標準化して，すべての労働者にその標準の達成を義務付けるものである。しかし，彼は，その達成度に応じて，労働者の賃率に差を設けることは，かえって労働者の職務に対する意欲を損なうことになるとして，これを否定した。

解答欄

プラス知識

生産管理

1　生産管理の意義と目的

生産管理とは生産活動を計画し，組織し，統制する総合的な管理活動である。その目的は要求される品質の製品を，要求される時期に，要求量だけを，効率的に生産することにある。

2　生産管理の主な業務

①購買・調達・発注：材料の発注や納期の調整を行う。QCサークルなどの品質管理も重要な業務の一つ。

②生産計画：生産がオーバーフローしたり，逆に仕事が足りなくなったりしないように生産量の計画を構築する。中期計画，年次計画，月次計画，週次計画など，生産現場で不能率が発生しないように各種計画を立てる。

解説 170

1 × **経験効果の定義が誤り**。製品の累積生産量が増えれば増えるほど，熟練度が増し，製品1単位当たりのコストが**逓減**していくのが**経験効果**である。これを示した曲線が**経験曲線**となる。

2 ○ **インテグラル型**は事前に部品の組合せのルールを完全に決めていないため，**多品種少量生産**に向いている。

3 × トヨタ生産方式は，**多品種少量生産**に応じられるように構築した生産システムである。

4 × 日本におけるQCの本格的導入は**戦後**になってからであり，アメリカから導入された統計的品質管理の手法がQCサークルとして発展していくのも**1960**年代以降である。なお，第1回**デミング賞**の受賞は**1951**年である。

5 × **テイラー**の科学的管理法では，平均的な労働者の**作業量ではなく，熟練労働者の作業量の計測を基に**課題を設定した。また，彼は達成度に応じて労働者の賃率に差を設けることは，労働者の**意欲向上に適している**としている。

解答　2

③在庫管理：生産工場に抱える在庫を管理する。在庫が多すぎると価格変動のリスクと管理費用がかさむ。また，キャッシュ・フロー悪化の原因にもなる。在庫が少なすぎると，材料が不足し生産が止まり，納期が守れないなどの問題が発生する。
④現品管理：製作中の製品の状態を管理する。
⑤原価管理：製品の生産コストを管理する。
⑥開発計画：新製品の開発立案などを行う。中長期計画の一環として行われる。

3　生産管理手法

代表的な管理手法には，MRP（資材所要量計画）・TOC（制約条件の理論）・トヨタ生産方式などがある。

経営学

No. 171 企業の競争戦略

企業の競争戦略に関する次の記述のうち，妥当なのはどれか。

1　企業が自社製品をデファクト・スタンダードにするためには，その規格を非公開にして他社の模倣・利用を防がなければならない。また，JIS や ISO のように標準化機関が定めた規格をデファインド・スタンダードという。

2　コスト・リーダーシップ戦略は，規模の経済や経験曲線効果により競合他社よりも低コストを実現することで，競争優位性を確立するものである。この戦略により競合他社よりも大きな利益を得ることや市場占有率の維持・拡大が可能になる。

3　ブランド力を有するメーカーによる製品やサービスに関する差別化戦略については，固定客の増加や企業イメージの高まりなどのメリットがある一方で，流通業者との取引において不利になったり，事業を多角化することが困難になるなどのデメリットがある。

4　集中化の戦略は年齢や所得階層などによって細分化された特定の市場を狙い撃ちする方針であり，特定の市場において圧倒的なシェアを獲得できる反面，当該製品のコストが高くなり差別化も困難になるという特徴を有する。

5　企業が，既存の分野と比較的近い市場において多角化戦略をとったときは，拡大化戦略よりも大きな利益を期待できるものの既存の製品や市場とのシナジー効果は見込めない。

解答欄

解説 171

1×　**デファクト・スタンダード**に関する記述は妥当。しかし，JIS や ISO のように公的な標準化機関が定めた規格は，**デジュール・スタンダード**である。

2○　コスト削減の対象は**生産コスト**だけではなく，資材調達や研究開発，流通コストなどあらゆる面に及ぶ。

3×　ブランド力のある企業にとって，**差別化戦略**と**事業の多角化**は**困難なことではない**。

4×　**集中戦略**に関する前半部分の**記述は妥当**であるが，その戦略自体によってコスト増と差別化が**困難になるわけではない**。

5×　**シナジー効果**は，新旧事業間で経営資源を共有することから起こる**相乗効果**である。既存の分野と比較的近い市場において多角化戦略をとった場合には，**共有できる経営資源が豊富**であることからシナジー効果が期待できる。

解答　2

経営学

No. 172 マーケティング

B 重要度

マーケティングに関する次の記述のうち，妥当なのはどれか。

1　マーケティング・ミックスとは，製品（product），価格（price），時期（period），対象人数（population）の4つのPをマーケティング変数として製品やサービスの需要に影響を与えることである。

2　一つの市場を，同じようなニーズを持つ複数のグループに分類したとき，それぞれをセグメントという。小さなセグメントではあるが，他の企業が参入できないような，すき間的なセグメントをチャネルという。

3　複数の製品を製造している企業の場合，シナジー効果により単一の製品を製造している企業に比べて1単位当たりのコストが低くなる。これは，複数の製品に共通する部品の製造・調達コストが安くなることなどのためである。

4　価格の安いブランドを買っていた顧客が価格の高いブランドに乗り換えた場合，顧客が購買のために支払う単価はそれまでよりも高くなる。この場合の差額を顧客にとってのスイッチング・コストという。スイッチング・コストが低いとき，企業は価格競争に走りやすい。

5　民間企業であるメーカーの製品に使用されているブランドをプライベート・ブランドという。これに対して，全国的に展開する小売店チェーンなどの流通業者が独自に開発した製品に使用されているブランドをナショナル・ブランドという。一般にナショナル・ブランドのほうが，高級感が高く価格も高くなる。

解答欄

解説 172

1×　マーケティング・ミックスにおける4つのPとは，**製品（product）・価格（price）・流通経路（place）・プロモーション（promotion）**であり，時期（period）と対象人数（population）は含まれない。

2×　小さなセグメントであるが，他の企業が参入できないようなすき間的なセグメントを**ニッチ**と呼んでいる。なお，**チャネル**とは経路の意味である。

3○　新旧事業間で経営資源を**共有できる**ことから，製品1単位当たりのコストが**低く抑えられる**。

4×　**スイッチング・コスト**は**金銭的なコスト**だけではなく，**心理的コスト**や**時間コスト**，**手間コスト**などを含んでいる。

5×　前半の記述部分にある各ブランドの**定義が逆**である。だが，一般的に**ナショナル・ブランド**の方が，高級感が高く価格も高いという**記述は妥当**である。

解答　3

国際関係

No. 173 国際政治の構造

国際政治の構造に関する次の記述のうち，妥当なのはどれか。

1　勢力均衡とは，国家間において力（パワー）の分布が均衡するような状況をいう。このような勢力均衡は主権国家体系の基本的な原理の一つとされている。もしも一国が圧倒的な力を持ち，他の国々の独立や自立性を脅かす段階に至ると，それは「恐怖の均衡」としての勢力均衡が成立したことを意味する。

2　パワー・ポリティクスの視座に基づいた国際政治論では，主権国家を中心に構成される国際政治はそれ自体実効的な紛争解決システムを持っていないため，国際関係は権力闘争としての側面が強いとされる。そのような状況において，主権国家は，その生存，利益，イデオロギーを維持するためにも，力（パワー）を他国に対して行使する場合がある。

3　人道的介入とは，ウェストファリア条約以降確立された内政不干渉の原則を超えて，国際連合がある国で生じる大規模な人権侵害行為に対して，積極的に平和を作り出すための平和執行部隊の創設と派遣を認め，その派遣先の国の主権に制約を加えることを目的としている。

4　覇権安定論とは，圧倒的に強力な国家（覇権国）が存在するときに，国際政治の構造が安定するという理論である。覇権国とは，力（パワー）の幾つもの側面において圧倒的な優位にあり，世界中に植民地を有する国家を指す。覇権安定論に基づく平和論では，覇権国が植民地などの直接支配する領域を世界中に拡大させることによって国際社会が安定して，平和が維持されることになる。

5　グローバル・ガヴァナンス論では，世界政府が存在しないながらも，グローバル化が進む中で世界規模である種のガヴァナンスが成立しつつある点に注目する。現実主義（リアリズム）の国際政治理論では，ルールや規範，制度を強調してきたのに対して，グローバル・ガヴァナンス論ではむしろ国際政治構造におけるアナーキーな性質を強調して，国際政治の権力的側面に注目して国際政治を論じている。

解答欄

解説 173

1 × 「**恐怖の均衡**」の意味は，**核戦争の恐怖に依存した安全保障が成立する状態**を指す。

2 ○ パワーは軍事力をイメージさせるが，それ以外にも，科学技術力や経済力，文化の浸透力などさまざまなものがある。

3 × 人道的介入と平和執行部隊の構想には関連性があるが，人道的介入は**平和執行部隊**の派遣先の国の主権に制約を加えることを目的とした**ものではない**。なお，平和執行部隊は1992年に国連事務総長の**ガリ**によって構想されたPKOの強化策であり，武力行使を予定された部隊であったが，実現に移されないまま，構想は撤回された。

4 × **覇権安定論**における**覇権国**とは，国際秩序維持のためにコストを負担する国家であり，その国が**植民地を持つこととは関係がない**。

5 × **グローバル・ガヴァナンス論**とは，貧困や飢餓，環境破壊などの地球規模の諸問題には，国家の枠組みを超えた管理が必要であるとする理論である。そのためには，**地球規模の市民の連帯が重要**となってくるのであって，**国際政治の権力的側面に注目して国際政治を論じている**わけではない。

解答　2

プラス知識

国際政治の歴史

国際政治の歴史は，三十年戦争を終結させた1648年のウェストファリア条約に遡る。ナポレオン戦争以降，国際政治は勢力均衡による外交戦略がメインとなり，その後1世紀の間は大きな戦争は起こらず，有効に機能していた。

ところが，帝国主義とナショナリズムによる各国の相互不信による軍備拡張競争が高まる中で，第一次世界大戦が勃発し，未曾有の戦禍を人類にもたらした。その反省に基づいて，世界は従来の勢力均衡政策から，国際平和機構を中心とした集団安全保障体制へと転換することになった。その国際連盟は，結局，第二次世界大戦を防止できなかったが，その理念は国際連合へと引き継がれることになっていく。

No. 174 地域紛争

地域紛争に関する次の記述のうち，妥当なのはどれか。

1　アフリカでは，これまでに数多くの紛争が勃発している。その背景として，植民地時代に国境線が恣意的に引かれたので，その内側に多くの「部族」と呼ばれる民族集団が存在することになり，部族間に融和や妥協を創出するのに困難な事情があった。その中でも1990年代初頭にツチ族とフツ族という二つの部族の間の対立が悪化して深刻化したソマリアでの内戦は，虐殺や大量難民によって国際的にも深刻な懸念をもたらした。

2　第二次世界大戦後のインド独立時に，世俗主義的なパキスタンとイスラム教を国教とするインドとが分離した。その結果両国に大量の難民が発生し，さらには領土問題としてカシミール問題が生じた。1971年にはスリランカの独立をめぐって，インド＝パキスタン紛争は激しい武力衝突に至った。1998年には両国が核実験を行うことで，国際的にも深刻な問題となっている。

3　中東戦争とは，1948年のパレスチナ建国以来その周辺のアラブ諸国とパレスチナとの間で起きた過去4度の戦争を総称した一連の紛争である。1967年の第三次中東戦争では，6日間でパレスチナがエジプト，シリア，ヨルダンに対して圧倒的な軍事的勝利を収めたことから，六日間戦争とも呼ばれる。アラブ諸国政府への失望がこれにより深まり，その後イスラム復興主義が高まる大きな要因となった。

4　ユーゴスラヴィア社会主義共和国連邦（旧ユーゴ）におけるコソボ紛争は，アルバニア系住民がユーゴから独立を求めたことから始まった。1998年には，ユーゴのセルビア治安部隊がコソボ解放軍に対する掃討作戦を展開し，それによって多数の犠牲者と難民を出した。その後，1999年3月，北大西洋条約機構（NATO）がユーゴ空爆を敢行し，ミロシェヴィッチ政権に和平案の受諾を迫った結果，同年6月にはユーゴ軍の撤退について合意がなされ，NATO軍の空爆も中止された。

5　チェチェン紛争とは，ロシア連邦の南部カフカズ地方のイスラム教を信仰する少数民族チェチェン人勢力による，ロシアからの分離独立をめぐる内戦をいう。1994年にプーチン政権はロシア軍を現地に派遣して，武力介入により独立運動を完全に鎮静化させた。その後，アメリカ合衆国に亡命したチェチェン人勢力はアメリカ合衆国政府と結びつき，現在では米ロ両国政府間の深刻な外交問題に発展している。

解答欄

解説 174

1 × **フツ族**と**ツチ族**という二つの部族間の対立が深刻化したのは，**ルワンダ**である。アフリカの地域紛争の主因は，植民地時代に部族間の居住分布とは関係なく引かれた国境線と，部族間を差別的に取り扱う**分割統治**が行われたためである。それが独立後，部族間の対立という地域紛争の火種となっていったのである。

2 × イギリス領インド独立の際，**ヒンドゥー教徒**が多い**インド**と**イスラム教徒**の多い**パキスタン**が分離した。インドとパキスタンの関係が悪化したのは，**カシミールの帰属とバングラディッシュの独立**（当時の東パキスタン）をめぐる争いである。

3 × **中東戦争**の契機は，**パレスチナの建国ではなくイスラエルの建国**である。第三次中東戦争では，**イスラエル**がエジプトやシリアなどのアラブ諸国に対して先制攻撃を行い，６日間で勝利を収めた。

4 ○ コソボ紛争終結後，コソボ自治州では，国連コソボ暫定統治機構（UNMIK）がユーゴ政府に代わって統治を代行した。このUNMIKの下で，**国連難民高等弁務官事務所（UNHCR）**が人道支援・難民帰還，欧州安保協力機構（OSCE）が行政組織の整備・選挙実施，欧州連合（EU）がインフラ再建の活動を行っていたが，2008年2月17日にコソボは独立を宣言した。しかし，コソボの地位は未確定のままであり，引き続き国際連合の監督下に置かれている。

5 × **チェチェン共和国**は，**ロシア連邦の北部**カフカズ地方に位置する。ロシア軍の武力鎮圧後も，ロシア国内でのテロ活動は収まっていない。また，アメリカ合衆国とロシア連邦政府間の深刻な外交問題に**も発展していない**。

解答　4

No. 175 地域機構

地域機構に関する次の記述のうち，妥当なのはどれか。

1 西ヨーロッパでは，1958年にフランスなどの6か国が加盟する欧州経済共同体（EEC）が創設された。他方，1960年には英国などの7か国が加盟する欧州自由貿易連合（EFTA）が発足し，EECとしばらくは競合する関係にあった。しかし，EECが，2004年に東ヨーロッパ諸国も含む27か国から成る欧州連合（EU）へと進化する過程で，EFTA加盟国が全てEUへ加盟したため，EFTAは解体することになった。

2 北米では，冷戦時代にはアメリカ合衆国とカナダの間の米加軍事同盟がこの地域の安定をもたらす役割を担い，冷戦終結後には両国にメキシコを加えた北米自由貿易協定（NAFTA）が繁栄をもたらす役割を担うべく締結された。その後，全米で米州機構（OAS）が創設されるのを機に，NAFTAは大規模拡大をして，35か国が参加する米州自由貿易地域（FTAA）に発展した。

3 環太平洋地域では，1989年，オーストラリアのホーク元首相の提唱により，政府間公式協議体であるアジア太平洋経済協力会議（APEC）が発足した。環太平洋地域の経済協力の推進，貿易・投資の自由化などを図り，急速に進行しつつある世界全域の経済ブロック化に対抗して，「開かれた地域協力」をスローガンに掲げた。

4 東南アジアでは，冷戦期，1954年にアメリカ合衆国の提唱で創設された東南アジア条約機構（SEATO）が存在していた。冷戦終結後の1991年にSEATOは解散し，新たに，インドネシア，マレーシア，フィリピン，シンガポール，タイの5か国から成る東南アジア諸国連合（ASEAN）が創設された。ASEANは，現在ではブルネイ，ベトナム，ラオス，ミャンマー，カンボジアを含む10か国に拡大している。

5 東アジアでは，1990年代末から，ASEANに日中韓の3か国を加えた「ASEAN＋3」の制度枠組が形成されている。2005年12月に「ASEAN＋3」の13か国がクアラルンプールで初の「東アジア首脳会議」を開催したため，アジア太平洋経済協力（APEC）に参加しているアメリカ合衆国やオーストラリア，ニュージーランドが，APECを形骸化させるものとして強く非難した。

解答欄

解説 175

1× **欧州自由貿易連合**（**EFTA**）は 2024 年現在において，加盟国はスイス，アイスランド，ノルウェー，リヒテンシュタインの 4 か国に減少したが，未だ存続している。

2× **北米自由貿易協定**（**NAFTA**）の加盟国は，南米南部共同市場（MERCOSUR）などと共同して，2005 年までにアメリカ大陸全域で米州自由貿易地域（FTAA）を結成する予定であったが，各国の思惑の違いから未だに実現していない。また，アメリカ合衆国のトランプ大統領が NAFTA の再交渉を求めたことにより，2020 年 7 月に NAFTA に代わる新たな協定である**米国・メキシコ・カナダ協定**（**USMCA**）が発効した。

3○ **アジア太平洋経済協力**（**APEC**）に関しては，1994 年の**ボゴール**宣言が重要である。当初はアジア・太平洋地域での経済協力を目的としていたが，1994 年の**ボゴール**宣言で，自由貿易地域にすることを決めた。先進国は 2010 年，途上国は 2020 年までに域内関税の撤廃を達成目標とした。

4× **東南アジア条約機構**（**SEATO**）の解散と**東南アジア諸国連合**（**ASEAN**）の結成の間に，直接的な関連性はない。SEATO は 1977 年に解散しているが，ASEAN はそれ以前の 1967 年に結成されているからである。

5× 東アジア首脳会議の参加国に，**ニュージーランド**と**オーストラリア**も入っているから**誤り**である。

解答 3

プラス知識

日本の EPA と FTA

WTO（世界貿易機関）の多角主義を重視する立場から，日本は 1990 年代まで FTA（自由貿易協定）には批判的であった。しかし，NAFTA 成立（1994 年）後，世界各国で自由貿易協定が急増してきたこともあり，日本は政策転換を図った。日本は 2002 年，シンガポールとの間に自由貿易協定を結んだのを皮切りに，FTA に積極的に取り組むようになった。近年では，モノやサービスの貿易拡大だけを目的とする FTA に代わり，EPA（経済連携協定）の推進にも積極的である。

No. 176 第二次世界大戦後の日本外交

第二次世界大戦後の日本外交に関する次の記述のうち，妥当なのはどれか。

1　戦後の日本外交の基本路線は，吉田茂によって敷かれた。その路線は，経済復興よりも軍事力に重点を置き日本を大国として発展させることと，安全保障政策はアメリカ合衆国との同盟を基礎とすることを骨子とする。この路線は吉田内閣後の政権にも継承され，「吉田ドクトリン」と呼ばれた。

2　1951年のサンフランシスコ対日講和会議には，52か国の参加があった。対日戦争の主要な関係国である中国については，台湾の国民党政権を支持するアメリカ合衆国と中華人民共和国の共産党政権を支持するイギリスとの意見が合わず，両党それぞれが中国政府として講和会議に参加することになり，日本はそのいずれとも国交を開いた。

3　日本は，米英などの主要な戦争当事国からは対日賠償請求権が放棄される一方で，これらの国々の植民地が独立して成立した東南アジア新興国から賠償の請求をされた。しかし，日本はこれを不当な請求として賠償支払いを拒否したため，日本と東南アジア諸国との経済関係は現在に至るまで冷却化しており，政府開発援助（ODA）も他地域に比べて規模が小さい。

4　第二次世界大戦終了後も，国交断絶状態にあった日ソ両国は，1956（昭和31）年に日ソ共同宣言に調印し，国交を回復した。懸案であった北方領土問題については，両国間の平和条約締結後，歯舞諸島・色丹島の返還をこの宣言でうたっている。

5　1980年代半ば以降，アメリカ合衆国は，日米間の経済摩擦の問題を日本の社会や文化の基底にまで掘り下げて論議するという新しいアプローチを採るようになり，例えば，89年から始まった「日米構造協議」(SII）では，日本の経済構造の抜本的是正を要求した。日本はこれらの要求を不当なものとして拒絶したため，90年代に入ると日米関係は一気に冷却化した。

解答欄 |　　　|

解説 176

1 × 戦後の日本外交の基本路線は，吉田茂によって敷かれたという記述は妥当である。しかし，彼の基本路線は**経済復興に重点**が置かれており（吉田ドクトリン），**軍事力に重点を置くとする記述は誤り**である。

2 × サンフランシスコ講和会議に出席した国は **51** か国であり，中華人民共和国も台湾の国民政府も**招かれていなかった**。また，ソ連・チェコスロヴァキア・ポーランドの３か国は会議には参加したが，調印は拒否したので，サンフランシスコ平和条約に調印したのは **48** か国である。

3 × 日本は戦後賠償を東南アジア諸国に行って**いるので誤り**。また，日本が供与する政府開発援助（ODA）も他地域に比べて**規模が大きい**。

4 ○ 現時点においても，日ロ間に平和条約は締結されておらず，**歯舞諸島・色丹島・国後島・択捉島**の**北方領土**の帰属問題は未解決となっている。

5 × 日米両国は 1989 年の「日米**構造**協議」からそれを引き継いだ 90 年代の「日米**包括経済**協議」で，日米間の貿易不均衡の原因となる互いの国の商習慣や文化に踏み込んだ議論の場を設けてきたが，**互いに一定の成果が得られたことから，両国の関係が冷却化したという事実はない**。

解答　4

プラス知識

第二次世界大戦後の日本外交

日本の戦後の外交原則は，1957 年の外交三原則に表れている。その内容は，①自由主義諸国との協調，②アジア諸国との協力，③国連中心主義である。

その根底には，世界平和の中に自らの安全と発展を確保していこうとする平和外交の姿勢が貫かれている。

冷戦の終結後に進展したグローバリゼーションは，世界に恩恵をもたらす一方で，宗教・民族の対立による地域紛争，国際テロ，SARS などの感染症の拡大，地球環境問題など負の問題点も噴出させている。日本は外交三原則の基礎に立ち，積極的に人的，財政的な国際貢献を果たすことを世界から期待されている。

社会学

No. 177 社会集団・組織

重要度

社会集団や組織に関する次の記述のうち，最も妥当なのはどれか。

1　F. テンニースは，家族，民族，村落，都市など，本質意志に基づく結合体をゲマインシャフトと呼び，契約関係など，選択意志に基づく形成体をゲゼルシャフトと呼んだ。

2　E. デュルケームは，社会的分業が未発達な環節社会における人々の結びつきを有機的連帯と呼び，社会的分業が発達した組織社会における人々の結びつきを機械的連帯と呼んだ。

3　C.H. クーリーは，政党や労働組合など，共通の利害関心に基づいて形成された社会集団を第一次集団と呼び，家族や仲間集団など，対面的で親密な社会集団を第二次集団と呼んだ。

4　R.M. マッキーバーは，特定の関心に基づいて形成される集団をアソシエーションと呼び，アソシエーションを基盤として形成されたインフォーマルな集団をコミュニティと呼んだ。

5　V. パレートは，政党や労働組合のような民主的な組織においても，規模が大きくなると少数のエリートが固定化された指導層を形成して，権力を追求するようになる傾向があると指摘し，この傾向を寡頭制の鉄則と呼んだ。

解答欄

プラス知識

社会集団

社会学には多くの集団類型論がある。以下，代表的な集団類型を挙げていく。

1　コミュニティとアソシエーション

個人の意志に着目した分類である。コミュニティはある地域，習慣や伝統を共有し，共有していると自覚する者達で構成される集団。家族や地域社会などがその例である。これに対し，アソシエーションは特定の興味，目的を持った者達が作る集団である。学校や企業，政党や労働組合などが挙げられる。ゲマインシャフト（共同体）とゲゼルシャフト（利益社会）も，この観点からの分類である。

2　第一次集団と第二次集団（派生集団）

集団の機能に着目した分類である。第一次集団は，道徳意識の形成と他の集団との関係を促進させ，安定させる機能を持つ集団。規模が小さい集団なので，成員同士が強い一体感を持ち，直接に交流が行われる。代表的なものは家族，遊戯

解説 177

1○　**F.テンニース**の本質意志と選択意志の違いに基づく社会集団の分類に注目したい。

2×　**E.デュルケーム**によれば，「機械的連帯」と「有機的連帯」の**記述が逆**になる。

3×　「第一次集団」と「第二次集団」の**記述が逆**である。

4×　**R.M.マッキーバー**によれば，**コミュニティ**を基盤にして**アソシエーション**が形成されるとする。

5×　寡頭制の鉄則という概念は，**R.ミヘルス**が提唱したものである。彼はドイツ社会民主党に参加したが，平等の実現を目指す政党においてさえ，組織の規模が一定以上になると，組織の分業化と専門化，そしてヒエラルキーが必要になることを認識した。

解答　1

集団などが挙げられる。一方，第二次集団（派生集団）は，何らかの目的を達成するために意図的に組織された集団である。第一次集団に対して規模が大きいために成員同士の直接的な交流が少ない。第二次集団に含まれる集団は非常に多く，労働組合や宗教団体のような中間集団や政府も含まれる。

3　公式集団（フォーマルグループ）と非公式集団（インフォーマルグループ）
特定個人の意見や行動，判断に対して影響を及ぼす観点からの分類である。公式集団（フォーマルグループ）は，会社や学校など法律や習慣上の決まりに従って，組織される集団である。これに対し，友人らでつくるグループなど個々人の意思が反映されて自然発生的に組織される集団を非公式集団（インフォーマルグループ）という。

社会学

No. 178 メディア

メディアに関する次の記述のうち，最も妥当なのはどれか。

1　W. リップマンは，人間が自分の頭の中に抱いている環境のイメージを擬似環境と呼んだが，マス・メディアの発達によって，擬似環境に対する人々の依存度は減少していくと論じた。

2　P.F. ラザーズフェルドは，マス・メディアの影響は無媒介・直接的に受け手に及ぶため，オピニオンリーダーを媒介としたパーソナルコミュニケーションの影響は減少していくと論じた。

3　M. マクルーハンは，電子メディアの発達により，遠隔地にいる人間を間近に感じられるような同時的なコミュニケーションが地球規模で広がることを予測し，これを地球村と名付けた。

4　ブーメラン効果とは，マス・メディアの提供する意見が，受け手に直接影響を及ぼして，受け手の態度変容を引き起こす状態を指す。

5　議題設定機能とは，受け手がマス・メディアのメッセージに対して，受け手自らの考えや態度に整合した情報は受容するが，矛盾するものは拒否するなど選択的に反応することを指す。

解答欄

プラス知識

マス・メディアの影響

1　マス・メディアの放つメッセージが，直接的に人々の態度変容を促進するという考え方（強力効果説）

①皮下注射効果：マス・メディアの発するメッセージが，直接に個人の内面に注入されるというイメージからそう呼ばれている。

②バンドワゴン効果：ある選択が多数に受け入れられている，あるいは流行しているという情報が流れることで，その選択への支持が一層強くなること。いわゆる勝ち馬に乗る効果があるとする仮説。これに対して，判官びいきのような行動に出ることをアンダードッグ効果という。

2　マス・メディアの影響は絶大なものではなく，限定的な効果しかないという考え方（限定効果説）。

①コミュニケーションの二段階の流れ：マス・コミュニケーションが伝える情報は，まず受け手が所属している集団内での成員に影響力を持っているオピニオン・

解説 178

1× W. リップマンの擬似環境の定義は**妥当であるが**，マス・メディアの発達により擬似環境に対する人々の依存度は**高く**なっていく。

2× P.F. ラザーズフェルドはマス・メディアからの影響は，送り手から受け手に無媒介・直接的に**受容されるのではなく，オピニオン・リーダーを媒介して間接的に**受容されるとしている。したがって，パーソナルコミュニケーションの影響力が**減少**したとはいえない。

3○ M. マクルーハンは電子メディアの発達によって，距離に関係なく同時的なコミュニケーションが地球規模で拡大していくと予測して，これを**地球村**と名付けた。

4× 問題文の記述は，**皮下注射効果**について述べたもの。**ブーメラン効果**は，説得しようとした内容と逆の効果を情報の受け手に生じさせる。

5× マス・メディアが特定のニュースや争点を大々的に取り上げれば，受け手は重要な問題であると認識するようになる。このようなマス・メディアの働きを**議題設定機能**といい，**受け手の選択的反応を指したものではない。**

解答 3

リーダーに流れ，そして彼らが活動性の低い個々の受け手に流れるという仮説。
②選択的受容：説得以前の受け手の状態にとって好意的あるいは同質のコミュニケーション内容に，触れようとしたり，記憶したりすること。
③ブーメラン効果：説得をしようとすればするほど，その説得者が拒絶される現象。

3　強力効果説と限定効果説を実証的かつ理論的に修正し，相対化した考え方（複合影響説）。
①議題設定機能：マス・メディアによる争点やトピックの扱われ方，強調のされ方が，人の現実社会の認識に影響を及ぼすとする仮説。
②培養効果（教化効果）：マス・メディアに長期的・反復的に接することで，その人の現実認識が現実像に近いものになってしまう効果。
③沈黙の螺旋：マス・メディアの「多数意見」の報道が，単なる事実の報道ではなく，多数派に力を貸し少数の意見を沈黙させる効果があるとする仮説。

社会学

No. 179 近代化と社会変動

近代化と社会変動に関する次の記述のうち，妥当なのはどれか。

1　G. ジンメルは，社会圏が量的に拡大し分化することで社会圏の交錯が生じ，その中で個人は各種の社会圏を自分なりの組合せで選ぶことによって，自らの個性を発達させると論じた。

2　E. デュルケームは，社会の容積と動的密度が増大すると，類似に基づく有機的連帯が次第に拘束力を失い，社会的分業が発達して，アノミー状態が出現すると論じた。

3　W.W. ロストウは，すべての伝統的社会は，離陸のための先行条件期，離陸期，成熟への前進期を経て，高度情報経済社会の段階へ進むとする経済成長の五段階説を唱えた。

4　D. ベルは，経済成長を基軸原理とする工業社会の後に，理論的知識を基軸原理とした脱工業社会が出現し，知識をもつ者ともたない者との間でイデオロギー対立が激化すると予測した。

5　M. ウェーバーは，長期的趨勢として合理的官僚制がこれとは異なる社会組織を圧倒して社会全般に浸透し，この結果として社会の効率化が推し進められ，社会の実質的な合理性も高められていくことを予想した。

解答欄

解説 179

1○　**G. ジンメル**は，「人格は社会圏に自らを委ねその中に自らを埋没させながら，同時に自らの中で社会圏を個別に交差させることで，自らの個性を回復する」と著書で述べている。

2×　**E. デュルケーム**によれば，社会の容積と動的密度が増すと，弱まっていくのは類似に基づく機械的連帯である。アノミー状態になるのは，**分業が無秩序になったとき**である。

3×　**W.W. ロストウ**の経済発展段階論の最終段階は，高度**大衆消費**社会である。

4×　**D. ベル**は，イデオロギーの対立が**解消**に向かっていくと予測した。

5×　**M. ウェーバー**によれば，社会に官僚制が浸透していくことで，**形式的**合理性が貫かれていくが，それが**実質的**合理性へと高められることまで**期待してはいない**。彼の近代官僚制の分析は，近代以前の家産国家における官僚制と近代国家における官僚制の**違いに着目**したものである。

解答　1

社会学

No. 180 社会的自我

B 重要度

社会的自我などに関する次の記述のうち，妥当なのはどれか。

1 S. フロイトは，パーソナリティを，超自我，自我，イドの３つの部分から成るものと考えた。ここで超自我とは，父親の権威によって内面化された規範であり，これが強ければ強いほど，自我は解放される。

2 C. クーリーは，自己は他者との相互作用を通じて形成されると考え，これを鏡に映った自己と呼んだ。これは，他者の自分に対するイメージや判断と，それに基づく自己感情などによって構成されている。

3 G.H. ミードによれば，子供は，まず母親のような特定の個人の態度を内面化する。この個人のことを一般化された他者という。ただし，この段階では，子供は組織化された集団の生活に参加できず，特定の個人との相互作用にとどまっている。

4 J. ピアジェの認知発達段階論によれば，子供は自己中心的である。自己中心性は，感覚運動期に特徴的にみられるもので，自分の身体感覚を通して，外界を自分とは独立した存在として理解していくことである。

5 D. リースマンによれば，自我は，絶え間なく自己を対象化する過程である。彼は，自我を客我（me）と主我（I）の側面に分け，主我は客我によって対象化されると述べた。

解答欄

解説 180

1× **S. フロイト**によれば，超自我が強くなればなるほど，自我が**抑圧**されることになる。

2○ **C. クーリー**は，**シンボル**を使う人間の行動特性から，社会的自我を考えた。

3× **G.H. ミード**は，子どもにとって母親のように社会化の過程で大きな影響力をもつ特定の個人を「重要な他者」と呼んでいる。

4× **J. ピアジェ**によれば，幼児期は主観と客観が未分化なために，対象を自己と同一化することになる。

5× **D. リースマン**は，豊かな社会の中で，各個人がバラバラに存在している大衆の疎外状況を指摘した社会学者である。彼は著書『孤独な群衆』の中で，現代人は同時代人の思考や行動傾向を自らの行動基準としていると指摘し，それを**他人（外部）**志向型と名付けた。

解答　2

心 理 学

No. 181 性格の類型論

性格の類型論に関する記述として妥当なのはどれか。

1　C.G. ユングは，六つの基本的な生活領域を考え，その領域のどれに最も価値を置き興味を持つかによって，人間の性格を，理論型，経済型，審美型，宗教型，権力型，社会型の６類型に分類した。

2　E. クレッチマーは，人間の性格を，主として心的エネルギーが自己の外側に向かい，外界の刺激に影響を受けやすい外向型と，心的エネルギーが自己の内面に向かい，自己に関心が集まりやすい内向型の２類型に分類した。

3　W.H. シェルドンは，学生の身体各部の測定などから，人間の体型を内胚葉型，中胚葉型，外胚葉型の３つに分類し，それぞれの体型に対応する気質の型として，内臓緊張型，身体緊張型，頭脳緊張型の３類型を示した。

4　E. シュプランガーは，臨床上の経験から，精神分裂病（統合失調症）は細身型の人，躁うつ病（気分障害）は肥満型の人，てんかんは闘士型の人に多いことを見いだし，気質と体格の間には関連があると考え，分裂質，躁うつ質，粘着質の３類型を示した。

5　G.W. オールポートは，因子分析法により，類型，特性，習慣的反応，特殊的反応の４層から成る性格の階層的体制を考え，さらに，類型として，外向性—内向性，神経症傾向，精神病的傾向の３次元が存在することを見いだした。

解答欄

解 説 181

1×　性格を，６類型に分類したのは，**シュプランガー**である。C.G. ユングは，人間には外向性と，内向性の，２タイプの心的構えがあるとした。そして，それらのタイプは，**思考・感情・直感・感覚**のいずれを主な機能とするかにより８つの性格類型に分けられることを提唱した。

2×　E. クレッチマーは，体型と性格には関連があると考えた。性格の基礎となるものを形成している気分のことを気質と呼び，細長い体型の人は**分裂気質**，肥満体型の人は**躁うつ気質**，筋肉質な体型である闘士型の人は**てんかん気質**と，**３種類**に分類した。

3○　**妥当である。**

4×　上記**１・２**解説を参照のこと。

5×　**G.W. オールポート**は，特性論の立場から人格 personality を説明した。本選択肢のように性格をとらえたのは **H.J. アイゼンク**である。

解答　３

心理学

No. 182 動機づけ・情動

重要度 B

動機づけや情動の研究に関する次の記述のうち，最も妥当なのはどれか。

1 H.A. マレーは，アカゲザルを対象に，２種類の代理母親模型を用いた実験を行い，子ザルにとって母親はぬくもりを与えてくれる存在かつ愛着の対象であり，安全基地として機能することを明らかにした。

2 S. フロイトは，人間の欲求として，生理的欲求，安全欲求，所属と愛情欲求，自尊欲求，自己実現欲求という５種類を想定し，これを階層的にとらえて，人間が自己実現とともに本心を現し，あるがままの自己に到着することができるようになると主張した。

3 G.W. オールポートは，人間の行動は内面的な欲求と，環境からの圧力との相互作用により規定されると考えて，欲求—圧力理論を提唱し，この理論をもとに絵画統覚検査法（TAT）を作成した。

4 H.F. ハーローは，達成行動を，達成目標への接近傾向（達成欲求×成功の確率×成功の誘因価）と失敗回避傾向（失敗回避欲求×失敗への確率×失敗の負の誘因価）の合成であると定式化し，達成行動の動機づけに関するモデルを提唱した。

5 S. シャクターは，自律神経系を活性化させる作用があるエピネフリンを用いた実験を行い，情動状態が，生理的喚起といった生理的要因と，その喚起の状況を認知的に評価するという認知的要因との相互作用によって生起するとし，情動の二要因説を提唱した。

解答欄

解説 182

1× **H.A. マレー**は，**欲求—圧力理論**の提唱者である。本選択肢は，**H.F. ハーロー**の記述である。

2× **S. フロイト**は，人間の心は**意識・前意識・無意識**の三層構造であると考えた。本選択肢は，**A.H. マズロー**の提唱した欲求階層説の記述である。

3× **G.W. オールポート**は，**機能的自律性**という考えの提唱者である。すなわち，初めは要求を満足させるための手段であったものが目的化し，それが独立した動機へ移行するという理論である。本選択肢は，**H.A. マレー**の記述である。

4× **H.F. ハーロー**は，アカゲザルの愛着実験を行った人物である。本選択肢は，**J.W. アトキンソン**の記述である。

5○ **妥当である。**

解答　5

心理学

No. 183 知覚の恒常性

知覚の恒常性の現象の例に関する記述として，最も妥当なのはどれか。

1　観察者から直線的に５m先の位置にいる人が10 m先に移動した場合に，観察者にはその人が５m先にいたときの大きさの２分の１よりも大きく知覚される現象。

2　真っ暗闇で小さな光点を見つめている際に，それが静止しているにもかかわらず，観察者には運動しているように知覚される現象。

3　両端に矢羽根をつけた長さの等しい２本の線分について，観察者には矢羽根が内側を向いている線分よりも外側を向いている線分の方が長いと知覚される現象。

4　重量が等しいが，体積が異なる２種類のおもりの重さを比較する際，比較する者には体積の大きいおもりの方がより軽いと知覚される現象。

5　紙幣や硬貨の大きさを判断する場合に，判断する者がより価値が高いと思っている貨幣ほど，大きく知覚される現象。

解答欄

解説 183

1○　**妥当である。**

2×　本選択肢は，**自動運動 autokinetic movement** に関する記述である。運動速度は，光点が小さいときは速く，大きいときは遅い。

3×　本選択肢は，**ミューラー・リヤー錯視**に関する記述である。

4×　本選択肢は，**シャンパルティエ効果**と呼ばれる現象に関する記述である。等重量のおもりは体積の大きいものほど軽く感ぜられる現象のことである。

5×　本選択肢は，欲求や動機づけが知覚に影響を及ぼすことを示す，**ニュールック心理学**に関する記述である。

解答　1

プラス知識

感　覚

古くは５系統に分類されていたが，現在では，視覚・聴覚・嗅覚・味覚・皮膚感覚・運動感覚（自己受容感覚）・平衡感覚・内臓感覚の８系統に分類されるのが一般的となっている。皮膚感覚はさらに触覚・圧覚・温覚・冷覚・痛覚に分けることができる。

心理学

No. 184 学習過程

重要度 B

学習過程に関する記述として，最も妥当なのはどれか。

1　プログラム学習は，レスポンデント条件づけの原理を学習に応用したものである。その基本的原理には，スモール・ステップの原理，積極的反応の原理，即時フィードバックの原理，学習者ペースの原理などがある。

2　モデリングとは，自分の行動を他者にモデルとして示すことが強化となり，自分自身の行動変容が生じるとする学習過程である。このモデリングは，人間の学習を理解する上では重要であるが，他者が存在しない状況ではこうした強化が得られないために学習は成立しないとされている。

3　全習法は，休憩を挟まずに課題を一定の時間連続して学習する方法である。これに対して分習法は，休憩を挟みながら学習する方法である。一般に，学習材料が比較的容易な場合や疲労が生じにくい場合には全習法が有効であるとされている。

4　知識は，宣言的知識と手続き的知識の２種類に大別されることがある。このうち前者は，「地球はほぼ球の形をしている」といった事実についての知識であり，後者は，「自転車の乗り方」といった方法についての知識である。

5　問題解決の手続きの方法は，アルゴリズムとヒューリスティックの２種類に大別されることがある。このうち前者は，経験などに基づいて直感的に処理を行う過程であり，後者は，理詰めに解いていけば必ず正解に達するという手続きに従う過程である。

解答欄

解説 184

1×　プログラム学習は，**オペラント条件づけ**の原理を学習に応用したものである。新行動主義の代表者である**B.F. スキナー**によって考案された。

2×　モデリングとは，**他者の行動を観察**し，その**行動様式を学習**することである。**観察学習**とも呼ばれる。

3×　全習法とは，一定の材料を学習するとき，**いくつかに区切らず全体をひとまとめにして**学習する方法である。これに対して，分習法とは，**全体をいくつかの小部分に区分し，部分ごとに学習**を完成させる方法のことである。本選択肢は，**集中学習**と**分散学習**に関する記述である。

4○　**妥当である。**

5×　本選択肢はアルゴリズムとヒューリスティックの**説明が逆**になっている。

解答　4

心理学

No. 185 心理療法の創始者

各種心理療法の創始者の考え方に関する記述として，最も妥当なのはどれか。

1　精神分析の創始者であるS.フロイトは，人間の自我状態を，快楽原則を保持する「子ども（C)」の自我状態と，快楽原則を現実との間で調停する「大人（A)」の自我状態と,しつけの役割を果たす「親（P)」の自我状態に大別し，それらの力動的関係によって自我の機能を説明した。

2　分析心理学の創始者であるC.G.ユングは，無意識の中に，個人を超えた普遍的無意識を想定し，これを「アニマ」といい，この「アニマ」の象徴を「アニムス」と呼んだ。そして，性に関する意識的態度を補う男性の異性像を「元型」，女性の異性像を「影」とした。

3　ロゴテラピーの創始者であるV.E.フランクルは，人間について，「快への意志」や「力への意志」が満たされても，最終的にはどれほど自分の人生に意味を与えうるのかという「意味への意志」が満たされない限り，真に満足することはないと考えた。

4　クライエント中心療法の創始者であるC.R.ロジャーズは，各個人の抱える問題を短期間で解決することを重視し，そのためには各個人が抱える問題の中心である葛藤に焦点を合わせて，自律性を尊重し，社会適応を目指して積極的に介入することが重要であると考えた。

5　論理療法の創始者であるA.エリスは，各個人のもつ信念を「理性的信念」と「非理性的信念」に大別し，この「理性的信念」に基づいて生じる感情と行動は悲観的で否定的であり，精神的健康の達成のためには「非理性的信念」へと修正することが重要であると考えた。

解答欄

プラス知識

他の心理療法

他に有名なものとして「行動療法」がある。この療法は学習理論を基盤として，クライエントの問題行動を「誤った学習」と捉え，適応行動・不適応行動の強化・消去を目的とする。不安症状を段階的に除去することを目指す「系統的脱感作法」，望ましい行動や望ましくない行動に対し，報酬や罰で強化・消去することを目的とする「オペラント学習法」，手本となるモデルの行動を模倣・観察することによって適応的な行動の習得を目指す「モデリング法」などの技法がある。

数々の心理療法の理論をもとに，多くの心理検査も開発されており，そちらも併せて覚えておくと良い。交流分析理論を提唱したE.バーンの弟子であるデュセイは，

解説 185

1× S.フロイトが提唱した心の状態は，「**イド**」「**自我**」「**超自我**」の三層構造である。「子ども（C）」「大人（A）」「親（P）」の自我状態を提唱したのは，**E.バーン**である。彼の理論は交流分析理論と呼ばれる。

2× C.G.ユングは，個人の無意識の底には，人類共通の「普遍的無意識」があると想定した。そこに存在する要素を類型化したものが「**元型**」である。「**アニマ**」「**アニムス**」「**影**」は，それぞれ「**元型**」の一種である。「**アニマ**」は普遍的無意識に存在する女性像であり，「**アニムス**」は普遍的無意識に存在する男性像である。「**影**」は，意識から追放された，その人にとって認めがたい心的部分のことである。

3○ **妥当である。**

4× C.R.ロジャーズの提唱したクライエント中心療法は，非指示療法とも呼ばれ，**教示などをせずにクライエントの発達を援助する**ことが強調される。本選択肢は，**ブリーフセラピー**と呼ばれる技法に関する記述である。

5× A.エリスの提唱した論理療法は，各個人の持つ信念体系が不合理なものである場合，それに**反論して合理的なものへと変容させていく方法**である。

解答 3

「子ども（C）」「親（P）」の自我状態をそれぞれさらに二つに分けた。すなわち「自由な子ども（FC）」「従順な子ども（AC）」「厳格な父親（CP）」「養育的な母親（NP）」とし，これに「大人（A）」の部分が加わって，5つの自我状態の領域に分けて考えた。これらの心的部分を数量化・視覚化した心理検査がエゴグラムである。

また，ユングの類型論をもとに，1962年にブリッグスとマイヤーズによって開発された心理検査がMBTIである。これは，外向－内向，感覚－直観，思考－感情というユングの類型論の指標に，判断的態度と知覚的態度という独自の指標を加えた4指標16タイプで性格を考えるものである。

教育学

No. 186 生涯学習推進体制

生涯学習推進体制に関する次の記述のうち，妥当なのはどれか。

なお，「生涯学習振興法」とは，「生涯学習の振興のための施策の推進体制等の整備に関する法律」のことをいう。

1　我が国の生涯学習を推進する体制の基礎となる生涯学習振興法は，1950 年代後半に，地方自治法の「家庭教育及び勤労の場所その他社会において行われる教育は，国及び地方公共団体によって奨励されなければならない。」との規定を受けて制定された。

2　生涯学習振興法には，生涯学習の振興に資するための都道府県及び市区町村の事業などが定められている。また，都道府県及び市区町村は特定の地区を指定し民間事業者の能力を活用して生涯教育地域振興基本構想を策定できることや，都道府県生涯学習審議会を設置できることなどが規定されている。

3　1990 年代には，文部省（当時）が生涯学習振興法の改正に伴って組織再編を行い，新たに生涯学習局と生涯学習審議会を設けた。さらに，生涯学習審議会は「生涯教育について」を示して生涯学習社会の必要性や，生涯学習センターの整備などを提言した。

4　生涯学習審議会の答申を受けて，都道府県及び市町村の教育委員会の事務局に，新たに生涯学習の専門的教育職員である社会教育主事が置かれることとなった。社会教育主事は，社会教育を行う者に対する専門的・技術的な助言と指導を与えることをその職務としている。

5　1990 年代には，生涯学習振興法が改正され，社会教育委員を全都道府県に配置することとなった。社会教育委員は，個人裁量が尊重される独任制の機関であり，その職務は教育委員会への助言，文部科学大臣の諮問に応じて意見を述べることなどである。

解答欄

解説 186

1× 生涯学習振興法は，1990 年の**中教審**（**中央教育審議会**）答申「生涯学習の基盤整備について」を受けて制定されたものである。

2× 生涯学習振興法に定められているのは**都道府県の事業であり，特定地区を指定するのも都道府県**である。また，民間事業者の能力を活用して策定できるのは「**地域生涯学習振興基本構想**」である。

3× 旧社会教育局が生涯学習局に改組されたのは **1988** 年であり，生涯学習審議会が設置されたのは **1990** 年である。「生涯教育について」を題する答申は，**中教審**が出したものである。

4○ **妥当である。**

5× 社会教育法第 **15** 条により，**社会教育委員**は**都道府県及び市町村**に「置くことができる」と規定されている。

解答 4

プラス知識

生涯学習振興法

「生涯学習の振興のための施策の推進体制等の整備に関する法律」が正式名称であり，生涯学習の振興に資するための「都道府県」の事業に関しその推進体制の整備その他必要な事項を定めた振興法である（以下一部抜粋）。

（目的）

第１条　この法律は，国民が生涯にわたって学習する機会があまねく求められている状況にかんがみ，生涯学習の振興に資するための都道府県の事業に関しその推進体制の整備その他の必要な事項を定め，及び特定の地区において生涯学習に係る機会の総合的な提供を促進するための措置について定めるとともに，生涯学習に係る重要事項等を調査審議する審議会を設置する等の措置を講ずることにより，生涯学習の振興のための施策の推進体制及び地域における生涯学習に係る機会の整備を図り，もって生涯学習の振興に寄与することを目的とする。

（施策における配慮等）

第２条　国及び地方公共団体は，この法律に規定する生涯学習の振興のための施策を実施するに当たっては，学習に関する国民の自発的意思を尊重するよう配慮するとともに，職業能力の開発及び向上，社会福祉等に関し生涯学習に資するための別に講じられる施策と相まって，効果的にこれを行うよう努めるものとする。

…<以下略>

教育学

No. 187 義務教育

義務教育に関する次の記述のうち，最も妥当なのはどれか。

1　文科省は，義務教育の構造改革を目標として，2005 年 10 月 26 日に「新しい時代の義務教育を創造する（答申）」を示した。この答申には義務教育の質の保障，教師の資質向上，学校・教育委員会の改革などが盛り込まれている。

2　ルソーは，人権的な思想に基づき義務教育を唱えた。彼は，公教育は全ての人に対するものであるべきと説き，教育を受けることが国民の義務なのではなく，教育の条件を整えることが社会の義務であるとして，フランスの義務教育制度の確立に貢献した。

3　我が国の現在の義務教育のもととなっているのは 1947 年の学制改革である。これは 6 歳から 14 歳までの 8 年間を義務教育とするもので，特殊教育諸学校への就学も認められていた。また，同年中等教育学校が学校種として認められたため，この前期課程も義務教育と位置づけられた。

4　日本国憲法第 26 条第 2 項には，「すべて国民は，憲法の定めるところにより，その保護する子女に義務教育を受けさせる義務を負う。義務教育は，これを無償とする」と定めている。

5　学校教育法には，各学校の修業年限，病弱等による就学義務の猶予・免除，市町村の学校設置の義務など義務教育に関する実務的な規定が定められている。

解答欄

解説 187

1×　**文科省ではなく，中央教育審議会**である。近年様々な課題が指摘されている我が国の義務教育をより良いものにするため，中教審が 8 ヶ月にわたって審議を重ね，幅広いパブリックコメントも取り入れてまとめた。

2×　**コンドルセ**の公教育理論についての説明である。教育を行うことにより，民主主義社会に生きるための市民的資質を育成することは，公権力の義務とするという**コンドルセ**の思想は，その後の**フランス**の教育改革の長い指針となった。

3×　学制改革により，義務教育とされたのは，**6 歳～ 15 歳**の **9** 年間である。中等教育学校が義務教育と認められたのは **1998** 年学校教育法改正の時である。

4×　憲法第 **26** 条の条文は頻出なのでしっかりと覚えておきたい。「**法律の定めるところにより**」「**普通教育を受けさせる義務**」**が正解**である。

5○　**妥当である。**

解答　5

教育学

No. 188 公立の義務教育諸学校における児童・生徒の管理

B 重要度

公立の義務教育諸学校における児童・生徒の管理に関する次の記述のうち，最も妥当なのはどれか。

1 児童・生徒の在籍管理については，学校教育法で，出席簿の作成・性行不良で他の児童の教育に妨げのある行動を繰り返す児童の出席停止措置・各学年の課程の修了の認定などは校長が行い，卒業証書の授与・卒業の認定などは市町村教育委員会が行うとしている。

2 児童・生徒への懲戒は，校長によって行われ，校長は，市町村教育委員会の承認を得れば，退学処分，停学処分及び出席停止などの法的効果を伴う懲戒についても行うことができる。

3 児童・生徒の学習状況は，通知表で管理されている。通知表は，法定表簿であるが様式が統一されておらず，学校の実情に応じた様式を選択することができる。

4 児童・生徒の保健管理は，学校保健法等に基づき実施されており，学校は，毎学年7月21日までに，児童・生徒の健康診断を行い，結果に基づき，疾病の予防処置など適切な措置をとらなければならないとされている。ただし，就学時の健康診断については，市町村が行う。

5 学校給食法施行令では，市町村立小学校で学校給食を実施するときは，文部科学省及び市町村教育委員会への届け出を義務としている。また，義務教育での学校給食は憲法第26条により無償である。

解答欄

解説 188

1× 保護者に対し，出席停止を命ずることができるのは**市町村教育委員会**である。

2○ **妥当である。**

3× 通知表は**法定表簿ではない**。指導要録等の法定表簿及びその保存年数もチェックしておきたい。（学校教育法施行規則第**28**条）

4× 学校保健法改正により**学校保健安全法**（平成21年4月1日施行）へと法名改正された。健康診断は**6月30日**までに行うと規定されている。

5× 学校給食法施行令第1条では，義務教育諸学校の設置者が学校給食の開始または廃止をする場合，**市町村立の場合は直接，私立にあっては都道府県知事**を通じて**都道府県教育委員会**に届けなければならないと定めている。日本の学校給食は**有償**である。

解答 2

No. 189 道徳教育

道徳教育に関する次の記述のうち，最も妥当なのはどれか。

1　ヨーロッパにおける道徳教育に最大の影響を及ぼしたのはイギリスのスペンサーである。その著書「政治学」の中で，道徳教育とはよい習慣を定着させることだと主張した。そして，その学習は特に幼少期に行うことが重要であるとした。この考えは現在でもヨーロッパの道徳教育の根底となっている。

2　日本の道徳教育は，新しい教育制度を目指す「教育基本法」において規定されたことから始まった。道徳を教える教科を「修身」と呼び，教科の最初に位置付けられて最も重要視された。また，中村正直が翻訳した「西国立志編」が代表的な啓蒙書として広く活用された。

3　日本での道徳教育の歴史的変化は，1960年代後半に「学習指導要領　道徳編」が示され，小・中学校で「道徳の時間」が特設されたことに始まる。これにより，それまでは社会科の中の単元として行われていた道徳教育が，特設された時間によって行われるようになった。

4　ブルーナーは，人間のもっている道徳性の発達について研究し，「ハインツのジレンマ」によって，時代・文化・民族によらない普遍的な３水準６段階の道徳性発達段階が想定されることを示した。

5　コールバーグは，道徳性の発達は基本的に一般的知的発達と変わることがないとして，道徳性の発達を認知構造の変化から説明した。この理論を応用したものとしてモラル・ディスカッションがある。

解答欄

プラス知識

ハインツのジレンマの概要

「ある一人の女性が大変重い病気のために，死に瀕していた。彼女を救うことのできるかもしれない薬があり，それは同じ町に住む薬屋が最近発見したものである。その薬を作るには大きなコストがかかるものの，薬屋は原価の10倍である2000ドルという値をつけていた。彼女の夫であるハインツは，愛する妻を助けようと町じゅうをまわって知人という知人にお金を無心したのだが，何とか集めることができたのは1000ドルであった。ハインツは，妻が瀕死の状態であることを薬屋に話し，薬

解説 189

1 × 選択肢にある道徳教育に関する内容の説明は，**J. ロック**（1632 ～ 1704）の教育論に関するものである。

2 × 修身科は 1872（明治 5）年の**学制**で小学校教科の 1 つとして設立され，戦前日本の学校教育における道徳教育において中心的役割を果たしてきた。また，「**西国立志編**」（1871〔明治 4〕年）は，福沢諭吉の「**学問のすゝめ**」とともに，明治の二大啓蒙書といわれている。

3 × 1958（昭和 33）年に小・中学校の学習指導要領が，1960（昭和 35）年に高等学校の学習指導要領が告示され，「**道徳**」が加えられた。また，2015（平成 27）年 3 月に一部改正された小・中学校及び特別支援学校小・中学部の学習指導要領では，道徳が「**特別の教科**」として扱われるに至っている。

4 × 「ハインツのジレンマ」は**コールバーグ**が示したモラル・ジレンマの有名な例である。これは，自らの価値観の再検討を促すものでオープンエンド（正解は無い）を特徴とする。今日でも広く道徳教育に用いられている。

5 ○ コールバーグは道徳性の発達を①**罰回避と従順性**，②**快楽主義**，③**他者への同調**，④**法と秩序の維持**，⑤**社会契約・法律の遵守及び個人の権利志向**，⑥**良心または普遍的原理原則への志向**という 6 段階に分けて説明した。

解答　5

を安く売ってくれないか，支払いを先延ばしにしてもらえないか頼み込んだ。しかし，薬屋は「だめだ。薬を開発したのは私であるし，それにこの薬の発明で自分は一儲けしようと考えているのだから」と答えた。その反応にハインツは絶望的になり，薬屋に忍び込んでその薬を盗もうと考えた。ハインツが薬を盗むことについて，あなたはどう思うか」というものである。正解は無いが，考案者のL．コールバーグは回答の仕方から道徳観の成熟度を分類した。

教育学

No. 190 学校評価

「学校評価」に関する次の記述のうち，最も妥当なのはどれか。

1　学校選択制度は，文部省（当時）から「通学区域制度の弾力的運用について」の通知（1997 年）が出されたことから始まった。これにより，従来は制度上不可能であった公立の小・中学校の学校選択が，同一都道府県内で自由に認められるようになった。

2　学校評議員制度は，「学校教育法施行令」の改正（2000 年）によって成立した制度である。これにより学校は，学校評議員を置くことができるようになり，教育委員会は当該学校の教職員と在籍児童生徒の保護者，当該学校の職員以外の者で教育に関する理解及び識見を有する者を委嘱する。

3　教員人事評価制度は，「地方教育行政の組織及び運営に関する法律」の改正（2001 年）によって成立した制度である。この法改正によって，教員は児童生徒に対する指導が不適切な場合，教職以外の職に転じる措置を講じることができるようになった。

4　学校評価制度は，保護者や教育委員会に対する学校の説明責任と運営改善を目指して「小学校設置基準」，「中学校設置基準」の制定（2002 年）等によって初めて法制化された。その評価の実施と公表は努力義務として強制されてはいないが，評価を行う場合は学校評議員による評価とされている。

5　学校運営協議会制度は，「地方自治法」の改正（2004 年）で成立した制度である。当該学校の校長は，在籍児童生徒の保護者を委員として選び任命するよう義務付けられ，学校運営協議会は一定の権限をもって学校運営に参画できるようになった。

解答欄

プラス知識

「学校教育法・学校教育法施行規則（改正部分一部抜粋）」

〈学校教育法〉（平成 19 年 6 月改正）

第 42 条　小学校は，文部科学大臣の定めるところにより当該小学校の教育活動その他の学校運営の状況について評価を行い，その結果に基づき学校運営の改善を図るため必要な措置を講ずることにより，その教育水準の向上に努めなければならない。

第 43 条　小学校は，当該小学校に関する保護者及び地域住民その他の関係者の理解を深めるとともに，これらの者との連携及び協力の推進に資するため，当該小学校の教育活動その他の学校運営の状況に関する情報を積極的に提供するものとする。

解説 190

1× 学校教育法施行規則第32条1項では，市町村教育委員会は，就学校を指定する場合に，就学すべき学校について，あらかじめ保護者の意見を聴取することができるとしている。「通学区域制度の弾力的運用について」の通知（1997〔平成9〕年1月）により，保護者の意見を踏まえて，市町村教育委員会が就学校を指定する場合（同2項）が「**学校選択制度**」である。

2× 学校評議員は，学校教育法施行規則**第49条3項・第79条**ほかにより，**当該学校の職員以外の者**で教育に関する理解および識見を有する者のうちから，**校長**の推薦により，設置者が委嘱する。なお，学校評議員は2000（平成12）年の学校教育法施行規則の改正で「置くことができる」と定められたもので，義務化されてはいない。

3○ 2001（平成13）年の「地方教育行政の組織及び運営に関する法律」の改正で，**同第47条の2**により，児童生徒に対する指導が不適切な教員を**教職以外の職**に転任させる措置を講じることができるようになった。

4× 2007（平成19）年の**学校教育法**改正により，学校評価の根拠となる規定が設けられた（**同第42条，第43条**，同施行規則**第66条～第68条**）。

5× 2004（平成16）年の「地方教育行政の組織及び運営に関する法律」の改正によるものである。学校運営協議会の設置は努力義務であり，すべての学校に**設置が義務づけられているわけではない**（同第47条の5）。また，学校運営協議会委員の任命は**教育委員会**が行う（同条）。

解答 3

〈**学校教育法施行規則**〉（平成19年10月改正）

第66条 小学校は，当該小学校の教育活動その他の学校運営の状況について，自ら評価を行い，その結果を公表するものとする。

2 前項の評価を行うに当たっては，小学校は，その実情に応じ，適切な項目を設定して行うものとする。

第67条 小学校は，前条第1項の規定による評価の結果を踏まえた当該小学校の児童の保護者その他の当該小学校の関係者（当該小学校の職員を除く。）による評価を行い，その結果を公表するよう努めるものとする。

第68条 小学校は，第66条第1項の規定による評価の結果及び前条の規定により評価を行った場合はその結果を，当該小学校の設置者に報告するものとする。

英語（基礎）

No. 191 現代を読む

Select the statement which best corresponds to the content of the following passage.

Following the crash of the early 1990s that ended the Japanese postwar economic miracle, Japan's public and private sectors have been slashing their work forces, cutting off bad-risk borrowers, and streamlining operations in an attempt to remain competitive in an increasingly global economy. Many of its world-class companies have succeeded in doing just that, and economic growth is beginning to nibble at the unemployement figures. In April*, Japan's jobless rate was 4.4%, the lowest since December 1998.

But the success of some is being offset by the struggles of many, for whom jobs are no longer plentiful or secure. Japan, a country that prides itself on social harmony, homogeneity and an equitable distribution of wealth, is bifurcating along geographic and social lines into camps of permanent winners and perpetual losers - the former a highly educated and trained core of elite employees and entrepreneurs working for internationally competitive companies, the latter an increasingly marginalized yet growing sector of society comprising primarily elderly rural poor and despairing urban youths. " In the past, people believed that the whole nation was getting wealthier, and the rich were simply the people who got there quicker," says Toshiki Satou, a sociologist at the University of Tokyo. "But that is changing. People are becoming more aware of class."

This increasingly distinct divide between rich and poor is so vivid in the national consciousness that it has been given a name: kakusa shakai（a society of disparity）. It isn't hard to find statistical evidence of the phenomenon. In a land once noted for its armies of workaholic salarymen, part-time employees now account for 30% of the labor force. In February, the government announced that the number of people on welfare rose 60% over the last 10 years, reaching 1 million citizens for the first time since the program started in 1950. And according to recent findings by the Organisation of Economic Cooperation and Development（OECD）, 15% of Japan's households today are living in poverty（defined as having incomes that are half the national average or less）. That compares with an average of 10% of households below the poverty line for all 30 OECD countries. In wealthy Scandinavia, the average is less than 5%. Japan's

rich-poor divide is particularly worrisome, warns a January OECD report, because of the "lack of movement between the two segments of the work force, trapping a significant portion of the labor force in a low-wage category from which it is difficult to escape."

*April:April,2005

1 Japan's economy stagnates although its world-class companies are making enormous profits.

2 Japan's jobless rate is currently higher than that of most developed countries.

3 In present-day Japan, young people living in cities are more aware of class than the old there.

4 The statistical evidence shows that we can hardly find the disparity between the rich and the poor.

5 Japan has a higher percentage of poor households than the average of all 30 OECD countries.

解答欄

解説 191

1× 「世界に肩を並べる日本の企業は大きな利益を得ているけれども，日本の経済は衰退している。」

its world-class companies は第1段落の第2文に登場するが，これに続く指示代名詞 that が指し示す内容は**前文の slashing ～, cutting off ～ and streamlining ～**の部分であって，要は合理化に成功したことを述べている。したがってこの設問文に一致する記述**はない**。

2× 「日本の失業率は現在大部分の先進国よりも高い。」

第1段落の最終文で**失業率**について触れているが，**先進国**と比較して**はいない**。

3× 「現代の日本では，都会に住んでいる若者は，都会に住んでいる年輩者より階層を意識している。」

young people は第2段落の urban youths と同じだが，この段落の最終文で**People are becoming** と記述されていて，**若者**と**年輩者**を比べて**はいない**。

4× 「豊かな人たちと貧しい人たちの違いをほとんど見いだせないことは，統計的な証拠からわかる。」

第3段落の第2文で述べているのは「格差社会という社会現象を示す統計的証拠を見つけるのは難しくない」ということなので，設問文は**一致しない**。さらに，文中の **hard は形容詞**で，設問文の hardly は**否定の副詞**。綴りは似ているが**全く別の単語**である。

5○ 「日本の貧しい家庭の割合は，OECD の全加盟国 30 か国の平均より高い。」

最終段落第5文，第6文の，「今日，日本の世帯の **15%**が貧しい暮らしをしている。つまり，所得が全国平均の**半分**である。一方，OECD 加盟 30 か国では，貧困線以下の家庭は **10%**である」という記述と**一致する**。

解答　5

〔全訳〕

戦後日本の奇跡的経済復興を終わらせた 1990 年代初めのバブル崩壊に続いて，日本は公共，民間の各部門で人員を削減し，リスクの高い借り手を整理し，事業を合理化してきている。これは，ますますグローバルになってきている世界経済の中で，競争力を維持しようとするためである。世界に肩を並べる日本の企業の多くは，ようやくこれらのことに成功したところであって，経済成長のおかげで失業率が減り始めているところである。2005 年 4 月の失業率は 4.4%で，1998 年 12 月以来最低であった。

しかし，一部の企業の成功は，もはや仕事があまりなく，確保（保証）されていない多くの企業の苦闘によって相殺されてしまっている。社会的調和と均質性，公平な富の分配を誇りにしている国，日本は，地理的，社会的な境界線に従って，勝ち組，負け組に2分しつつある。勝ち組は国際競争力のある企業で働く，高度な教育，訓練を受けたエリート社員と企業家であり，負け組はますます主流から外れているが，基本的には貧しい地方の年輩者と絶望的な（夢のない）若者から成っていて社会の大きな部分を占めている。

社会学者の佐藤俊樹（東京大学）は，「昔は，世の中全体が豊かになっていて金持ちとはただ単に，比較的早くそこに到達した人々にすぎないと思われていた。しかし，この事情は変わりつつある。人々はこれまで以上に自分が勝ち組か負け組かということを意識するようになってきている」と述べている。

国民の意識の中で貧富の差はますますはっきりとしたものになって，格差社

会という名前がつけられているほどである。統計的に，この現象の証拠をあげることは難しいことではない。かつてワーカホリックのサラリーマン軍団として有名だった国で，今や非正規雇用者は労働力の30%を占めている。2月，政府は，生活保護を受けている人がこの10年間に60%にまではね上がり，1950年にこの制度が始まって以来，初めて100万人に達した，と発表した。さらに，OECD（経済協力開発機構）による最近の調査結果によれば，今日，日本では15%の世帯が貧しい暮らしをしている（貧困とは，所得が全国平均の半分かそれ以下と定義されている）。これは，OECDの加盟国30か国で，貧困線以下で暮らす世帯は平均10%である。豊かなスカンジナビア諸国では，この平均は5%未満である。日本の貧富の境界線は「かなりの労働人口が逃れ難い低賃金層に押し込められていて，2者間の移動がないので，特に心配だ」と1月のOECDの報告は警告している。

〔語句〕
slash：大幅に削減する
streamline：合理化する　簡素化する
nibble：少しずつ減る
homogeneity：均質性
equitable：公平な　公正な
bifurcate：2つに分ける　分岐させる
entrepreneur：起業家　企業家
marginalized：（社会の，世の中の進歩から）取り残された
comprising：～から成る
disparity：差異　相違
on welfare：生活保護を受けている
segment：部分　区分

No. 192 具体から一般化へ

Select the statement which best corresponds to the content of the following passage.

Lia Kent, raised with what she calls a "Depression mentality," always found it hard to throw things away. Her home was filled with clothes that no longer fit, piles of magazines she never read and gifts from relatives she never used.

But a few years ago, Kent began rising earlier than her four children and husband in order to have quiet time for spiritual reflection. And something clicked.

"I saw a house full of stuff. I saw my house and how cluttered it was," Kent said. "I just realised I had too much excess and that it was getting in the way."

Kent threw out the hoarded magazines and gave away her old clothes. She "worked on not acquiring so much," she said, by no longer shopping at yard sales and by making major purchases only after first going home to deliberate about them.

"The catalyst for this was my faith," said Kent, a Greek Orthodox Christian. "My consumption of things was my greed, me wanting more than my fair share."

Kent's experience illustrates what religious leaders and lifestyle experts describe as a growing appreciation by many Americans that an overabundance of material goods can be a drag on spiritual development. Increasingly, de-cluttering and downsizing are being viewed in a spiritual context, as ways to remove distractions to inner growth.

Most faith traditions extol simplicity as a means to spiritual enlightenment. In Roman Catholicism, austerity-exemplified by monks and nuns in monasteries and convents-was held up for centuries as a model. Buddhism stresses the relationship between external simplicity and internal insight. And in Judaism, the virtue of moderation is getting new attention.

Kristin van Ogtrop, managing editor of Real Simple, a New York-based secular magazine that promotes simplicity as a lifestyle, said readers have made it clear that they experience inner rewards from uncluttering.

"They feel a greater sense of peace when they're not overwhelmed by their physical surroundings," van Ogtrop said.

A grassroots national movement called "Voluntary Simplicity" is another example of how people are responding to spiritual concerns about material

abundance. The movement has drawn in people who want to cut back on possessions and slow their pace of life. While many have joined because of environmental concerns, others are attracted by the spiritual benefits.

1 Lia Kent suffered from depression, and she wanted to hide the fact from her family.
2 Lia Kent was relieved of addiction to consumption by using mail order instead of shopping at garage sales.
3 Lia Kent sought both spiritual growth and material well-being at the same time.
4 Life with fewer material possessions is now proposed by some people from religious or ecological motives.
5 Most Americans do not realize they have been living in affluence, and they don't think it good to lead a simple life.

解答欄

解説 192

1× 「Lia Kent はうつ病で，そのことを家族に知られたくなかった。」
第 **1**，第 **2** 段落で，Lia Kent の生活ぶりが述べられている。しかし，家族に関しては，Lia が内省するために夫や子供より早く起きたという記述があるだけで，設問文に**該当する記述はない**。

2× 「ガレージセールで買い物をする代わりに通信販売を利用して，Lia Kent は消費中毒から救われた。」
第 **3**，第 **4** 段落で「必要以上に買い物をしていたことに気づいて，**物を捨てるようになり**，大きな買い物もよく考えてから行うようになった」という記述がある。また，消費中毒と**までは述べていない**。

3× 「Lia Kent は，精神的発達も物質的豊かさも求めた。」
第 **4** 段落で「たまっていた雑誌を捨て，服も人にあげた」という記述があることから，物質的豊かさは**求めてはいなかった**ことがわかる。

4○ 「宗教的，あるいはエコロジーの観点から物を所有しない暮らし方が，今，一部の人達によって提案されている。」
第 **5** 段落と**最終段落**で，**宗教**と**環境**との関連記述がある。

5× 「大部分のアメリカ人は自分たちが物に囲まれた生活をしてきたために，

質素な生活をよく思わない。」

設問文に**一致する記述はない**。

解答　4

〔全訳〕

自ら「うつ病」と呼んでいた病を抱えて育ったリア・ケントは，いつもなかなか物が捨てられないでいた。彼女の家は，もはや着ることのない服やまったく読んでいない山のように積まれた雑誌，これまで使ったことがない親類からの贈り物であふれていた。

しかし，数年前，いろいろなことをじっくり考えるために，ケントは子どもや夫よりも早く起きはじめた。そして何かがカチッと鳴ってスイッチが入った。「家中にものが溢れ，非常に乱雑であるのを見たの。余分なものがあって，邪魔をしていることに気づいたのよ」とケントは言った。

ケントは，とっておいた雑誌を捨て，古着を人にあげた。ヤードセールで物を買わず，大きな買い物は，まず家に帰ってよく考えた後にするようにして，「たくさん買わないようにした」と彼女は言った。「こんなことをするようになったのは，私の信仰がきっかけだった。私が物を消費するのは欲のせいだったのよ。私は，必要以上に欲しがってしまったの。」とギリシア東方正教会の信者であるケントは言った。

ケントの経験は，物が豊富になりすぎると精神的発達が妨げられるという，多くのアメリカ人に理解されてきていることだと宗教指導者やライフスタイルの専門家が述べていることを具体的に示している。不要なものを捨てて身の回りを整理していくことは，ますます精神的な観点から見られるようになってきていて，そうすることは，内面の成長を妨げる邪魔物を取り除く方法だとみなされている。

大部分の宗教は，質素であることを悟りに至る手段として賞賛している。例えば，ローマカトリックでは，質素であること（修道院や女子修道院の僧や尼僧によって具体化しているように）は，何世紀もの間，模範として引き合いに出された。仏教は，外面的な質素さと内面的な洞察力の関係を強調している。さらに，ユダヤ教でも，節制の美徳に新たな目が向けられている。

質素であることを生き方として促進している，ニューヨークに本部を置く，

非宗教的な雑誌 Real Simple の編集長クリスチャン・バン・オグトロプは，読者がものを整理することで精神的に報われたのは明らかだと述べた。

「周りにものが溢れなくなったとき，彼らはより大きな平安を感じる」とバン・オグトロプは言った。

「自発的簡素化」と呼ばれる草の根的な国民運動は，人々が，物が溢れていることに対して抱いている精神的な不安にどのように反応しているかを示すもうひとつの例である。この運動は，所有物を減らしたい，ゆっくり生きたいと思っている人々の間で広がっている。環境への関心からこの運動に参加している人が多いが，精神的な利益から引き付けられている人もいる。

〔語句〕

Depression mentality：心がうつの状態　うつ（病）
spiritual reflection：精神的熟考　つまり様々なことをじっくり考えること
stuff：がらくた　くだらないもの　廃物
cluttered：ちらかっている
have too much excess：余分なものが多すぎる
get in the way：邪魔になっている
hoarded magazines：読み終わったあと捨てずにおいた雑誌
hoarded：貯めておいた　貯蔵しておいた
work on：～するように働きかける
deliberate about：慎重に考える
catalyst：刺激　きっかけ
appreciation：認識
extol：賞賛する
austerity：質素　簡素
exemplify：例として示す
monk：修道士
num：尼僧
monastery：男子修道院
convent：女子修道院
cut back on：削減する

英語（一般）

No. 193 分析から

Select the statement which best corresponds to the content of the following passage.

Ethology, the study of animal behaviour as a science, began after the Second World War with the observations of Konrad Lorenz, Niko Tinbergen and William Thorpe on the natural lives of wild and domestic animals. Later, the ethologists were joined by psychologists and philosophers in research into the minds of animals, which has come to be known as cognitive ethology. This multi-disciplinary field of research has resulted in a multitude of investigations into consciousness, cognition, self-awareness and intelligence of animals, as well as into whether they feel pain, anger, fear, love and so on.

All these studies have had to be carried out by comparing the biological, physiological and psychological processes that control the animal mind with those that control the human mind, and the same paradigm has to be used for describing animal behaviour as human behaviour. Intelligence is tested in the chimpanzee in the same way as it is in a child, while researchers strive to assert that the higher apes are capable of communication in some sort of human language. Increasingly, however, it is being realized that the continuity between the animal and human worlds does not have to be proven by experiments such as whether Kanzi, the bonobo（pygmy chimpanzee）, understands grammar.

When it is asked what has been achieved by all the research into animal minds, it becomes clear that the conclusions are as much a reflection of the social attitudes of the authors as they are of empirical experiment. In asking the question "Do animals think, are they conscious, or self-aware?", much depends on the definition of these terms, and on this, despite continuing debate, there is no clear agreement.

There is a great difference between the scientist who believes, with the legacy of the behaviourists, in a strictly disciplined approach to examining whether animals have "a theory of mind", and non-expert people whose life experience indicates to them that at least the higher birds and mammals have many of the attributes of the human mind, although to a lesser degree. And the crucial attribute that is debated is whether animals have not only senses but also consciousness. In this, the belief that only humans have a soul, and the association of this supernatural attribute with consciousness has led, over the

centuries, to a general denial of consciousness in animals. Surely the time for this has now passed and scientists should no longer be embarrassed to believe and to admit that non-human animals have not only senses but that many have also consciousness, that is, they are self-aware.

1 From the beginning, ethologists, psychologists and philosophers started to observe higher animals.
2 As studies advanced, researchers discovered that chimpanzees may eventually compete with humans in intelligence.
3 Conclusions in animal research are the same, no matter what the scientist who conducts the reseach may think of animals' behaviour.
4 Scientists are quite different from common people in the problem whether animals have intelligence.
5 The concept of the soul brought some confusion to the religious understanding of the consciousness of animals.

解答欄

解説 193

1× 「行動生物学者と心理学者，哲学者は初めから高等動物を観察し始めた。」この３者がどの順番で研究に参加するようになったかは，第**1**段落にある。

それによると，心理学者と哲学者が加わったのは **later**，つまりあとになって参加したと述べられている。したがって，**一致しない**。

2× 「研究が進むにつれて，研究者には，チンパンジーが最後には人間と知性の点で競い合うことができるかもしれないことがわかった。」

最終段落で，「少なくとも高等な鳥や哺乳類は，人間の精神の多くの特性を，程度は低いが，持っている」とあるので，人間と競い合うことができるは**不一致**である。

3× 「動物研究の結論は，研究を行った科学者が動物の行動について何を考えようとも，同じである。」

第**3**段落で「結論は，著者の考え方を反映したものになってくる」とあるから，**the same ではない**。

4○ 「科学者と一般人は動物には知性があるかどうかという問題に関してまったく考えを異にしている。」

最終段落の冒頭で「**大きな違いがある**」と述べていることと**一致する**。

5 × 「魂という考えは，動物の意識に対する宗教的理解に多少の混乱をまねいた。」

本文には魂が存在するという考えについては触れているが，**宗教上の理解**については**一切述べていない**。

解答　4

〔全訳〕

動物行動学は，動物の行動を科学的に研究する学問であって，第２次大戦後，コンラート・ローレンツ，ニコ・ティンバーゲン，ウィリアム・ソープが野生動物，家畜の自然な生態を観察することで始まった。後に，動物行動学者は心理学者や哲学者と共同して動物の精神活動を研究するようになった。これは今では認知行動学として知られている。この多領域からなる研究分野は結果的に，動物が痛み，怒り，恐れ，愛情などを感じるかどうかだけでなく，動物の意識，認識，自意識，知性に関する数多くの調査・研究につながった。

これまで，こうした研究は，動物の頭脳を制御している生物学的，生理学的，そして心理学的過程を，人間のそれと比べることによって行わざるを得なかった。さらに，動物の行動を説明するには人間の行動を説明するのと同じパラダイムを利用せざるを得ない。だから，チンパンジーの知能を調べるのに人間の子供の知能を調べるのと同じ方法がとられるのだ。そうして，研究者は，高度な類人猿は人間のことばのようなものでコミュニケーションできると，しきりに主張しようとしている。しかしながら，ボノボ（ピグミーチンパンジー）のKanziが人間のことばの文法を理解できるかどうかといった実験によって，動物界と人間の世界がつながっていることを証明する必要はないことは，ますます認識されるようになっている。

動物の知能を調べて何がわかったのかと尋ねたら，経験を重視する実験と同じくらい，その結論は，著者の考え方を反映したものになってくる。

「動物は考えるのか。意識を持つのか。自分を意識するのか」と問いかけるとき，こうした言葉の定義に多くのことが左右される。そして，議論は続いているものの，はっきりこれといった答えは出ないのである。

科学者と一般人の間には大きな違いがある。科学者は，動物が「意識」を持

つかどうかを調べるのに，行動学者と同じように厳密な学問的方法に信頼を置いている。一方，一般の人は経験に照らして，少なくとも高等な鳥や哺乳類は人間の精神の多くの特性を，程度は低いが，持っていると考えている。そして，議論されている重要な属性は，動物が感覚だけでなく，意識を持っているかどうかということである。魂を持つのは人間だけであるため，魂と意識を結びつけた結果と思っているために，何百年にもわたって，動物には意識はないと一般に考えてきたのである。たしかに今はこんな時代ではない。科学者は，動物が感覚ばかりでなく，その中の多くは意識を持つ，つまり自分を意識すると信じ，それを認めることで恥ずかしい思いをすることはもはやないのである。

〔語句〕
ethology：動物行動学
cognitive ethology：認知行動学
multi-disciplinary：多領域にわたる学問の
a multitude of ～：数多くの～
physiological：生理学の
paradigm：パラダイム　理論的枠組　模範
empirical：経験に基づく　経験的
legacy：遺産
attribute：特性　特質

No. 194 組合せ選択問題

Select the three statements which correspond to the content of the following passage.

In the last decade, the earliest years of schooling have become less like a trip to "Mister Rogers' Neighborhood" and more like SAT prep. Thirty years ago first grade was for learning how to read. Now, reading lessons start in kindergarten and kids who don't crack the code by the middle of the first grade get extra help. Instead of story time, finger painting, tracing letters and snack, first graders are spending hours doing math work sheets and sounding out words in reading groups. In some places, recess, music, art and even social studies are being replaced by writing exercises and spelling quizzes. Kids as young as 6 are tested, and tested again—some every 10 days or so—to ensure they're making sufficient progress. After school, there's homework, and for some, educational videos, more workbooks and tutoring, to help give them an edge.

Not every school, or every district, embraces this new work ethic, and in those that do, many kids are thriving. But some children are getting their first taste of failure before they learn to tie their shoes. Being held back a grade was once relatively rare: it makes kids feel singled out and, in some cases, humiliated. These days, the number of kids repeating a grade, especially in urban school districts, has jumped. In Buffalo, N.Y., the district sent a group of more than 600 low-performing first graders to mandatory summer school; even so, 42 percent of them have to repeat the grade. Among affluent families, the pressure to succeed at younger and younger ages is an inevitable byproduct of an increasingly competitive world. The same parents who played Mozart to their kids in utero are willing to spend big bucks to make sure their 5-year-olds don't stray off course.

Like many of his friends, Robert Cloud, a president of an engineering company in suburban Chicago, had the Ivy League in mind when he enrolled his sons, ages 5 and 8, in a weekly after-school tutoring program. "To get into a good school, you need to have good grades," he says. In Granville, Ohio, a city known for its overachieving high-school and middle-school students, an elementary-school principal has noticed a dramatic shift over the past 10 years. "Kindergarten, which was once very play-based," says William White, "has become the new first grade. " This pendulum has been swinging for nearly a century: in some decades, educators have favored a rigid academic curriculum, in others, a more childfriendly classroom style. Lately, some experts have begun to question whether our current emphasis on early learning may be going too far. "There comes a time when prudent people begin to wonder just how high we can raise our expectations for our littlest schoolkids," says Walter Gilliam, a child-development expert at Yale University. Early education, he says, is not just about teaching letters but about turning curious kids into lifelong learners. It's critical that all kids know how to read, but that is only one aspect of a child's education. Are we pushing our children too far, too fast ? Could all this pressure be bad for our kids ?

Kindergarten and first grade have changed so much because we know so much more about how kids learn. Forty years ago school performance and intelligence were thought to be determined mainly by social conditions—poor kids came from chaotic families and attended badly run schools. If poor children, blacks and Hispanics lagged behind middle-class kids in school, policymakers dismissed the problem as an inevitable byproduct of poverty. Its roots were too deep and complex, and there wasn't the political will to fix it anyway. Since then, scientists have confirmed what some kindergarten teachers had been saying all along—that all young children are wired to learn from birth and an enriched environment, one with plenty of books, stories, rhyming and conversation, can help kids from all kinds of backgrounds achieve more. Politicians began taking aim at the achievement gap, pushing schools to reconceive the early years as an opportunity to make sure that all kids got the fundamentals of reading and math. At the same time, politicians began calling for tests that would measure how individual students were doing, and high-stakes testing quickly became the sole metric by which a school was measured.

A　Nowadays, even first graders are well grounded in the three R's(reading, writing, and arithmetic).

B　Recently, more and more children in big cities have had to repeat a grade.

C　Even among rich families, younger children do not feel so much pressure as thirty years ago.

D　Scholars now believe that a good learning environment can improve children's school record and ability even if their family is poor.

E　Politicians do not regard early education as a way to improve children's standards of literacy and numeracy.

1　A，B，D
2　A，C，E
3　B，C，D
4　B，D，E
5　C，D，E

解答欄

解説 194

A ○ 「今では，学校に入ったばかりの1年生でも，読み，書き，そろばんの基礎は十分に教え込まれている。」

第1段落，第2文 **Now** からの文は，30年前は，小学1年生は読み書きを学んだけれど，今日では，小学校入学前にすでに読み，書き，計算の力を身につけて来ている，という内容が書いてある。

B ○ 「最近都会では留年せざるを得ない子どもがますます多くなっている。」

第2段落，第4文と**一致**。

C × 「豊かな家庭でも，低年齢の子どもは30年前ほどプレッシャーを感じていない。」

第2段落，第6文で，成功を期待される子どもは幼いころに出世の糸口をつかませようという**圧力は，競争社会の避けられない副産物**である，と述べられている。

D ○ 「家庭が貧しくても，学習環境がよければ子どもの成績は伸びると学者は信じている。」

第4段落，第5文のダッシュの後と一致。「環境に恵まれれば，子どもはさまざまな環境で育ってきたのだから，もっと多くのことができるようになる，というのを認めるようになった」と記述されている。

E × 「子どもの読解力と計算力を向上させる方法として，早期教育がよいものだと政治家は思っていない。」

第4段落の第6文で政治家は，すべての子どもの基本的読解力と計算力を確実なものにするために，**就学し初めの数年間**について，**再考するように，学校に働きかけている**と記されている。

解答　1

[全訳]

過去10年間で，学校教育の最初の数年は子ども向け番組「ロジャーおじさんのお隣さん」のようなものではなく，SAT予備校のようになってきた。30年前の1年生はまず読み方を学んだが，現在読み方の訓練は幼稚園で始まり，1年生の半ばまでに文字が読めるようになっていない子どもには補習が行われる。お話の時間やお絵かき，書写やおやつの代わりに，1年生たちは算数のドリル，朗読グループでは音読の訓練に時間を費やしている。地域によっては，休憩時間や音楽・美術，さらには社会科さえも書き取り練習や綴り方の時間に替えられている。6歳の子どもであっても，10日に一度程度は繰り返しテストを受けさせられ，勉強が十分に進んでいるかどうかが確かめられる。家に帰れば宿題が待っている。また周りを出し抜こうと学習用のビデオを見たり，練習帳で勉強したり，家庭教師を付けさせられる子どももいる。

あらゆる学校や地域がこうした新たな学習観にとらわれているわけではないし，またそうしたところでも，子どもたちの多くはのびのび育っている。だが，中には，靴の紐を自分で結ぶようになる前に，最初の挫折を味わう子どもたちだっている。かつて，留年はめったに起こるものではなかった。留年は子どもに疎外感を与えるものだし，ときに屈辱ともなろう。ところが，最近は，留年する子どもの数が，特に都市部を中心に飛躍的に増えているのだ。ニューヨーク州バッファローでは，同地区の1年生のうち600名以上を強制的に夏期講習会に送り込んだが，それでもその42%が留年してしまっている。裕福な家庭でよく見られる，なるべく幼いころに出世の糸口をつかませようという圧力は，激化する競争社会の避けられない副産物である。胎教でモーツァルトを聞かせていた同じ親が，5歳のわが子がコースで落ちこぼれないようにとせっせとかなりの金額を教育につぎ込んでいる。

シカゴ郊外にある機械メーカーの社長ロバート・クラウドは，友人たちの多くがそうであるように，現在5歳と8歳の息子が就学した際に，アイヴィ・リーグへの進学を計画し，学校のほかに，週1回ペースで家庭教師を付けている。クラウド氏は「いい学校に進むには，いい成績をとっていないといけませんからね」と言っている。オハイオ州グランヴィルは，学習到達度の高い高校生，中学生がいることで有名だが，ある小学校の校長は，過去10年間の劇的な変化に気づいている。William White は，「かつて幼稚園はまさに遊びの場でしたが，今では就学初年度生のためのクラスとなっています」と言っている。この振り子の周期はほとんど1世紀にわたるものである。過去には，教員が厳格に教育カリキュラムを進めることを好んだ時期もあった。逆に，子供に親しみやすく接する教室運営が好まれた時期もあった。最近では，現在のような早期教育重視はいささかやりすぎではないか，と疑問視し始めた専門家もいる。「思慮分別のある人が，学校にあがったばかりの子どもにかける期待の高さにいかがなものかと思うようになるときが来るはずだ」と語るのは，エール大学で児童発達学を研究している Walter Gilliam である。Gilliam によれば，早期教育とは，単に文字を教えるばかりではなく，子どもが抱く好奇心を生涯学習に向けることだという。子どもが全員，文字を読めることは大切なことだが，しかしそれは，児童教育の持つひとつの側面にすぎない。われわれは現在，子どもをあまりに早く，あまりに遠くへ追いやろうとしているのだろうか。このプレッシャーはすべて，子どもにとって有害なのだろうか。

幼稚園と就学初学年がこれほどまでに変化したのは，子どもの学びの仕組みが相当程度わかってきたからである。40 年前，学校の成績と知能は主に社会条件で決まると考えられていた。すなわち，貧しい子どもの家庭は乱れていて，そうした子どもが通う学校はきちんと運営されていない。黒人やヒスパニック系の家の児童が学校で中レベルの子どもたちについていけない場合にも，政策立案者はこの問題を貧困による不可避の副産物と捉え，目を向けなかった。その根があまりに深く複雑だったため，なんとしてもそれを是正しようとする政治的な意志は存在しなかったのである。しかし，その後，科学者たちは幼稚園の教職員たちが終始一貫して語っていたことを認めるようになった。すなわち，児童は誰もが生まれながらに学習するようになっていて，たくさんの本や物語や，詩作や会話などの環境に恵まれれば，子どもはさまざまな環境で育ってきたのだから，もっと多くのことができるようになる，ということを認めるようになった。また政治家も学習達成度の格差に目を向け始め，学校に対して，就学し始めの数年間が，すべての児童が読解力や計算力といった基礎的能力を確実に習得できる機会にするように再考を促した。それと同時に，個々の生徒の学習程度を測定するテストの実施も求め始めたのだが，このいちかばちかのテストは，たちまち学校の程度を測る唯一の「メートル法」のような存在になったのである。

［語句］

Mister Rogers' Neighborhood：アメリカの子ども向け TV シリーズ

crack the code：暗号を解読する（ここでは「文章をきちんと理解する」ほどの意味）

recess：休憩

thrive：のびのび育つ

humiliate：恥ずかしい思いをする

mandatory：強制的な

affluent：裕福な

in utero：胎内の

an edge：優位　優勢

give them an edge：子どもに優位を与える⇒他の子どもよりよい成績を取る

thrive：繁栄する　力強く成長する　伸び伸び育つ

be held back a grade：留年する

enroll：入会（入学）させる

pendulum：振り子　180 度の変化を示唆している，a dramatic shift に続いて小学校の校長の言葉の中にある「幼稚園が遊ぶ場所から新しい就学初年度生のクラスに劇的に変わった」ことを象徴する

rigid：柔軟性がない

littlest（米語略式 little の最上級）smallest：もっとも小さい

chaotic families：乱れた家庭

badly run schools：きちんと運営されていない学校

lag behind：遅れる　進度が遅い

high-stakes：大きな賭け

sole：たった 1 つの　独占的な

●編著者
L&L 総合研究所
License & Learning 総合研究所は，大学教授ほか教育関係者，弁護士，医師，公認会計士，税理士，1 級建築士，福祉・介護専門職などをメンバーとする。資格を通して新しいライフスタイルを提唱するプロフェッショナル集団。各種資格試験，就職試験を中心とした分野，書籍・雑誌・電子出版，WBT における企画・取材・調査・執筆・出版活動を行っている。

絶対決める！
地方上級・国家一般職〈大卒程度〉公務員試験総合問題集

編著者　L & L 総合研究所
発行者　富　永　靖　弘
印刷所　誠宏印刷株式会社

発行所　東京都台東区 台東２丁目24　株式会社 新星出版社
〒110-0016 ☎03(3831)0743